DELF

A1

MÉTHODE DE FRANÇAIS

1

Annie BERTHET
Catherine HUGOT
Véronique M. KIZIRIAN
Béatrix SAMPSONIS
Monique WAENDENDRIES

Professeurs-formateurs à l'Alliance Française de Paris

HACHETTE
Français langue étrangère
www.hachettefle.fr

Crédits photographiques

Akg-images/108 (c)

Ask-images/106 (6)

Avenue Images/62 (b)

Bios/D. Heuclin : 50 (a) ; Oliv : 50 (d)

Corbis/Tibor Bognár : 45 ; Owen Franken : 46 (1) ; R. Mellol : 92 (M. Mastroianni) ; J.-D. Lorieux : 92 (S. Vartan) ; Stéphane Cardinale : 92 (C. Mastroianni, Jane Birkin)

Gamma/Photo news : 27 (2) ; Edelhajt : 27 (5) ; 27 (1) ; C. Andersen : 63 ; 90 (1, 2) ; F. Souloy : 92 (J. Hallyday) ; Lenquette : 92 (S. Gainsbourg) ; F. Souloy : 92 (C. Deneuve) ; Benainou-Duclos : 92 (C. Gainsbourg) ; F. Souloy : 92 (L. Doillon) ; E. Vandeville : 92 (C. Vadim) ; S. Benhamou : 92 (L. Smet) ; 94 (Abbé Pierre, Cousteau, Coluche) ; 110

Getty images/Stockdisc ; 9 bg ; Stockbyte : 9 hd ; Anne Rippy : 17 bg ; Medioimages : 17 hd ; Stephen Simpson : 20 ; Meikle John : 25 ; Michael Goldman : 26 ; Johner Images : 31 (le chocolat) ; Carlos Spaventa : 31 (la baguette) ; Bernard Van Berg : 31 (le Manneken-Pis) ; Stacy Gold : 31 (la tulipe) ; Siede Preis : 31 (le trèfle) ; Ryan McVay : 33 bg ; Rubberball : 33 hd ; Roger Wright : 34 (1) ; Brand X Pictures : 49 hd ; Stockdisc : 49 bg ; Bill Truslow : 50 (b) ; Jumpstart Studios : 50 (e) ; Paul Thomas : 62 (a) ; Paul Avis : 62 (c) Ian Sanderson : 62 (d) ; Digital Vision : 65 bg ; Stockbyte : 65 hd ; George Diebold Photography : 81 bg ; Stockbyte : 81 hd ; The Image Bank : 86 (2, 3, 4) ; Stone : 86 (1) ; Phil Boorman : 97 bg ; Ingine : 97 hd ; Milton Montenegro : 113 bg ; Achim Sass : 113 hd ; Jeanne Greco : 122 (tableau) ; Ken Chernus : 122 (horloge) ; Luca Trovato : 122 (machine à café) ; Shaun Egan : 122 (voyage en Grèce) ; Roy Hsu : 122 (pendentif) ; Boris Lyubner : 122 (camescope) ; Alessandro Messaggi : 122 (cours de cuisine) ; Chaloner Woods : 122 (lampe design) ; Don Farrall : 129 bg ; Medioimages : 129 hd ; Brand X Pictures : 145 bg ; Medioimages : 145 hd ; Medioimages : 161 bg ; Medioimages : 161 hd

Hachette Photos Illustrations/P. Escudero : 100 hg ; 127 ; Catherine Bibollet : 152

Hémisphères/Renault : 100 bg ; P. Frilet : 100 bd ; M. Colin : 106 (3) ; Pawel Wysocki : 106 (7) ; J. du Boisberranger : 105 (enfants) ; M. Colin : 105 (spéléologues)

Hoa-Qui/Wolf Alfred : 27 (4) ; Champollion Hervé : 27 (3) ; Winkelmann Bernhard : 31 (les spaghettis) ; Valentin Emmanuel : 31 (parfum) ; Sudres Jean-Daniel : 31 (le flamenco) ; Dinodia : 31 (Big Ben) ; Werner Otto : 31 (l'Acropole) ; Roy Philippe : 34 (5) ; Philippon A. : 34 (2) ; Guittard Gilles : 34 (4) ; Lefranc D. : 34 (3) ; Tierny Yann : 39 bd ; Bouchard J. P : 39 hd ; Perousse Bruno : 42 (2) ; Angelo Cavalli : 43 (2) ; Renaudeau Michel : 43 (5) ; Buss Wojtek : 43 (3) ; P. Narayan : 43 (1) ; Wolf Alfred : 46 (6) ; Franck Charel : 46 (8) ; Morand-Grahame Gérald : 46 (3) ; Hervé Champollion : 46 (2) ; Hervé Champollion : 46 (9) ; Balzak : 79 ; Christian Vaisse : 104 h ; Sylvain Grandadam : 104 b ; 105 (plongée) ; D. Scott : 105 (volcan) ; J. Brun : 106 (1, 4) ; W. Buss : 106 (2) ; P. Narayan : 106 (7) ; B. Perousse : 108 (a) ; W. Buss (e) ; J.D.Sudres : 108 (f) ; E. Sampers : 108 (b) ; 108 (d) ; J.P.Lescourret : 134

Jacana/Adriano Bacchella : 50 (c)

Maxppp/B. Pellerin : 92 (D. Hallyday) ; P. Narayan : 100 hd

Photothèque Hachette/31 (Chopin) ; 31 (Texte de la *Déclaration des droits de l'Homme et du citoyen*) ; 94 (Molière, Louis pasteur, Marie Curie, Victor Hugo)

Rapho/Jo pietri : 94 (E. Piaf) ; Dominique Berrety : 94 (Charles De Gaulle) ; Jean Mainbourg : 94 (Bourvil) ; JNS : 163

Sipa : 90 (3)

Photos de couverture : Getty/Paddy Eckersley

DR : 54, 137

© CD36-CD60 : Amarante : 10 ; © Jacques Lebar : 46 (4, 5, 7) ; © Éditions Vents d'Ouest, *La BD des copines*, tome 2 : 70 ; © Casterman, *Le Chat*, Philippe Deluck : 109 ; © Lucky Comics 2005 : 109 ; © Studio Boule et Bill, Jean Roba, 2005 : 109 ; Gotlib & Goscinny, Dargaud, 2005 : 162 ; © Photos Guy Marineau : 118, 119 ; © ADAGP, Photothèque René Magritte : 108 ; © *Le parisien* : 69, 142, 150

Tous nos remerciements à Nicolas Vesin, la Maison de la France, LG Électroménager, TV5, l'INSEE, IPSOS, France 2, *La Dépêche du Midi*, la FUAJ, Tété, la FNAC, Christian Lacroix, Philippe Starck/UBIK, la Mairie de Vanves, aux Éditions du bout de la rue pour les autorisations de reproduction de documents.

Intervenants

Cartographie : **Hachette Éducation**

Couverture : **Amarante**

Création maquette intérieure : **Amarante**

Illustrations : **Laetitia Aynié, David Lavollée, Jean-Marie Renard, Jean-Michel Thiriet**

Mise en page : **Alinéa**

Recherche iconographique : **Hachette éducation, Brigitte Hammond**

Pour découvrir nos nouveautés, consulter notre catalogue en ligne, contacter nos diffuseurs ou nous écrire, rendez-vous sur Internet :
www.hachettefle.fr

ISBN 978-2-01-155420-8

© Hachette Livre 2006, 43, quai de Grenelle, F 75 905 Paris Cedex 15.

Avant-propos

Alter Ego est une méthode de français sur quatre niveaux destinée à des apprenants adultes ou grands adolescents.

Alter Ego 1 s'adresse à des débutants et vise l'acquisition des compétences décrites dans les niveaux A1 et A2 (en partie) du *Cadre européen commun de référence pour les langues (CECR)*, dans un parcours de 120 heures d'activités d'enseignement/apprentissage, complété par des tâches d'évaluation. Il permet de se présenter au nouveau DELF A1.

STRUCTURE DU MANUEL

Alter Ego se compose de **neuf dossiers** de **trois leçons**. Chaque dossier se termine sur un *Carnet de voyage*, parcours à dominante culturelle et interactive. En début d'ouvrage, *Fenêtre sur...* permet une entrée en matière à travers des situations d'initiation aux langues auxquelles les apprenants pourront s'identifier. En fin de manuel, *Horizons* met l'accent sur l'interculturel et propose aux apprenants un retour ludique sur le chemin parcouru.

Chaque leçon est composée de deux doubles pages. Pour atteindre les objectifs communicatifs annoncés, chaque double page présente un parcours qui va d'activités de compréhension à des activités d'expression et inclut des exercices de réemploi. Pour permettre la conceptualisation et l'assimilation des contenus communicatifs et linguistiques, des *Points langue* et des *Aide-mémoire* jalonnent les leçons. Selon les thématiques, un *Point culture* permet de travailler les contenus culturels.

En fin d'ouvrage, se trouvent les transcriptions des enregistrements, un précis grammatical, des tableaux de conjugaison et un lexique multilingue.

APPRENDRE, ENSEIGNER, ÉVALUER

Alter Ego intègre les principes du *CECR* et reflète ses trois approches : apprendre, enseigner, évaluer.

APPRENDRE AVEC *ALTER EGO*

Dans *Alter Ego*, la place de l'apprenant est primordiale. L'approche retenue lui permet d'acquérir les compétences décrites dans les niveaux A1 et A2 (en partie) du *CECR*, c'est-à-dire des compétences de communication écrite et orale, de compréhension et d'expression, à travers des **tâches communicatives**. L'apprenant est actif, il développe ses aptitudes d'observation et de réflexion, autant de stratégies d'apprentissage qui l'amènent progressivement vers l'autonomie.

Les thèmes abordés ont pour principal objectif de susciter chez l'apprenant un réel intérêt pour la société française et le monde francophone et lui permettre de **développer des savoir-faire et savoir-être** indispensables à toute communication réussie.

Dans *Alter Ego*, la langue est certes objet d'apprentissage (structures à acquérir), mais avant tout instrument de communication. Les supports sont variés, les situations proches de la vie. Le ressenti, les émotions, le vécu sont des données essentielles pour avoir envie de comprendre l'autre, de communiquer et partager avec l'autre.

Les tâches proposées se veulent le reflet de situations authentiques, dans différents domaines (personnel, public, professionnel, éducatif), afin de favoriser la motivation de l'apprenant et son implication dans l'apprentissage. Ainsi, celui-ci développe des savoir-faire mais aussi des stratégies de communication : interaction, médiation...

Apprendre à communiquer en langue étrangère, c'est dans un premier temps communiquer dans la classe. Les activités proposées offrent à l'apprenant de nombreuses opportunités d'**interagir** avec les autres dans des situations variées et implicantes : de manière authentique, en fonction de son ressenti, de son vécu et de sa culture, mais aussi de manière créative et ludique.

ENSEIGNER AVEC *ALTER EGO*

Le fil conducteur du manuel correspond rigoureusement aux savoir-faire décrits par le *CECR*. La **progression en spirale** permet d'amener l'apprenant à de vraies compétences communicatives. Les principaux contenus communicatifs et linguistiques sont travaillés et enrichis de manière progressive, dans différents contextes et thématiques.

Une des priorités d'*Alter Ego* est la transparence, le contrat partagé – tant du côté de l'enseignant que de l'apprenant. Les objectifs sont explicitement indiqués dans les leçons, ainsi que les compétences visées.

Chaque leçon est structurée par les **objectifs communicatifs** et développe une **thématique**. Les supports, variés, présentent à part égale des situations d'écrit et d'oral ; ils permettent un travail en contexte. La démarche est sémantique, intégrative et simple d'utilisation : le parcours de chaque double page (comprendre, s'exercer, s'exprimer) amène les apprenants à la découverte et à l'appropriation des contenus dans une démarche progressive et guidée. La priorité va d'abord au sens ; les contenus (pragmatiques, linguistiques, culturels) sont découverts et s'articulent au fur et à mesure de la démarche.

Chaque leçon mobilise les quatre compétences, signalées par des pictos : écouter, lire, parler, écrire.

Les compétences réceptives (à l'écrit, à l'oral) sont souvent travaillées dans un rapport de complémentarité, à l'intérieur d'un scénario donné. Une attention toute particulière est donnée à la **conceptualisation** des formes linguistiques, en les reliant aux objectifs communicatifs. Chaque parcours se termine par des activités d'expression variées, proposant des tâches proches de l'authentique.

ÉVALUER AVEC *ALTER EGO*

L'évaluation est traitée sous deux formes. Elle est d'une part sommative en ce qu'elle propose un réel entraînement à la validation des compétences présentes dans les certifications correspondant aux niveaux du *CECR* :
– DELF A1,
– Préparation au DELF A2 et au CEFP1 de l'Alliance française de Paris, ainsi qu'aux tests TCF et TEF.

D'autre part et surtout, *Alter Ego* se propose d'entraîner l'apprenant à une véritable évaluation formative, c'est-à-dire centrée sur l'apprentissage : des fiches de réflexion permettent à l'apprenant de porter un regard constructif sur son apprentissage, de s'auto-évaluer et enfin, à l'aide d'un test, de vérifier avec l'enseignant ses acquis, ses progrès. *Alter Ego* veut aider l'apprenant à s'approprier le portfolio qui lui est proposé grâce à un accompagnement étape par étape, et donner à l'enseignant le moyen de mettre en place un véritable contrat d'apprentissage avec l'apprenant.

Des tests d'évaluation formative sont proposés à la fin de chaque dossier. Ils aident à faire prendre conscience de l'acquisition des quatre compétences développées dans les leçons précédentes et des moyens à mettre en œuvre pour se perfectionner. Les moments de réflexion intitulés *Vers le portfolio, comprendre pour agir* permettent à l'enseignant et à l'apprenant de faire le point ensemble sur les acquis et les progrès à poursuivre.

Des bilans d'évaluation sommative, véritables entraînements aux certifications du niveau, sont proposés tous les trois dossiers pour permettre à l'enseignant d'évaluer les acquis et savoir-faire des apprenants à ce stade de leur apprentissage. Ils reprennent les savoir-faire et les outils linguistiques acquis depuis le début du manuel et permettent à l'apprenant de s'entraîner à la validation officielle de ses compétences aux niveaux de communication en langues correspondant au *CECR* : niveaux A1 et A2 (en partie).

Ce manuel est l'aboutissement d'années d'expérience sur le terrain et de réflexion en formation d'enseignants. C'est aussi un rêve devenu réalité : partager avec d'autres les fruits de notre « aventure pédagogique », où nous avons beaucoup reçu. Puisse ce manuel aider à ce qu'enseignants et apprenants vivent des moments de plaisir partagé, de la manière la plus cohérente, économique et efficace possible.
À Simonne Lieutaud et Martine Stirman, toute notre reconnaissance pour leur générosité pédagogique.

Les auteurs

Tableau des contenus

Leçons	Contenus socioculturels / Thématiques	OBJECTIFS SOCIO-LANGAGIERS			
		Objectifs communicatifs et savoir-faire	Objectifs linguistiques		
			Grammaticaux	Lexicaux	Phonétiques
DOSSIER 0 : Fenêtre sur...					
p. 10 à 16	**Rencontres internationales**	• Se présenter (1) • S'informer sur l'identité de l'autre • Compter • Communiquer en classe	• Les adjectifs de nationalité (masculin/féminin) • Les verbes *s'appeler* et *être*	• Les langues • Les nationalités • Les nombres de 0 à 69 • L'alphabet	• L'accentuation de la dernière syllabe
DOSSIER 1 : Les uns, les autres...					
1 p. 18 à 21	**Salutations Usage de *tu* et de *vous***	• Saluer, prendre congé • Se présenter (2) • Demander/Donner des informations personnelles (1)	• Le verbe *avoir* au présent • Les articles définis • Les adjectifs possessifs (1) • La négation *ne... pas*	• Les moments de la journée et les jours de la semaine • Quelques formules de salutations formelles et informelles • Les éléments de l'identité	• [y]/[u] • L'intonation montante et descendante
2 p. 22 à 25	**Les numéros de téléphone en France**	• Demander poliment • Demander/Donner des informations personnelles (2) • Demander le prix de quelque chose	• Les articles indéfinis • L'adjectif interrogatif *quel(le)*	• Les mois de l'année • Les nombres de 70 à 99	• La prononciation des nombres • la liaison avec les nombres
3 p. 26 à 29	**Quelques événements culturels/festifs à Paris La francophonie**	• Donner des informations personnelles (3) • Indiquer ses goûts (1) • Parler de ses passions, de ses rêves	• Le présent des verbes en *-er* • Les verbes *être* et *avoir* • Les prépositions + noms de pays (1)	• L'expression des goûts (1)	• La discrimination [s]/[z] • La liaison avec [z]
Carnet de voyage	**La France, pays européen**	• Identifier des symboles et comprendre des informations sur la France et l'Europe			
DOSSIER 2 : Ici / ailleurs					
1 p. 34 à 37	**La ville**	• Parler de sa ville • Nommer et localiser des lieux dans la ville • Demander/Donner des explications	• Les articles définis/indéfinis • Les prépositions de lieu + articles contractés • Pourquoi/parce que	• Quelques lieux dans la ville • Quelques expressions de localisation	• Prononciation de *un/une* + nom
2 p. 38 à 41	**Auberges de jeunesse et hôtels**	• S'informer sur un hébergement • Remercier/Répondre à un remerciement • Comprendre/Indiquer un itinéraire simple	• Les questions fermées : est-ce que... • Le présent des verbes prendre, descendre	• Termes liés à l'hébergement • Quelques verbes et indications de direction • Quelques formules de politesse	• Intonation de la question (1)
3 p. 42 à 45	**Le code postal et les départements Le libellé d'une adresse en France**	• Écrire une carte postale • Donner ses impressions sur un lieu • Parler de ses activités • Indiquer le pays de provenance/de destination • Dire le temps qu'il fait (1)	• Les prépositions + noms pays (2) • Les adjectifs démonstratifs	• Termes liés à la correspondance • Formules pour commencer/terminer une carte postale amicale/familiale	• La syllabation et l'accentuation de la dernière syllabe (2)
Carnet de voyage	**Paris insolite**	• Comprendre des informations sur Paris : découvrir la ville dans sa diversité • Visualiser la configuration de Paris, situer les arrondissements			

Leçons	Contenus socioculturels Thématiques	OBJECTIFS SOCIO-LANGAGIERS			
		Objectifs communicatifs et savoir-faire	Objectifs linguistiques		
			Grammaticaux	Lexicaux	Phonétiques

DOSSIER 3 : Dis moi qui tu es

Leçons	Contenus socioculturels Thématiques	Objectifs communicatifs et savoir-faire	Grammaticaux	Lexicaux	Phonétiques
1 p. 50 à 53	**Les animaux de compagnie Les animaux préférés des Français**	• Parler de ses goûts (2) et de ses activités • Parler de sa profession	• *Aimer/adorer/détester* + nom/verbe • Le présent des verbes *faire* et *aller* + articles contractés • Masculin/Féminin des professions	• Quelques professions • Quelques activités sportives/culturelles • Quelques noms d'animaux	• Distinction masculin féminin des professions
2 p. 54 à 57	**Nouveaux modes de rencontres**	• Parler de soi • Parler de ses goûts et centres d'intérêt (3) • Caractériser une personne	• Masculin/Féminin/ Pluriel des adjectifs qualificatifs • Les pronoms toniques	• La caractérisation physique/ psychologique	• La marque du genre dans les adjectifs à l'oral
3 p. 58 à 61	**Les sorties**	• *Proposer/Accepter/Refuser* une sortie • Fixer un rendez-vous • Inviter • Donner des instructions	• Le présent des verbes *pouvoir/vouloir/devoir* • Le pronom *on* = *nous* (1) • L'impératif : 2e personne	• Termes liés aux sorties • Registre familier (1)	• Le son [5] • La discrimination [ø]/[œ]
Carnet de voyage	**Comportements Pratiques sportives**	• Interpréter des comportements et comparer avec ceux de son pays • Prendre connaissance des pratiques sportives des Français ; parler de ses pratiques sportives et des plus courantes dans son pays.			

DOSSIER 4 : Une journée particulière

Leçons	Contenus socioculturels Thématiques	Objectifs communicatifs et savoir-faire	Grammaticaux	Lexicaux	Phonétiques
1 p. 66 à 69	**Rythmes de vie et rythmes de la ville La télévision dans la vie quotidienne**	• Demander/Indiquer l'heure et les horaires • Parler de ses habitudes quotidiennes (1)	• Différentes façons de dire l'heure • Le présent d'habitude • Les verbes pronominaux au présent • Expressions de temps : la régularité (1)	• Prépositions + heure • Les activités quotidiennes (1) • Quelques articulateurs chronologiques	• Liaison/Enchaînement dans la prononciation de l'heure • Le *e* caduc dans les formes pronominales au présent
2 p. 70 à 73	**Routine / changement, rupture de rythme Vie de famille et tâches ménagères**	• Parler de ses activités quotidiennes, de son emploi du temps habituel (2) • Raconter des événements passés (1)	• Expressions de temps : la régularité (2) et les moments ponctuels • Le passé composé (1): morphologie et place de la négation • Le présent d'habitude/ Le passé composé	• Les activités quotidiennes (2) • Quelques expressions de fréquence	• La discrimination [ə]/[e] • la discrimination présent/passé composé
3 p. 74 à 77	**Les principales fêtes en France**	• Comprendre un questionnaire d'enquête/ questionner • Parler de ses projets	• Structures du questionnement • Le verbe *dire* au présent • Le futur proche • *Chez* + pronom tonique	• Noms de fêtes, termes liés aux fêtes	• L'intonation de la question (2)
Carnet de voyage	**Fêtes en France Qui fait quoi dans la maison ?**	• Identifier quelques coutumes et symboles des principales fêtes célébrées en France • Comparer la répartition des tâches ménagères dans le couple en France et ailleurs			

DOSSIER 5 : Vie privée, vie publique

Leçons	Contenus socioculturels Thématiques	Objectifs communicatifs et savoir-faire	Grammaticaux	Lexicaux	Phonétiques
1 p. 82 à 85	**Faire-parts et événements familiaux**	• Annoncer un événement familial/Réagir, féliciter • Demander/Donner des nouvelles de quelqu'un • Parler de sa famille	• Les adjectifs possessifs (2)	• Les événements familiaux (1) • *Avoir mal* à + certaines parties du corps • Les liens de parenté (1)	• L'adjectif possessif *mon* et la liaison • L'enchaînement et la liaison avec l'adjectif possessif
2 p. 86 à 89	**Conversations téléphoniques Le mariage, la famille, les familles recomposées**	• Appeler/Répondre au téléphone • Comprendre des données statistiques	• Le passé récent/ Le futur proche	• Formules de la conversation téléphonique • Les événements familiaux (2) • Les liens de parenté (2) • L'expression d'un pourcentage	• Discrimination [ɛ]/[ɛ̃]
3 p. 90 à 93	**La vie des célébrités**	• Évoquer des faits passés • Décrire physiquement une personne	• Le passé composé (2) : verbes pronominaux et verbes avec *être* • *c'est/il est* + adjectif, *il a* + nom	• La description physique	• Le *e* caduc dans les formes pronominales au passé composé
Carnet de voyage	**Le(s) plus grand(s) Français de tous les temps**	• Identifier des personnages célèbres en France et retrouver leur domaine de spécialité • Comprendre de courtes notices biographiques			

Leçons	Contenus socioculturels / Thématiques	OBJECTIFS SOCIO-LANGAGIERS			
		Objectifs communicatifs et savoir-faire	Objectifs linguistiques		
			Grammaticaux	Lexicaux	Phonétiques
DOSSIER 6 : Voyages, voyages					
1 p. 98 à 101	**Les saisons, le climat** **Montréal**	• Parler des saisons • Exprimer des sensations/ perceptions et des sentiments • Comprendre des informations simples sur le climat, la météo • Situer un événement dans l'année • Parler du temps qu'il fait (2)	• Structures pour parler du climat/de la météo • Structures pour situer un événement dans l'année (saison, mois, date)	• Termes de la météo et du climat • Verbes et noms liés aux sens, sensations et perceptions	• Les consonnes tendues et relâchées
2 p. 102 à 105	**Les départements et territoires d'outre-mer,** **La Réunion**	• Situer un lieu géographiquement • Présenter et caractériser des lieux • Parler des activités de plein air	• Structures pour caractériser un lieu • La place des adjectifs qualificatifs (1) • Le pronom *y* pour le lieu	• La localisation et la situation géographique • Quelques adjectifs pour caractériser un lieu • Les activités de plein air	• Discrimination [o]/[ɔ]
3 p. 106 à 109	**Activités culturelles à Bruxelles, capitale européenne**	• Comprendre un programme de visite • Parler de ses loisirs/ activités culturelles • Écrire une lettre de vacances	• Le futur simple • Le présent continu • Le pronom *on* (2)	• Les activités de loisirs	• Discrimination [o]/[ɔ̃]
Carnet de voyage	**Parcours francophones**	• Découvrir un chanteur francophone • Comprendre une chanson appartenant au patrimoine de la chanson francophone			
DOSSIER 7 : C'est mon choix					
1 p. 114 à 117	**La *Semaine du Goût*** **Les habitudes alimentaires**	• Parler de ses goûts et de sa consommation alimentaires • Comprendre/composer un menu	• Prépositions *de/à* dans le nom d'un plat • Les articles partitifs/ définis/indéfinis • La quantité négative : *pas de*	• Les aliments • Quelques expressions de fréquence	• Maintien et suppression du *e* caduc
2 p. 118 à 121	**La mode, l'image personnelle**	• Décrire une tenue vestimentaire • Donner une appréciation positive/négative (vêtements, personnes) • Demander/indiquer la taille, la pointure • Conseiller quelqu'un (en situation formelle)	• Les pronoms COD : 3e personne • Structures pour conseiller • Formulations pour donner une appréciation	• Les vêtements et les accessoires (noms et caractéristiques) • Adjectifs pour l'appréciation positive, négative • Adverbes pour nuancer une appréciation • Les couleurs, la taille, la pointure	• Intonation : l'appréciation positive ou négative ; le doute et la persuasion
3 p. 122 à 125	**Les occasions de cadeaux**	• Choisir un cadeau pour quelqu'un • Caractériser un objet, indiquer sa fonction	• Les pronoms COI : 3e personne • Les pronoms relatifs *qui/que*	• La caractérisation des objets • Les adjectifs en *-able*	• Discrimination [k]/[g]
Carnet de voyage	**Philippe Starck, grand nom du design** **Les couleurs**	• Découvrir un designer français et imaginer des objets design de la vie quotidienne • S'exprimer à propos des couleurs : préférences, symbolique... • Comprendre/Écrire un poème sur les couleurs			

Leçons	Contenus socioculturels Thématiques	OBJECTIFS SOCIO-LANGAGIERS			
		Objectifs communicatifs et savoir-faire	Objectifs linguistiques		
			Grammaticaux	Lexicaux	Phonétiques

DOSSIER 8 : Pour le plaisir

Leçons	Contenus socioculturels Thématiques	Objectifs communicatifs et savoir-faire	Grammaticaux	Lexicaux	Phonétiques
1 p. 130 à 133	**Les achats de consommation courante et les moyens de paiement**	• Faire des achats de consommation courante • Exprimer des quantités précises • Caractériser des produits alimentaires	• L'expression de la quantité précise • Le pronom *en (1)*	• Les commerces et les commerçants • Les expressions de quantité	• La nasale [ã] • Distinction [ã]/[ɔ̃]
2 p. 134 à 137	**Les spectacles et la réservation au théâtre**	• Comprendre une annonce de spectacle et réagir • Proposer une sortie, choisir un spectacle • Faire une réservation au théâtre • Exprimer une restriction	• Expression de la quantité restante (*ne ... plus*), de la quantité restreinte (*ne ... que*) • Le pronom *en (2)*	• Les spectacles • Le registre familier (2)	• Intonation : la réaction positive ou négative à une proposition
3 p. 138 à 141	**Critiques de restaurants**	• Comprendre une présentation de restaurant • Commander, exprimer sa satisfaction ou son mécontentement au restaurant	• La place des adjectifs qualificatifs (2) • Formules pour commander, prendre la commande	• Les adjectifs de caractérisation positive/négative • Termes liés au repas au restaurant	• Distinction des trois nasales principales • Intonation : l'appréciation positive ou négative
Carnet de voyage	**La consommation des Français Les sorties culturelles des Français**	• Comprendre une étude et des témoignages sur la consommation des Français • S'exprimer sur son budget consommation • Comprendre une étude sur les sorties et visites culturelles préférées des Français			

DOSSIER 9 : Lieux de vie

Leçons	Contenus socioculturels Thématiques	Objectifs communicatifs et savoir-faire	Grammaticaux	Lexicaux	Phonétiques
1 p. 146 à 149	**Souvenirs d'enfance Les néo-ruraux**	• Évoquer des souvenirs • Comparer une situation ancienne et la situation actuelle	• L'imparfait pour évoquer des souvenirs • L'imparfait pour situation du passé/Le présent pour une situation actuelle • Structures pour comparer (avec adjectifs et noms)	• Expressions pour évoquer un souvenir • Termes liés à la vie en ville/à la campagne, aux avantages et inconvénients	• Discrimination [e]/[ɛ] • Prononciation de *plus*
2 p. 150 à 153	**Les préférences des Français concernant leur maison**	• Décrire un logement et des transformations • Indiquer la fonction d'une pièce • Situer un événement dans le temps	• Servir à/de • Imparfait (2)/Présent /Passé composé pour expliquer des changements • *Depuis/Il y a*	• Le logement, le mobilier • Verbes des actions d'aménagement/ décoration	• Distinction passé composé/imparfait
3 p. 154 à 157	**La colocation**	• Chercher un logement : comprendre une petite annonce immobilière • Comprendre/Demander des précisions concernant un logement et les conditions de location • Parler de ses relations avec des colocataires	• Les pronoms COD/COI (synthèse)	• Les petites annonces immobilières	• Intonation : expression d'une appréciation positive ou négative
Carnet de voyage	**Une maison dans mon cœur**	• Comprendre globalement un texte de type littéraire • Évoquer le souvenir d'une maison			

DOSSIER 10 : Horizons

Leçons	Contenus socioculturels Thématiques	Objectifs communicatifs et savoir-faire	Grammaticaux	Lexicaux	Phonétiques
p. 162 à 167	**Différences culturelles et quiproquos Savoir-vivre en France et en Europe**	• Identifier des différences de comportements • Comprendre/exprimer des interdictions et des recommandations	• L'infinitif et l'impératif • *Devoir/Pouvoir* + infinitif • *Il faut* + infinitif	• Adjectifs pour exprimer une réaction psychologique • Formules de l'interdiction et de la recommandation	Intonation : recommandation, interdiction ou obligation

Fenêtre sur...

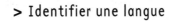

> Identifier une langue

> Se présenter

> Épeler son nom, l'alphabet

> Dire quelle langue on parle

> Faire connaissance, dire la nationalité

> Identifier un nombre, compter

> Communiquer en classe

A 1

Salon des langues et des cultures

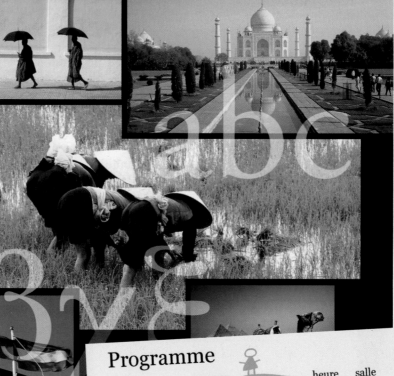

1

Regardez le programme et écoutez. Vous entendez quelles langues ?

Programme

INITIATION AUX LANGUES	heure	salle
	10 h 00	S30
français	11 h 00	S21
espagnol	12 h 00	S15
italien	13 h 00	S18
chinois	14 h 00	S27
anglais	15 h 00	S9
polonais	16 h 00	S19
arabe	17 h 00	S16
allemand	18 h 00	S12
portugais		

FILMS ET CONFÉRENCES		
Conférence : l'Europe, continent du futur ?	15 h 00	auditorium
	14 h 00	auditorium
Film : *Terres d'aventure*	16 h 00	auditorium

CONCERTS		
Tambours du Burundi	14 h 00	
Brésil : musiques régionales	17 h 00	

COCKTAIL INTERNATIONAL DE BIENVENUE 18 h 00

Fenêtre sur...

2

Écoutez et associez les dialogues aux dessins.

a.

b.

c.

3

Lisez pour vérifier.

1. – Comment tu t'appelles ?
   – Yoko. Et toi ?

2. – Je m'appelle Clara, et vous ?
   – Je m'appelle James.

3. – Vous vous appelez comment ?
   – Hans.
   – Vous pouvez épeler ?
   – H-A-N-S.

ÉPELER SON NOM, L'ALPHABET

4

Regardez la liste et écoutez. Cherchez les erreurs.

Exemple : Vous lisez : A comme Annie. Vous entendez : A comme Alice.

L'alphabet											
A	comme	Annie	H	comme	Hugo	O	comme	Ophélie	V	comme	Véronique
B	comme	Béatrice	I	comme	Igor	P	comme	Paul	W	comme	William
C	comme	Catherine	J	comme	Jacqueline	Q	comme	Quentin	X	comme	Xavier
D	comme	Daniel	K	comme	Karine	R	comme	Renaud	Y	comme	Yves
E	comme	Eugénia	L	comme	Laure	S	comme	Simone	Z	comme	Zoé
F	comme	François	M	comme	Monique	T	comme	Thierry			
G	comme	Gérard	N	comme	Noémie	U	comme	Ursule			

5

Écoutez et écrivez les prénoms.

6

Et vous, vous vous appelez comment ?
Épelez votre prénom, votre voisin(e) écrit.

DIRE QUELLE LANGUE ON PARLE

I N V I T A T I O N

欢迎 ₁

Bienvenue ₂

Welcome ₃

أهلاً وسهلاً بك ₄

ยินดีต้อนรับ ₅   Bienvenido ₆

Hân hạnh đón chào quý khách ₇

Добро пожаловать ₈

7

Regardez l'invitation pour le cocktail. Associez les mots et les langues.

Langue	anglais	espagnol	russe	français	chinois	vietnamien	thaïlandais	arabe
N°	3							

8

Échangez : et vous, vous parlez quelle(s) langue(s) ?
Je parle...

FAIRE CONNAISSANCE, DIRE LA NATIONALITÉ

9

Écoutez les quatre dialogues. Associez les dialogues aux dessins.
Exemple :
dialogue 1 → dessin c.

10

Placez les phrases suivantes dans les bulles vides.
1. C'est le responsable de la communication. Il s'appelle Mathias Lorenz.
2. Fatima Chaïbi, je suis tunisienne. Enchantée !
3. Il est allemand ?
4. Bonjour ! Je me présente : je m'appelle Michal Kieslowski, je suis polonais. Et vous, vous êtes... ?
5. Ah non ! Moi, je suis américaine !

11

Réécoutez les dialogues pour vérifier.

Fenêtre sur...

Point **Langue**

› LES ADJECTIFS DE NATIONALITÉ

a) Observez le tableau et complétez.

b) Prononciation identique ou différente pour le masculin et le féminin ? Écoutez et répondez.

	Masculin	Féminin	Prononciation identique	Prononciation différente
français – française	-ais	+ -e		✓
polonais – polonaise				
chinois – chinoise	-ois	+ ...		
américain – américaine	-ain	+ ...		
mexicain – mexicaine				
autrichien – autrichienne	-ien	+ ...		
tunisien – tunisienne				
allemand – allemande	-and	+ ...		
espagnol – espagnole	-ol	+ ...		
russe – russe	-e			

S'EXERCER n° 1 ⟶

Point **Langue**

› SE PRÉSENTER, PRÉSENTER QUELQU'UN

Relisez les dialogues et complétez avec *s'appelle*, *est*, *m'appelle* ou *êtes*.

S'appeler
indicatif présent
Je ... Michal.
*Tu **t'appelles** Yoko ?*
Il ... Mathias Lorenz.
Elle ... Pierrette.
Vous vous appelez Sofia.

Être
indicatif présent
*Je **suis** autrichien/tunisienne.*
*Tu **es** grec ?*
Il ... allemand.
Elle ... française.
Vous ... russe ?

S'EXERCER n° 2 ⟶

12 PHONÉTIQUE

a) Écoutez.

b) Lisez les phrases suivantes à voix haute.

1. Cla**ra**, c'est ita**lien**.
2. I**van**, c'est **grec** ?
3. Yo**ko**, c'est japo**nais**.
4. Bernar**do**, c'est espa**gnol**.
5. Ne**nad**, c'est sué**dois** ?

c) Trouvez la fin des prénoms et lisez-les à voix haute.

Ol	ra
I	nad
Cla	ga
Ne	van

13

Jouez la scène à deux.
Vous êtes au cocktail de bienvenue.
Vous faites connaissance.

14

Il y a combien de places ?
Lisez les nombres, écoutez
et répondez.

1	un
2	deux
3	trois
4	quatre
5	cinq
6	six
7	sept
8	huit
9	neuf
10	dix
11	onze
12	douze
13	treize
14	quatorze
15	quinze
16	seize
17	dix-sept
18	dix-huit
19	dix-neuf
20	vingt

0 zéro	10 dix	20 vingt	30 trente	40 quarante	50 cinquante	60 soixante
1 un	11 onze	21 vingt et un	31 trente et un	41 quarante et un	51 cinquante et un	61 soixante et un
2 deux	12 douze	22 vingt-deux	32	42	52	62
3 trois	13 treize	23	33 trente-trois	43	53	63
4 quatre	14 quatorze	24	34	44 quarante-quatre	54	64
5 cinq	15 quinze	25	35	45	55	65
6 six	16 seize	26	36	46	56 cinquante-six	66
7 sept	17 dix-sept	27	37	47	57	67
8 huit	18 dix-huit	28	38	48	58	68
9 neuf	19 dix-neuf	29	39	49	59	69 soixante-neuf

Fenêtre sur...

15

a) Observez le tableau p. 14 et répondez.
1. Est-ce que les nombres en vert sont simples ou composés ?
2. Est-ce que les nombres en rouge sont simples ou composés ?

b) Complétez avec *et* ou -.
1. vingt ... un
2. vingt ... deux
3. trente ... un
4. cinquante ... neuf
5. trente ... quatre
6. quarante ... un
7. soixante ... un

c) Écoutez pour vérifier.

d) Par deux, observez le tableau et comptez de 23 à 35 à voix haute.

e) Complétez le tableau.

16

Écoutez et notez le numéro des stands des pays suivants.

Exemple : Italie → stand n° 16.

1. Italie
2. Brésil
3. Allemagne
4. Espagne
5. États-Unis
6. Inde
7. Mexique
8. Chine

S'EXERCER

> Dire la nationalité

1. Complétez la liste de nationalités.

Hommes	Nationalités		Femmes
M. Fabert	français	française	Mlle Toussaint
M. Kangulu	...	camerounaise	Mme Kangulu
M. Bergman	suédois	...	Mme Solderberg
M. Johnson	...	américaine	Mme Johnson
M. Wong	...	chinoise	Mlle Lee Ming
M. Tremblay	canadien	...	Mlle Trace
M. Carrera	espagnol	...	Mlle Del Rio
M. Martins	...	portugaise	Mme Mendes
M. Lindley	...	australienne	Mme Lindley
M. Ibanez	...	mexicaine	Mlle Montes
M. Müller	allemand	...	Mme Müller
M. Costapoulos	...	grecque	Mlle Gravas
M. Chaïbi	tunisien	...	Mme Chaïbi
M. Volgorof	...	russe	Mme Volgorof

> Se présenter, présenter quelqu'un

2. Associez les éléments pour former des phrases.

Exemple : Je m'appelle Antoine.

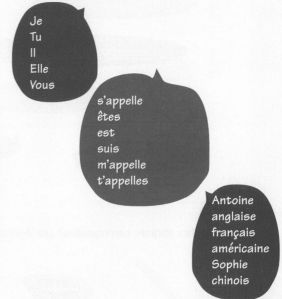

Je
Tu
Il
Elle
Vous

s'appelle
êtes
est
suis
m'appelle
t'appelles

Antoine
anglaise
français
américaine
Sophie
chinois

Communiquer en classe

1

Écoutez et répondez : Qui parle ? Où ?

2

Lisez et dites qui parle.

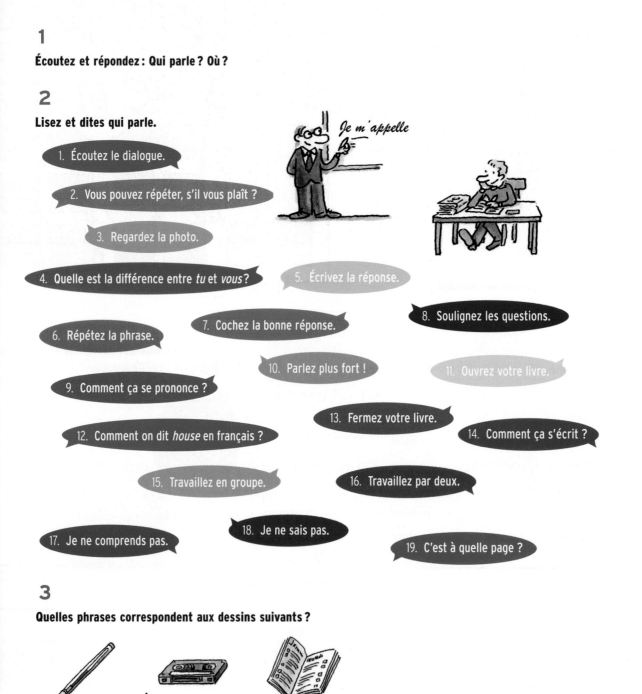

1. Écoutez le dialogue.

2. Vous pouvez répéter, s'il vous plaît ?

3. Regardez la photo.

Je m'appelle

4. Quelle est la différence entre *tu* et *vous* ?

5. Écrivez la réponse.

6. Répétez la phrase.

7. Cochez la bonne réponse.

8. Soulignez les questions.

9. Comment ça se prononce ?

10. Parlez plus fort !

11. Ouvrez votre livre.

12. Comment on dit *house* en français ?

13. Fermez votre livre.

14. Comment ça s'écrit ?

15. Travaillez en groupe.

16. Travaillez par deux.

17. Je ne comprends pas.

18. Je ne sais pas.

19. C'est à quelle page ?

3

Quelles phrases correspondent aux dessins suivants ?

a.

b.

c.

DOSSIER 1
Les uns, les autres

A 1

SALUER

LES UNS, LES AUTRES

a. 9 h 30

b. 10 h

c. 15 h

d. 17 h

e. 18 h 30

Dialogue 1
– *Bonjour, Sandrine !*
  Tu vas bien ?
– *Oui, et toi ?*
– *Ça va !*

Dialogue 2
– *Au revoir, monsieur.*
– *Au revoir, Sandrine, à demain !*

Dialogue 3
– *Bonjour, monsieur Lévêque.*
– *Bonjour, monsieur Leblanc, comment allez-vous ?*
– *Bien merci, et vous ?*
– *Très bien.*
– *Bonne journée !*

Dialogue 4
– *Bon, six heures, j'y vais !*
  Au revoir, tout le monde !
– *Salut, Sandrine ! Tchao !*
– *Bonne soirée !*

Dialogue 5
– *Bonjour ! Salut, Sandrine.*
– *Salut ! Vous allez bien ?*
– *Oui, ça va !*
– *Et toi, Marie ?*
– *Ouais, ça va.*

1
Observez les dessins et identifiez les situations.

1. Où ?
   - ☐ dans une salle de classe
   - ☐ dans l'escalier
   - ☐ à l'accueil de l'université
   - ☐ dans un couloir

2. Qui ?
   - ☐ une jeune fille
   - ☐ un jeune homme
   - ☐ un monsieur
   - ☐ une dame

3. Quand ?
   - ☐ le matin
   - ☐ l'après-midi
   - ☐ le soir

2
Écoutez les cinq dialogues. Associez les dialogues aux dessins.
Exemple : Dialogue 1 → dessin b.

3
a) Réécoutez les dialogues et complétez.
1. Les personnes arrivent et se saluent.
   → dialogues nᵒˢ ...
2. Elles partent et prennent congé.
   → dialogues nᵒˢ ...

b) Réécoutez les dialogues et relevez les formules utilisées pour :
1. saluer ;
2. prendre congé.

4 PHONÉTIQUE
a) Écoutez et indiquez si les deux mots sont identiques ou différents.
b) Combien de fois entendez-vous le son [y] et le son [u] ? Écoutez et répondez.
c) Écoutez puis lisez les phrases à voix haute.
1. Jules et Lou se saluent.
2. Tu salues Lou.
3. Il étudie tous les jours.
4. Il est nouveau et russe.

Sur le campus

TU PEUX ME DIRE OÙ EST LA GARE ?

L'usage de *tu* et de *vous*

Observez l'usage de *tu* et de *vous* dans les dialogues p. 18 et complétez.

• J'utilise … pour parler à une personne dans une relation informelle (amicale, familiale, etc.).

• J'utilise … pour parler :
  – à une personne dans une relation formelle (commerciale, professionnelle ou hiérarchique, etc.) ;
  – à deux personnes ou plus, dans une relation formelle ou informelle.

S'EXERCER nº 1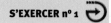

---

5 PHONÉTIQUE

a) Écoutez et dites si la voix monte ou descend.

b) Question ou affirmation ? Écoutez et répondez.

Exemple : À demain ? → question.
Demain. → affirmation.

c) Réécoutez et répétez.

d) Lisez les phrases suivantes.

1. Elle s'appelle Sandrine ? Elle s'appelle Sandrine.
2. Elle est française. Elle est française ?
3. À demain. À demain ?
4. Il est mexicain ? Il est mexicain.
5. Ça va ? Ça va.

AIDE-MÉMOIRE

• **Saluer de manière formelle**	**de manière informelle**
Bonjour/Bonsoir, { madame. / mademoiselle. / monsieur.	Bonjour/Salut !
Vous allez bien ?	Tu vas bien ?
Comment allez-vous ?	Ça va ?

• **Prendre congé de manière formelle**	**de manière informelle**
Au revoir, madame.	Au revoir !/Salut !
	Bonne journée !/Bonne soirée !
	Bon week-end !
	À demain./À lundi.

S'EXERCER nº 2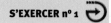

6

Choisissez et jouez la scène à deux ou en petits groupes.

Les personnages

Philippe, étudiant

M. Lenoir, professeur

Delphine, étudiante

FACULTÉ DE LETTRES

Céline, Arnaud et Malika, étudiants

Mme Truchot, secrétaire

La relation

formelle

informelle

La situation
Ils se saluent.
Ils prennent congé.

Le moment
Le matin.
L'après-midi.
Le soir.

SE PRÉSENTER

Adresse : http://www.universiterenedescartes.fr ▸aller à

Favoris | Historique | Recherche | Album | Gus de-pages

Université René-Descartes

RECHERCHE BÉNÉVOLES POUR L'ACCUEIL DES NOUVEAUX ÉTUDIANTS

- Vous êtes étudiant(e) dans notre université.

- Vous parlez des langues étrangères.

- Vous avez du temps libre pour accueillir les nouveaux étudiants…

Répondez-nous. Indiquez :
– votre nom et votre prénom,
– votre nationalité,
– votre âge,
– vos études,
– vos heures libres dans la journée.

Merci à vous !   Contact : assoc@univdescartes.fr

---

7 👁

Vrai ou faux ? Lisez la page ci-dessus du site Internet de l'université René-Descartes et répondez.

1. Le message est pour les professeurs de l'université.
2. L'université recherche des étudiants étrangers.
3. L'université recherche des personnes pour accueillir les nouveaux étudiants.
4. L'université recherche des personnes qui parlent des langues étrangères.

8 👁

L'université choisit quel(s) candidat(s) ? Lisez les trois réponses suivantes au message Internet et répondez.

> assoc@univdescartes.fr   ☺ ✉ ↓ ↑
>
> Bonjour,
> Je suis espagnol. J'ai 22 ans.
> J'étudie les sciences politiques.
> J'ai des cours tous les jours, mais
> je ne travaille pas le mercredi matin.
> À bientôt.
> Hugo Sanchez

> assoc@univdescartes.fr   ☺ ✉ ↓ ↑
>
> Bonjour,
> Nous sommes deux étudiants brésiliens,
> nous avons 20 et 23 ans.
> Nous étudions la littérature française.
> Nous parlons portugais et anglais.
> Nous n'avons pas de cours
> l'après-midi. À bientôt !
> Alfonso et Ricardo Vieira

> assoc@univdescartes.fr   ☺ ✉ ↓ ↑
>
> Bonjour,
> Je m'appelle Éric Tournier.
> Mon âge : 22 ans. Mes études :
> l'économie. Ma nationalité : français.
> J'ai deux après-midi libres : le mardi
> et le jeudi. J'attends votre réponse.
> Éric
> PS : Je ne parle pas très bien anglais.

9 👁

Associez les informations aux personnes.

Hugo – Alfonso et Ricardo – Éric

1. Ils ont 22 ans.
2. Il étudie l'économie.
3. Ils ne sont pas français.
4. Il est libre le mercredi matin.
5. Ils ne travaillent pas le mardi après-midi.

Point **Langue**

› LE VERBE *AVOIR* À L'INDICATIF PRÉSENT

Complétez avec *ont, ai, avez, avons* ou *a*.

j'…	nous …
tu as	vous …
il/elle …	ils/elles …

S'EXERCER n° 3 ➡

Point **Langue**

> LA NÉGATION NE... PAS

a) Observez.

*Je **ne** travaille **pas** le mercredi matin.*
*Nous **n'**avons **pas** beaucoup de cours.*
*Je **ne** parle **pas** bien anglais.*

b) Répondez.

Ne ou *n'* se place :

□ avant le verbe ; □ après le verbe.

Pas se place :

□ avant le verbe ; □ après le verbe.

S'EXERCER n° 4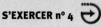

AIDE-MÉMOIRE

- **Les jours de la semaine**
  lundi – mardi – mercredi – jeudi –
  vendredi – samedi – dimanche
- **Dire l'âge**
  J'ai 22 ans.   **Ils ont** 22 ans.
- **L'adjectif possessif**
  Mon nom, **ma** nationalité,
  mes études.
  Votre nom, **votre** nationalité,
  vos études.

10 ◉ ◎

**a) Retrouvez dans la liste suivante les matières
étudiées par les quatre étudiants.**

les sciences politiques – l'architecture – le commerce international –
l'économie – les langues – la littérature – la médecine

**b) Et vous, quelle(s) matière(s) étudiez-vous ?
Quelles sont vos matières préférées ?**

11 ✎

**Vous êtes étudiant(e) à l'université René-Descartes.
Vous répondez au message sur Internet.**

Point **Langue**

> L'ARTICLE DÉFINI

Complétez avec *la, le, les* **ou** *l'.*

Masculin singulier : ... *commerce international*
Féminin singulier : ... *médecine*
Nom avec voyelle : ... *université René-Descartes*
Pluriel : ... *nouveaux étudiants*

S'EXERCER n° 5

> Saluer

**1. Complétez les dialogues
avec *tu* ou *vous*.**
a. – Bonjour, monsieur, comment allez-
    ... ?
   – Bien, merci.
b. – Bonjour, ... vas bien ?
   – Oui, et toi ?
c. – Salut, Alex et Léa ! ... allez bien ?
   – Oui, ça va !

**2. Complétez les dialogues
avec les formules suivantes.**
– Très bien, et vous ?
– Salut !
– Tu vas bien ?
– Bonjour, mademoiselle,
  vous allez bien ?
a. – Bonjour ! ... ?
   – Oui, et toi ?
b. – Bonjour, madame.
   – Bonjour, mademoiselle.
     Comment allez-vous ?
   – ...
c. – Bonjour, monsieur.
   – ...
   – Bien, merci.
d. – ...! Tu vas bien ?
   – Super, et toi ?

> Le verbe *avoir*

**3. Placez les étiquettes
à la place correcte.**

| avons | ont | a | ai | avez | as |

a. – Tu ... quel âge ?
   – J' ... dix-huit ans.
b. – Vous ... du temps libre ?
   – Oui, nous ... deux après-midi
     libres par semaine.
c. – Tu ... des amis à l'université ?
   – Oui, j' ... deux amis d'origine
     mexicaine mais ils ... la
     nationalité française.
d. – Rachida ... vingt-deux ans
     comme toi ?
   – Non, elle ... vingt ans.
e. – Tu ... cours, aujourd'hui ?
   – Non ! C'est bien, j' ... le temps
     d'aller au cinéma.

> La négation *ne... pas*

**4. Continuez la question,
comme dans l'exemple.**
Exemple : Tu parles anglais ou...
➜ *Tu parles anglais ou tu ne parles pas
anglais ?*
a. Elle étudie l'économie ou ... ?
b. Nous travaillons le matin ou ... ?

c. Ils sont français ou ... ?
d. Je travaille le mardi ou ... ?
e. Tu es étudiant ou ... ?
f. Vous êtes bénévoles ou ... ?

> L'article défini,
l'adjectif possessif

**5. Complétez le message
avec *le, la, l', les, votre* ou *vos*.**

UNIVERSITÉ RENÉ-DESCARTES

Vous voulez accueillir ... nouveaux
étudiants ? Complétez la fiche.

... nom : Fabien BOREL

... âge : 21 ans

... nationalité : suisse

... études : ... mathématiques,

          ... chimie

... heures libres : ... matin : mardi

          ... après-midi : jeudi

Merci pour votre participation !

DEMANDER DES INFORMATIONS

LES UNS, LES AUTRES

DOSSIER 1

– *Excusez-moi…*
C'est pour une
inscription…
Je voudrais des informations,
s'il vous plaît.
– *Eh bien, vous présentez*
une pièce d'identité, vous
complétez un formulaire…
– *Et vous demandez des photos ?*
– *Oui, une photo.*
– *Et combien ça coûte ?*
– *Vous êtes étudiante ?*
– *Oui.*
– *Ah ! C'est gratuit*
pour les étudiants.

1 ☺

Écoutez le dialogue et choisissez les réponses correctes.

1. Où ?
   ☐ dans un magasin
   ☐ dans une médiathèque
   ☐ dans un bureau

2. Qui parle ?
   ☐ une cliente
   ☐ une étudiante
   ☐ une employée

3. À qui ?
   ☐ un employé
   ☐ un collègue
   ☐ un vendeur

4. Pourquoi ?
   ☐ pour une inscription
   ☐ pour un travail
   ☐ pour un achat

2 ☺

Réécoutez le dialogue et dites quels documents sont demandés.

AIDE-MÉMOIRE

• **Demander poliment**
  Je voudrais des informations.
• **Demander le prix de quelque chose**
  Combien ça coûte ?
  Ça coûte combien ?

CARTE D'ÉTUDIAN
Année 20

Nom : Martinez
Prénom : Diane
Établissement scolaire : CCI
Classe : BTS

Communauté Européenne
République Française

SSEPORT

Point **Langue**

> **L'ARTICLE INDÉFINI**

Lisez le dialogue et complétez avec *un*, *une* ou *des*.

	Masculin	Féminin
Singulier	… *formulaire d'inscription*	… *pièce d'identité*
Pluriel	… *photos*	

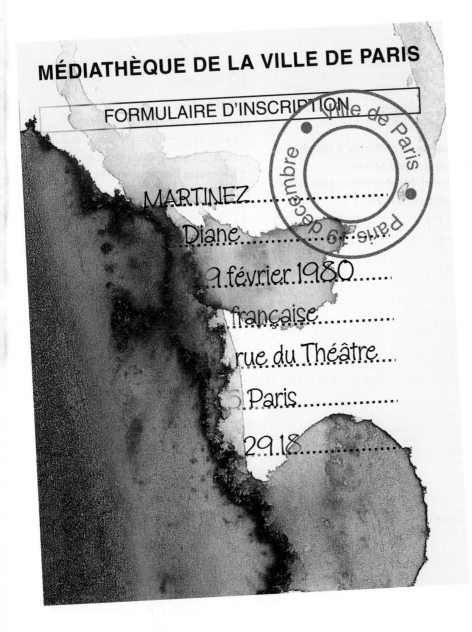

MÉDIATHÈQUE DE LA VILLE DE PARIS

FORMULAIRE D'INSCRIPTION

MARTINEZ

Diane

9 février 1980

française

rue du Théâtre

Paris

29.18

Ville de Paris

Paris 9 décembre

Point **Langue**

> **L'ADJECTIF INTERROGATIF**
QUEL, QUELLE **pour questionner sur l'identité**

a) Observez.

Pour demander le numéro de téléphone :
Quel est votre numéro de téléphone ?

Pour demander la date de naissance :
Quelle est votre date de naissance ?

b) Complétez et justifiez votre réponse.

Pour demander le nom :
... est votre nom ?

Pour demander la nationalité :
... est votre nationalité ?

S'EXERCER n°s 1 et 2

6))

Réécoutez le dialogue et retrouvez les questions de l'employé.

☐ Quel est votre numéro de téléphone ?
☐ Quelle est votre date de naissance ?
☐ Quelle est votre adresse e-mél ?
☐ Quel est votre numéro de portable ?
☐ Quelle est votre adresse ?

7 ☺

Échangez vos dates d'anniversaire et formez des groupes de personnes nées le même mois.

AIDE-MÉMOIRE

Les mois de l'année

janvier	avril	juillet	octobre
février	mai	août	novembre
mars	juin	septembre	décembre

3 👁

Lisez le formulaire et trouvez l'ordre des informations suivantes.

l'adresse
le prénom
la date de naissance
la nationalité
le numéro de téléphone
le nom de famille

4)) 👁

Écoutez le dialogue pour vérifier vos réponses.

5)) 👁

Réécoutez le dialogue et complétez les informations de la fiche.

COMPRENDRE/DIRE DES COORDONNÉES

8

a) Écoutez la prononciation des nombres 70, 80 et 90.

b) Associez.

70   quatre-vingt-dix

80   soixante-dix

90   quatre-vingts

c) Dites quelle(s) est/sont l'/les opération(s) réalisée(s) pour ces trois nombres : +, −, x ou ÷ ?

Exemple : soixante-dix

➜ *soixante + dix (70)*

9

a) Écoutez et continuez à compter à chaque signal sonore.

b) Le mot *et* est-il utilisé pour former les nombres suivants ?

	71	72	81	82	91	92
Oui						
Non						

10 PHONÉTIQUE

a) Vrai ou faux ?

Écoutez les nombres et répondez.

1. On fait toujours la liaison après *vingt*.

2. On ne fait pas la liaison après *et*.

b) Réécoutez l'enregistrement et répétez les nombres.

11

Écoutez et notez les numéros de téléphone.

POINT CULTURE

Les numéros de téléphone

A. Observez les deux cartes de visite. Regardez les numéros de téléphone et la carte des indicatifs téléphoniques.

B. Complétez les numéros de téléphone suivants.

• Le numéro de M. Broutier à Marseille : ... 49 45 48 20

• Le numéro de Mlle Moreira à Bordeaux : ... 56 91 00 69

• Le numéro de M. Billot à Lille : ... 20 88 31 21

C. Complétez.

• Tous les numéros de téléphone français ont ... chiffres.

• Les numéros de téléphone portable commencent par ... .

Yacine Bellini

16, rue Saint-Benoît - 75006 Paris

e-mail : yacine.bellini@yahoo.fr

Domicile : 01 45 48 20 31 / Portable : 06 40 08 85 96

Nathalie ROUX

photographe

1, quai de la Pêcherie
69001 Lyon

Tél. : 04 78 80 59 01

Portable : 06 78 80 91 92

e-mail : nroux@aol.com

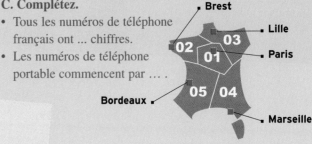

AIDE-MÉMOIRE

100	cent
1 000	mille
1 000 000	un million

S'EXERCER n° 3 ➜

12 PHONÉTIQUE

Écoutez les numéros de téléphone suivants et repérez le nombre indiqué.

Exemple : 01 45 50 55 05

55 → □ □ □ ☑ □
1. 76 → □ □ □ □ □
2. 44 → □ □ □ □ □
3. 75 → □ □ □ □ □
4. 67 → □ □ □ □ □
5. 12 → □ □ □ □ □

S'EXERCER n° 4

13

Échangez par groupes de quatre vos numéros de téléphone.

14

Regardez et écoutez les adresses électroniques.
1. yacine.bellini@yahoo.fr
2. nroux@aol.com
3. mediatheque-paris@mairie.fr

15

Échangez par groupes de trois vos adresses e-mél.

16

Jouez la scène à deux.
Vous faites une inscription.
Choisissez la situation : dans un club de sport, une bibliothèque, une école de musique...
L'employé(e) pose les questions et complète un formulaire d'inscription.

S'EXERCER

> Demander des informations

1. Complétez avec *quel* ou *quelle*.
Dans une école de langue
— Bonjour, c'est pour une inscription, s'il vous plaît.
— ... est votre nom ?
— Bourdier.
— ... est votre prénom ?
— Sandra.
— Vous habitez à ... adresse ?
— 15, rue du Temple, 75001 Paris.
— ... langue étudiez-vous ?
— L'espagnol.
— Les cours d'espagnol, c'est le mercredi ou le vendredi à 18 heures. ... jour préférez-vous ?
— Le vendredi.

2. Lisez le formulaire d'inscription ci-contre. Demandez les sept informations communiquées.
Exemple : Nom : Bertholet
→ *Quel est votre nom ?*

> Dire les nombres

3. Donnez oralement le résultat des opérations.
Exemple : 45 x 2 = 90
a. 70 + 1 =
b. 100 + 80 =
c. 95 – 10 =
d. 1 000 + 2 000 =

> Dire des coordonnées

4. Lisez les numéros de téléphone suivants.
a. 01 42 84 90 00
b. 04 61 19 28 91
c. 06 04 78 29 81
d. 02 46 49 73 79
e. 06 19 21 44 94
f. 03 48 80 93 84

Formulaire d'inscription

Nom : Bertholet

Prénom : Maxime

Date de naissance : 10 juin 1981

Nationalité : française

Adresse : 92, rue Raspail

91000 Évry

Numéros de téléphone :

domicile : 01 60 48 82 90

portable : 06 18 88 98 30

DONNER DES INFORMATIONS PERSONNELLES

LES UNS, LES AUTRES

DOSSIER 1

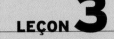 – Mesdames, mesdemoiselles, messieurs, nous allons bientôt effectuer le tirage au sort. Nous avons cinq finalistes, ils sont au Canada, à Madagascar, au Sénégal, en Gambie et en Tunisie. Ils désirent venir à Paris, ils ont un rêve… Écoutez-les.

– Je m'appelle Céline. J'ai 22 ans. J'habite à Québec, au Canada. Je suis étudiante en architecture. Je rêve de passer le 14 juillet à Paris et de voir le feu d'artifice de la tour Eiffel !

– Moi, c'est Tom. Je suis né aux États-Unis mais je vis à Madagascar. J'ai 23 ans et je travaille dans un bar. J'adore la musique, toutes les musiques : le rock, la techno, le reggae, le rap… Mon rêve, c'est d'aller à Paris pour la fête de la Musique, le 21 juin.

– Je m'appelle Claudine. J'habite en Gambie. Je suis professeur. Mon anniversaire, c'est le 12 septembre. Mon rêve ? Fêter mes 50 ans avec mon mari, à la Tour d'argent !

– Je m'appelle Issa, j'ai 22 ans. Je suis étudiant en journalisme. J'habite au Sénégal et j'ai une passion : le cyclisme. Je voudrais assister à l'arrivée du Tour de France sur les Champs-Élysées, cette année !

– Je m'appelle Hatem. Je suis tunisien. J'ai 65 ans, je suis à la retraite. Ma passion, c'est la peinture et j'ai un rêve : visiter les musées de Paris ; le Louvre et tous les autres !

TV5MONDE   JEU-CONCOURS

Paris… mon rêve !

Allez à Paris pour réaliser votre rêve !
L'émission *Rêve et réalité* et Air Vacances
offrent un voyage à Paris pour deux personnes.
Participer au concours, c'est simple !
Vous complétez et vous envoyez
le bulletin de participation à TV5.
Tirage au sort le 15 janvier.

Vous gagnez ? Nous réalisons votre rêve !

Bulletin-réponse
JEU-CONCOURS

Nom : ....   Prénom : ....
Adresse : ....
Ville : ....   Pays : ....
N° de téléphone : ....
Mél : ....
Profession : ....
Âge : ....
Mon rêve : ....

1 👁

Observez les documents et choisissez la réponse correcte.

C'est :
☐ une publicité pour un voyage ;
☐ une annonce pour un jeu-concours ;
☐ une carte d'invitation à une émission de TV5.

2 👂

Écoutez les cinq finalistes au concours et complétez le tableau.

Prénom	Âge	Ville/Pays	Profession
Céline			
Tom			
Claudine			
Issa			
Hatem			

En direct de **TV5**

3 🎧
Réécoutez et associez une photo à chaque candidat.

1. La fête de la Musique.

2. L'arrivée du Tour de France.

La francophonie
Céline, Tom, Claudine, Issa et Hatem ne sont pas français, mais ils parlent français. Pour comprendre pourquoi, observez la carte p. 32.
- Le français est la première langue d'environ 80 millions de personnes.
- Plus de 250 millions de personnes sont francophones.
- Le français est en 11e position des 2 000 langues parlées dans le monde.
- 82,5 millions de personnes apprennent le français dans leur pays ou à l'étranger.
- Il y a 900 000 professeurs de français dans le monde.

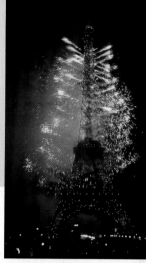
4. Le feu d'artifice de la tour Eiffel.

3. Le Louvre.

5. Le restaurant la Tour d'argent.

Point **Langue**

> **LES PRÉPOSITIONS + NOMS DE PAYS**
pour indiquer le pays de naissance/domicile

a) Observez et complétez.

La Tunisie		en Tunisie.
La Gambie		... Gambie.
*L'*Italie		... Italie.
Le Sénégal	J'habite/Je suis né(e)/Je vis	... Sénégal.
Le Canada		... Canada.
Les États-Unis		... États-Unis.
Madagascar		... Madagascar.

b) Observez et complétez.

On utilise :
– ... pour un nom de pays féminin et pour un pays commençant par une voyelle ;
– ... pour un nom de pays masculin ;
– ... pour un nom de pays pluriel.

Pour certains pays, on utilise *à*, comme pour les villes :
Madagascar ➜ *J'habite à Madagascar.*

S'EXERCER n° 1 ➜

4 ➖
Dites dans quel pays sont les sites ou les monuments suivants.

1. la 5e Avenue
2. le barrage d'Assouan
3. la Cité interdite
4. Big Ben
5. le lac Léman
6. la mosquée Hassan-II
7. les chutes du Niagara
8. le Colisée
9. le Parthénon
10. le Mont-Saint-Michel
11. le Kilimandjaro
12. Copacabana

5 ➖
Jeu : C'est où ?
À deux, choisissez trois sites ou monuments. Dites leurs noms, la classe devine dans quel pays ils se trouvent.

PARLER DE SES PASSIONS ET DE SES RÊVES

6 👁

Lisez la réponse
de deux des candidats.
Devinez qui écrit.

Mon rêve : Je rêve d'aller à Paris pour la fête de la Musique, le 21 juin, avec ma copine. Comme moi, elle joue de la guitare et nous adorons la musique, toutes les musiques!

Mon rêve : *Ma passion, c'est le cyclisme. Mon rêve, c'est de voir les coureurs du Tour quand ils arrivent sur les Champs-Élysées!*

7 👁

Lisez les formules suivantes et trouvez dans les textes
ci-dessus des formules équivalentes.
Pour parler d'une passion : *J'ai une passion : le cyclisme.*
Pour parler d'un rêve : *J'ai un rêve : aller à Paris pour la fête
de la Musique.*

AIDE-MÉMOIRE

- **Parler d'une passion**
  J'ai une passion,
  Ma passion, c'est } le cyclisme.
  J'adore
- **Parler d'un rêve**
  J'ai un rêve :
  Mon rêve ? } visiter Paris.
  Je rêve de
  Mon rêve, c'est de

Point **Langue**

> **LES VERBES EN -*ER*
AU PRÉSENT DE L'INDICATIF**

a) Relisez les réponses des deux candidats et
observez la conjugaison des verbes *rêver*, *jouer*,
adorer et *arriver*. Complétez les terminaisons.

je	rêv...
tu	rêv**es**
il/elle	rêv...
nous	rêv...
vous	rêv**ez**
ils/elles	rêv...

b) Conjuguez le verbe *adorer*.

c) Écoutez et dites si les verbes ont la même
prononciation ou non.
1. il travaille – ils travaillent
2. je rêve – nous rêvons
3. vous rêvez – ils rêvent
4. tu adores – il adore

d) Observez et répondez.
Je rêve, tu rêves, il rêve, ils rêvent
1. s'écrivent :   ☐ de la même manière ;
                    ☐ de manière différente.
2. se prononcent : ☐ de la même manière ;
                    ☐ de manière différente.

S'EXERCER nᵒˢ 2 et 3 ➔

8

Écoutez le tirage au sort et dites qui a gagné le concours.

Point **Langue**

> **› ÊTRE/AVOIR pour donner des informations personnelles**

Complétez avec *être* ou *avoir*.

Je ... architecte.   Je ... une passion.
Je ... marocain.   Il ... dix-neuf ans.
Il ... jeune.   Ils ... un rêve.
Il ... étudiant.
Ils ... au Canada, à la Réunion.

S'EXERCER n°s 4 et 5 ➡

9 PHONÉTIQUE

a) Lisez et écoutez.
Ils sont.
Ils ont.

b) [s] ou [z] ? Écoutez et répondez.

c) Écoutez et indiquez les liaisons, comme dans l'exemple.
Exemple : Ils‿ont deux passions.

1. Vous êtes canadien.
2. Nous allons tirer au sort.
3. Elles ont un rêve.
4. Nous avons cinq finalistes.
5. Ils arrivent sur les Champs-Élysées.
6. Ils habitent aux États-Unis.

d) Réécoutez et répétez les phrases.

10

Imaginez ! Vous participez à l'émission *Rêve et réalité* pour gagner un voyage à Paris.
Présentez-vous à la classe et dites votre rêve.

Leçon 3
DOSSIER 1

S'EXERCER

> Indiquer le pays de naissance/domicile

1. Choisissez la préposition correcte.
Amitiés internationales
J'ai beaucoup d'amis !
a. David est américain, il est né
en - au - aux États-Unis.
b. Ling est née à Pékin, en - au - aux
Chine. Elle est mariée avec
un Français et elle vit
en - au - aux France.
c. Angelica habite en - au - aux
Angleterre mais elle est née
en - au - aux Canada.
d. Abdel travaille six mois
en - au - aux Suisse et six mois
en - au - aux Maroc.
e. Anna est polonaise, elle est née à
Varsovie, en - au - aux Pologne,
mais elle habite en - au - aux
Pays-Bas.

> Parler de ses passions et de ses rêves

2. Lisez l'interview.
Mettez les verbes au présent.
Le présentateur : Tom, bonjour.
   Comme les autres candidats, vous
   (désirer) aller à Paris, n'est-ce pas ?
Tom : Oui, je (rêver) de voir Paris.
   J'(aimer) la langue et la culture
   françaises et j'(adorer) la musique.
   Je (désirer) assister à la fête de
   la Musique le 21 juin.
Le présentateur : Vous (travailler),
   vous êtes musicien professionnel ?
Tom : Avec des amis, nous (former)
   un groupe de rock, nous (jouer)
   dans un bar mais nous (travailler)
   le week-end seulement.

3. Voici quelques stéréotypes sur les Français. Êtes-vous d'accord ? Donnez d'autres stéréotypes.
Les Français mangent beaucoup de fromage.
Les Français aiment la cuisine.
Les Français ne parlent pas anglais.

> Donner des informations personnelles

4. Complétez le dialogue avec les verbes *être* ou *avoir*.
À la cafétéria
– Bonjour, Marta. Ça va ?
– Ça va bien. Je ... très contente ;
   j'... de nouveaux amis : Marion
   et Vincent. Ils ... français et ils ...
   étudiants en architecture comme
   moi. Ils ... mariés et ils ... un bébé :
   il ... six mois !

5. Complétez le dialogue. Écrivez les questions avec *être* ou *avoir*.
Au secrétariat de l'université
– ... ?
– Adrien Martin.
– ... ?
– Vingt ans.
– ... ?
– Non, j'étudie l'informatique.
– ... ?
– Oui, deux jours par semaine.
– ... ?
– Oui, voilà ma carte d'étudiant.

Carnet de voyage...

La France en Europe

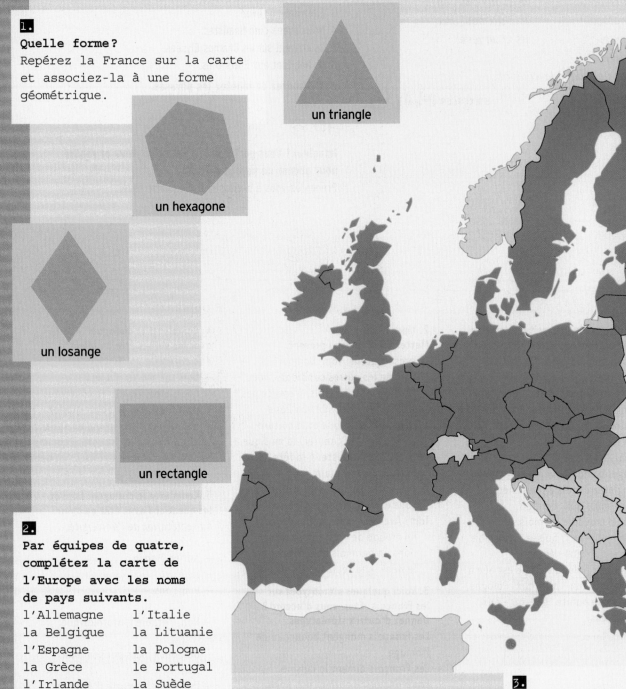

1.

Quelle forme?
Repérez la France sur la carte
et associez-la à une forme
géométrique.

un triangle

un hexagone

un losange

un rectangle

2.

**Par équipes de quatre,
complétez la carte de
l'Europe avec les noms
de pays suivants.**

l'Allemagne	l'Italie
la Belgique	la Lituanie
l'Espagne	la Pologne
la Grèce	le Portugal
l'Irlande	la Suède

**Quelle équipe est
championne en géographie?**

3.

Dites pourquoi les pays
sont de couleur violette.

Quelques symboles

4.

Observez les cartes et dites quels pays sont représentés.
Attention! Un pays est représenté trois fois.
Exemple: Le parfum, c'est la France.

les spaghettis

les tulipes

Chopin

le Manneken-Pis

le trèfle

le flamenco

le parfum

Big Ben

le chocolat

l'Acropole

1789

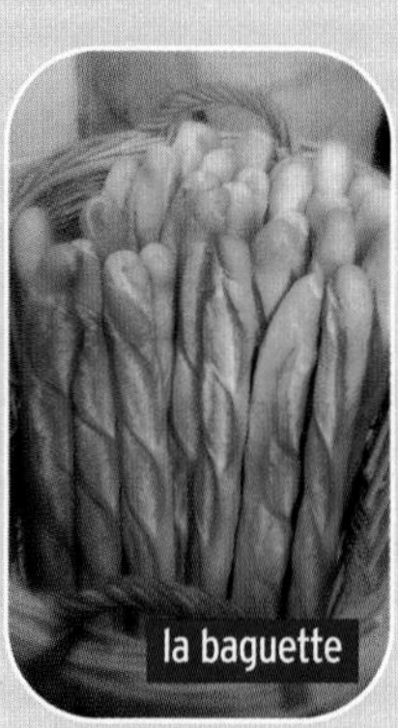

la baguette

5.

À vous!
Dessinez une carte avec un symbole pour représenter la France. Comparez avec les cartes de vos voisin(e)s.

Quelques chiffres

6.

Combien de kilomètres?
Trouvez la distance en km entre Paris et ces autres grandes villes d'Europe.

7.

La France en chiffres.
Associez le nombre et son information.

Bruxelles	1362 km
Madrid	293 km
Prague	1243 km
Varsovie	846 km
Rome	1005 km
Dublin	1587 km

les habitants: … millions	22
la superficie: … km^2	10
les régions: …	62
le salaire minimum: … €/h	549 000
le nombre d'habitants à Paris (ville + banlieue): … millions	8

Les pays francophones

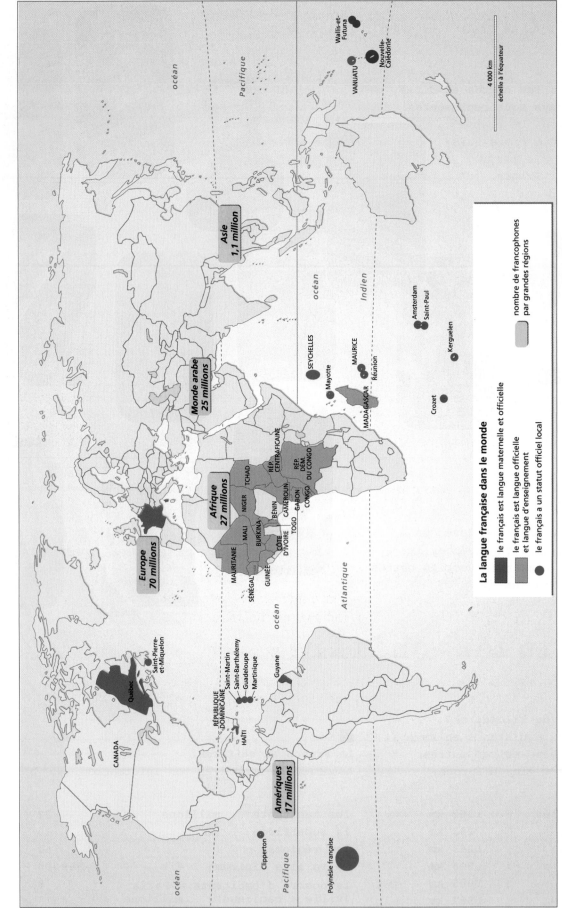

La langue française dans le monde

- ■ le français est langue maternelle et officielle
- ■ le français est langue officielle et langue d'enseignement
- ● le français a un statut officiel local

○ nombre de francophones par grandes régions

Europe *70 millions*

Amériques *17 millions*

Monde arabe *25 millions*

Afrique *27 millions*

Asie *1,1 million*

CANADA
Saint-Pierre-et-Miquelon
Québec
RÉPUBLIQUE DOMINICAINE
HAÏTI
Saint-Martin
Saint-Barthélemy
Guadeloupe
Martinique
Guyane
Clipperton
Polynésie française

MAURITANIE
SÉNÉGAL
GUINÉE
MALI
BURKINA
CÔTE D'IVOIRE
TOGO
BÉNIN
NIGER
TCHAD
CAMEROUN
CONGO
GABON
RÉP. CENTRAFICAINE
RÉP. DÉM. DU CONGO
MADAGASCAR
SEYCHELLES
Mayotte
MAURICE
Réunion
Crozet
Kerguelen
Amsterdam
Saint-Paul
Wallis-et-Futuna
VANUATU
Nouvelle-Calédonie

océan Pacifique
océan Atlantique
océan Indien
océan Pacifique

4 000 km
échelle à l'équateur

DOSSIER 2

ici, ailleurs

A1

PARLER DE SON QUARTIER, DE SA VILLE

🎧 – *Pardon, messieurs, c'est pour le magazine* Citémag. *Vous avez un endroit préféré dans votre quartier ?*

– *Oui, le café Au père tranquille ! C'est derrière le square de la Liberté, en face de l'hôtel Beauséjour.*

– *Bien ! Et vous, jeune homme ?*

– *Moi, c'est une place ! C'est la place de la République, dans le centre-ville.*

– *Merci messieurs !... Excusez-moi, madame, je suis journaliste à* Citémag. *Vous avez un endroit préféré dans votre quartier ?*

– *Euh… attendez… Ah oui ! Il y a une jolie petite église, l'église Sainte-Marie. Elle se trouve dans la rue Blanche, en face du théâtre.*

– *Merci bien. Et vous, monsieur ?*

– *Moi, un restaurant, dans la rue Principale, près de la Banque de France.*

– *Et son nom ?*

– *C'est le resto Le petit bistrot !*

– *Merci. Et vous, madame, vous avez aussi un lieu préféré ?*

– *Ah ! Un marché ! Il y a un marché près de chez moi, sur la place Morand. C'est le marché des Écoles, parce qu'il se trouve à côté des écoles, tout simplement.*

– *Merci, merci beaucoup !*

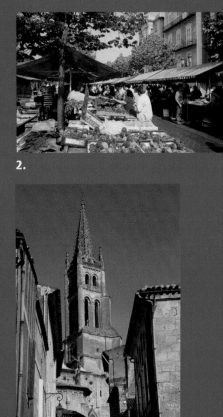

Votre *quartier* a la parole

Citémag

Vous aimez votre quartier…
Quel est votre endroit préféré ?

1.

2.

3.

4.

5.

1 🎧

Écoutez le micro-trottoir et répondez.

1. Quelle question le journaliste pose aux cinq personnes interviewées ?

2. Les personnes parlent de quels lieux ?

   ☐ un hôtel
   ☐ un marché
   ☐ un café
   ☐ une église

   ☐ une place
   ☐ un cinéma
   ☐ des halles
   ☐ un restaurant

2 🎧

a) Observez la page du magazine *Citémag* et trouvez la photo qui correspond à chaque réponse.
Exemple : un marché ➜ photo 2

b) Réécoutez et relevez le nom de chaque lieu.
Exemple : photo 1 ➜ le café Au père tranquille.

Le **quartier** a la parole

Point **Langue**

› LES ARTICLES
pour nommer des lieux dans la ville

a) Observez.

Dans le quartier, il y a
- **un** café.
- **une** église.
- **une** place.
- **des** halles.

C'est
- **le** café Au père tranquille.
- **l'**église Sainte-Marie.
- **la** place de la République.

Ce sont **les** halles Saint-Martin.

b) Choisissez la bonne réponse.
On utilise les articles indéfinis *un, une, des*
pour donner une information :
□ précise ; □ non précise.
On utilise les articles définis *le, la, l', les*
pour donner une information :
□ précise ; □ non précise.

S'EXERCER n°ˢ 1 et 2 →

AIDE-MÉMOIRE

Localiser

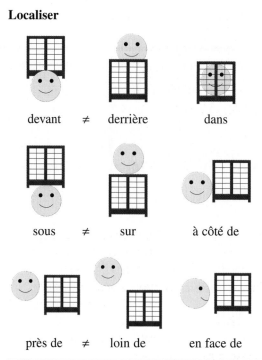

devant ≠ derrière   dans

sous ≠ sur   à côté de

près de ≠ loin de   en face de

3 👁👂

a) Retrouvez sur le plan les cinq lieux cités par les personnes.

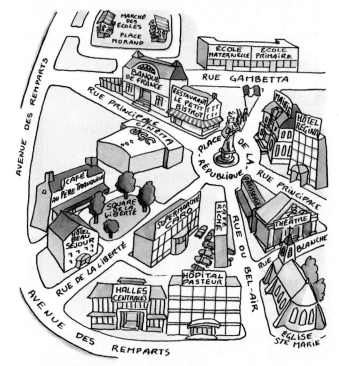

b) À deux, repérez quel lieu se trouve :
1. derrière le square de la Liberté, en face de l'hôtel Beauséjour ;
2. dans le centre-ville ;
3. dans la rue Blanche, en face du théâtre ;
4. dans la rue Principale, près de la Banque de France ;
5. sur la place Morand, à côté des écoles.

c) Réécoutez l'enregistrement pour vérifier vos réponses.

4 PHONÉTIQUE

a) Écoutez et lisez.
1. un café   3. un cinéma
2. un_endroit 4. un_hôtel

b) Écoutez et répétez.

c) Écoutez.
1. une place   2. une_église

d) Écoutez et répétez.

5

Regardez le plan ci-dessus.
Choisissez un lieu dans la liste
suivante et expliquez sa localisation à votre voisin(e).
la mairie – l'hôpital – le cinéma UGC – le café Riche – le théâtre –
le supermarché Caro
Exemple : Elle se trouve sur la place de la République. → *C'est la mairie.*

Point **Langue**

› L'ARTICLE CONTRACTÉ
Complétez avec *des, de la,*
du, de l'.

le théâtre	à côté ... théâtre
la banque	près ... banque
l'hôtel	en face ... hôtel
les écoles	à côté ... écoles

S'EXERCER n° 3 →

DEMANDER / DONNER UNE EXPLICATION

Pourquoi aimez-vous cet endroit?

Alice
Parce qu'il y a de tout :
des légumes, des fruits exotiques,
des vêtements !
En plus, les commerçants
sont très sympathiques.
Le samedi, je fais mes courses
là-bas avec plaisir !

Vincent
Parce que je retrouve
mes copains là-bas tous
les après-midi pour faire
du roller, pour discuter
après le lycée...
C'est notre lieu de rencontre !

Citémag

---

6 👁

**Lisez cet extrait des interviews
publiées dans *Citémag* et répondez.**
1. Quelle est la question du journaliste ?
2. De quel endroit parlent Alice et Vincent ?
3. Que font-ils dans cet endroit ?
   À quel(s) moment(s) ?

7 👄

**Échangez en petits groupes : Avez-
vous un endroit préféré dans votre
quartier ou votre ville ? Dites où
il se trouve et pourquoi vous l'aimez.**

8 ✏

Vous participez au forum de www.citemag.com et vous envoyez votre témoignage.

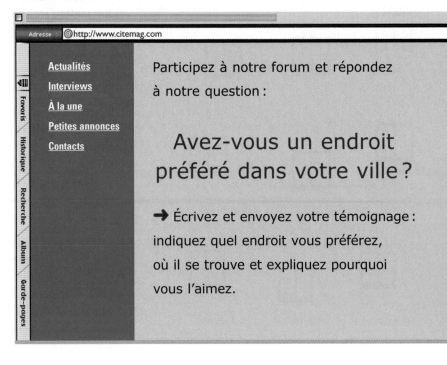

Adresse : @ http://www.citemag.com

Actualités
Interviews
À la une
Petites annonces
Contacts

Favoris Historique Recherche Album Garde-pages

Participez à notre forum et répondez
à notre question :

Avez-vous un endroit préféré dans votre ville ?

➜ Écrivez et envoyez votre témoignage :
indiquez quel endroit vous préférez,
où il se trouve et expliquez pourquoi
vous l'aimez.

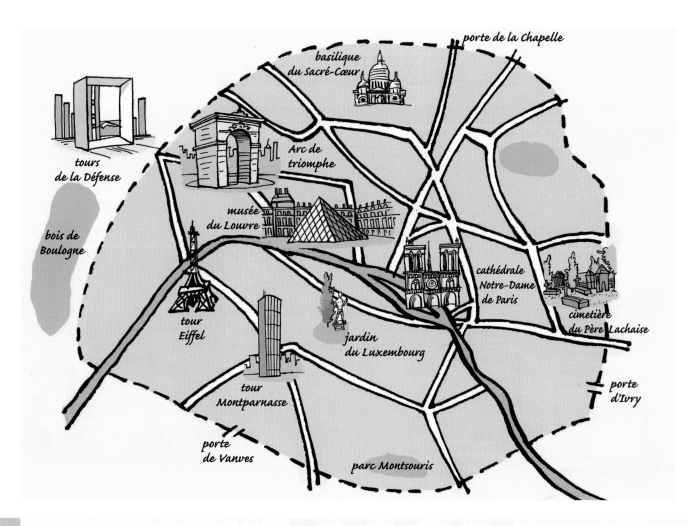

porte de la Chapelle

basilique
du Sacré-Cœur

tours
de la Défense

Arc de
triomphe

bois de
Boulogne

musée
du Louvre

cathédrale
Notre-Dame
de Paris

cimetière
du Père Lachaise

tour
Eiffel

jardin
du Luxembourg

porte
d'Ivry

tour
Montparnasse

porte
de Vanves

parc Montsouris

S'EXERCER

> Nommer des lieux dans la ville

1. Classez les lieux suivants en trois catégories : culture, alimentation, autre.

la pâtisserie – le cinéma – les halles – le théâtre – le restaurant – le musée – le café – la banque – le marché – l'hôpital – le supermarché – l'école – la mairie

2. Observez le plan de Paris ci-dessus.
a) Dites si vous voyez :
un musée – une cathédrale – un jardin – un cimetière – un monument en forme d'arc – un bois – une basilique – des tours – un parc – une porte.
b) Identifiez ces lieux à l'aide des légendes, comme dans l'exemple.
Exemple : Il y a une cathédrale, c'est la cathédrale Notre-Dame de Paris.

> Localiser

3. Alice commente ses photos de vacances. Complétez les commentaires avec l'expression correcte. Observez les dessins et choisissez dans la liste suivante.
en face de – à côté de – devant – sur – sous
a. … la tour Eiffel.
b. Pique-nique … le pont Neuf.
c. Betty est … *La Joconde*, au Louvre.
d. Nous trois, … l'Arc de triomphe.
e. … la pyramide du Louvre.

> Demander/Donner une explication

4. Expliquez pourquoi vous aimez un lieu. Justifiez votre choix, comme dans l'exemple. (Plusieurs combinaisons sont possibles.)
Exemple : J'aime le restaurant Chez Marcel parce que c'est très animé.

J'aime	parce que
le restaurant…	il y a des statues très belles.
le musée…	c'est très animé.
le magasin…	l'ambiance est très agréable.
le parc…	il a une belle architecture.
la place…	c'est tranquille.
	ce n'est pas cher.
	le décor est beau.
	il y a des tableaux magnifiques.

a.

b.

c.

d.

e.

S'INFORMER SUR L'HÉBERGEMENT

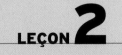

ICI, AILLEURS
DOSSIER 2

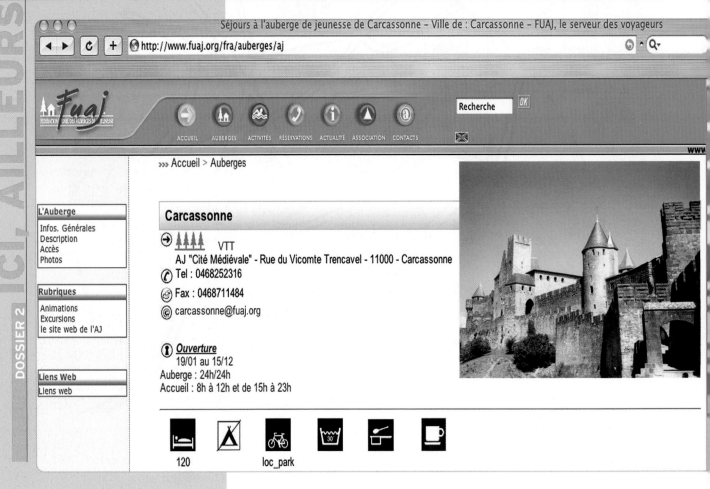

Séjours à l'auberge de jeunesse de Carcassonne – Ville de : Carcassonne – FUAJ, le serveur des voyageurs

http://www.fuaj.org/fra/auberges/aj

Recherche OK

ACCUEIL AUBERGES ACTIVITÉS RÉSERVATIONS ACTUALITÉ ASSOCIATION CONTACTS

>>> Accueil > Auberges

L'Auberge
Infos. Générales
Description
Accès
Photos

Rubriques
Animations
Excursions
le site web de l'AJ

Liens Web
Liens web

Carcassonne

VTT
AJ "Cité Médiévale" - Rue du Vicomte Trencavel - 11000 - Carcassonne
Tel : 0468252316
Fax : 0468711484
carcassonne@fuaj.org

Ouverture
19/01 au 15/12
Auberge : 24h/24h
Accueil : 8h à 12h et de 15h à 23h

120   loc_park

1 👁

**Observez cette page du site de la Fédération des auberges de jeunesse.
Dites si les informations suivantes sont données.**

1. dates d'ouverture
2. activités
3. horaires d'ouverture
4. équipements
5. conditions de réservation – tarifs
6. coordonnées (adresse, numéro de téléphone...)

Nouveau message

Envoyer Discussion Joindre Adresses Polices Couleurs Enreg. comme brouillon

À : De : philippe.amada@hotmail.fr
Cc : À : frankdidot@libertysurf.fr
Objet : Objet : réservation auberge

Salut Frank,

J'ai téléphoné à l'auberge de jeunesse
pour faire la réservation et c'est OK.

– Réservation pour ... nuits, à partir de ... .
– Chambre à ... lits, avec les ... et les ... à l'étage.
– ... € par personne, ... et draps inclus dans le prix.
– Carte d'adhérent obligatoire, bien sûr !
Voilà ! N'oublie pas les billets de train !
Je t'appelle demain.
Philippe

2 👂

**Écoutez la demande de réservation et dites qui pose chaque question :
l'employée ou Philippe ?**

1. Est-ce que vous avez de la place pour samedi prochain ?
2. Vous voulez rester combien de temps ?
3. Quel est le prix par personne ?
4. Est-ce que le petit déjeuner est inclus dans le prix ?
5. Est-ce qu'il y a une salle de bains dans la chambre ?
6. Vous avez la carte d'adhérent ?

3 👂

Réécoutez le dialogue et complétez le mél de Philippe.

Passer **une nuit...**

Point **Langue**

› POSER DES QUESTIONS pour s'informer

a) Observez.

– *Est-ce que vous avez de la place pour samedi ? – Oui /Non.*

– *Vous avez de la place pour samedi ? – Oui /Non.*

b) Relisez les questions de Philippe et de l'employée et trouvez d'autres exemples de questions de ce type.

S'EXERCER n° 1

---

4 👁

Lisez les demandes d'information à la réception de différents hôtels et dites où elles sont posées : *dans une auberge de jeunesse – dans un hôtel de luxe – les deux sont possibles.*

1. Est-ce que vous avez des chambres doubles ?
2. La suite présidentielle est libre pour le week-end ?
3. C'est possible de faire la cuisine ?
4. Vous acceptez les animaux ?
5. Est-ce que les chambres sont mixtes ?
6. Quelle est la différence entre les chambres à 300 € et les chambres à 400 € ?

5 👂👁

Écoutez les dialogues et vérifiez vos réponses.

6 PHONÉTIQUE

a) ↗ ou ↘ ? Écoutez et trouvez l'intonation des questions.

b) Réécoutez et trouvez l'autre formulation pour chaque question.

Exemple : Vous avez des chambres doubles ? ↗

→ *Est-ce que vous avez des chambres doubles ?* ↘

7

Échangez en petits groupes : Regardez les photos et dites où vous préférez aller et pourquoi.

AIDE-MÉMOIRE

Remercier et réagir

– Merci. /Merci beaucoup. / Je vous remercie.

– De rien. /Je vous en prie.

8 😊

À deux, choisissez un des hôtels et jouez la scène.

Vous arrivez à l'hôtel et vous parlez avec le / la réceptionniste. Les informations suivantes doivent apparaître :

- les dates /le nombre de jours ;
- le nombre de personnes ;
- le prix de la chambre ;
- le confort de la chambre.

L'hôtel Martinez à Cannes.

Un hôtel à Wissant, Pas-de-Calais.

L'auberge de jeunesse des Rousses.

INDIQUER UN ITINÉRAIRE

Séjours à l'auberge - FUAJ, le serveur des voyageurs

http://www.fuaj.org/fra/auberges/aj

Comment accéder à l'auberge ?

🌐 *À pied depuis la gare*
  voir les instructions ci-dessous.

DESCRIPTION

Pour venir à pied depuis la gare SNCF

– aller tout droit face à la gare
  pour emprunter la rue piétonne
  Georges-Clemenceau ;
– tourner à gauche rue Aimé-
  Ramon ;
– traverser le boulevard Pelletan ;
– prendre la rue du Pont-Vieux,
  traverser le pont (quelle belle
  vue sur la Cité !!!) ;
– aller toujours tout droit
  sur la rue Trivalle ;
– tourner à gauche rue Nadaud
  (ça commence à monter !).
Vous voici à la porte Narbonnaise
(entrée principale de la Cité).
L'auberge de jeunesse se trouve
dans la rue Trencavel, en haut
à gauche de la rue principale
(rue Cros-Mayrevieille).
Ouf !...

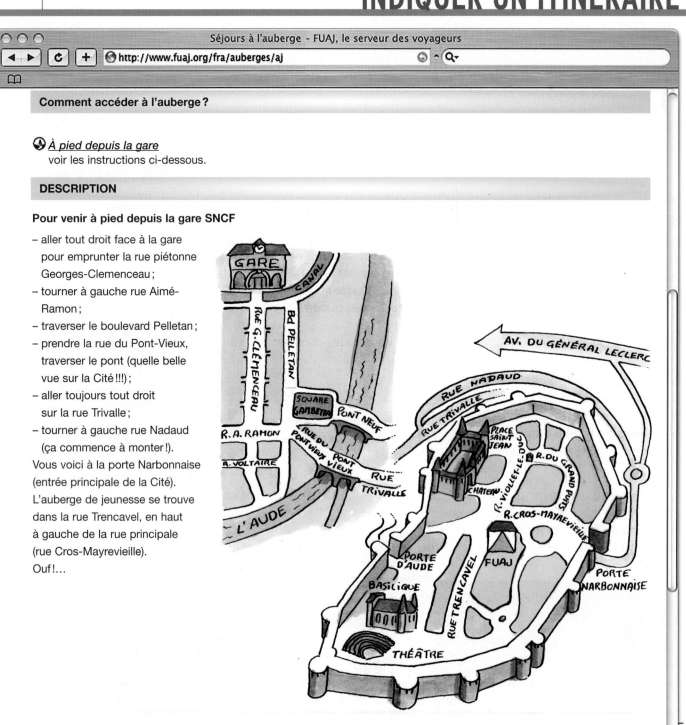

9 👁

**Vous préparez votre voyage à
Carcassonne. Lisez les indications
sur Internet pour aller de la gare à
l'auberge et tracez l'itinéraire indiqué.**

10 👂

**Philippe est à Carcassonne mais il ne trouve pas l'auberge. Écoutez
l'enregistrement, regardez le plan et répondez.**
1. Où est-il ?
2. Quel est l'itinéraire indiqué par la réceptionniste de l'auberge ?

Point **Langue**

› INDIQUER UN ITINÉRAIRE

Pour les dessins 2 à 5, retrouvez dans l'itinéraire écrit les formules correspondantes.

tourner à droite

S'EXERCER nºs 2 à 4 →

S'EXERCER nºs 2 à 4 →

• *Prendre* indicatif présent		• *Descendre* indicatif présent	
je	prends	je	descends
tu	prends	tu	descends
il/elle	prend	il/elle	descend
nous	prenons	nous	descendons
vous	prenez	vous	descendez
ils/elles	prennent	ils/elles	descendent

S'EXERCER nº 5 →

---

11 🎧

Où vont-ils ? Écoutez et suivez les itinéraires sur le plan. (Le point de départ est toujours l'auberge.)

12 ✎

Dans un mél à un ami, indiquez l'itinéraire pour venir chez vous à partir de la gare ou de chez lui.

› S'informer sur l'hébergement

1. Remettez le dialogue dans l'ordre.

La réceptionniste : Pour combien de personnes ?

Le client : Quel est le prix de la chambre ?

La réceptionniste : Hôtel du lac, bonjour !

Le client : Une personne. Vous avez une chambre avec salle de bains ?

La réceptionniste : Oui, mais les petits chiens seulement.

Le client : Bien, je prends la chambre. C'est loin de la gare ?

La réceptionniste : Ah non, désolée, monsieur, nous avons seulement une chambre avec douche à vous proposer.

Le client : Bonjour, madame, je voudrais une chambre pour ce soir. C'est possible ?

La réceptionniste : Non, c'est tout près. Nous sommes à cinq minutes de la gare.

Le client : Vous acceptez les chiens ?

La réceptionniste : 26 € petit déjeuner inclus.

› Poser des questions pour s'informer

2. Complétez le dialogue avec les questions.

Philippe et Frank préparent le week-end à Carcassonne.

— ... ?

— Oui, j'achète les billets cet après-midi.

— ... ?

— Non, pas à la gare, à l'agence SNCF à côté de mon appartement.

— ... ?

— Non, il part à 6 h 17.

— ... ?

— Oui, le rendez-vous est à la gare, devant la voie nº 10.

— ... ?

— Non ! 6 h 00, c'est trop tard ! Le rendez-vous est à 5 h 45 !

— ... ?

— Oui, je prends un appareil photo numérique.

› Indiquer un itinéraire

3. Associez les éléments. (Plusieurs réponses sont possibles.)

Vous tournez	le boulevard.
Vous allez	la place.
Vous traversez	à gauche.
Vous prenez	la rue.
Vous descendez	à droite.
	tout droit.

4. Trouvez pour chaque dessin une formule pour indiquer la direction.

Exemple :

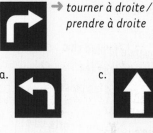
→ *tourner à droite / prendre à droite*

a.   c.

b.   d.

› Les verbes *prendre* et *descendre*

5. Complétez avec les verbes *prendre* ou *descendre* au présent.

a. — Pour venir, vous ... le train ou la voiture ?

— Nous ... notre voiture.

b. — Il ... à quelle gare ?

— C'est simple, il ... au terminus, à Marseille.

c. — Je ... le bus ou un taxi ?

— Ce n'est pas loin d'ici, tu ... le bus et tu ... à la station suivante.

d. — Julien ... l'avion, Nadia et Sandrine ... le train.

— Et elles ... où ?

— À Carcassonne.

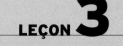
ÉCRIRE UNE CARTE POSTALE

ICI, AILLEURS

DOSSIER 2

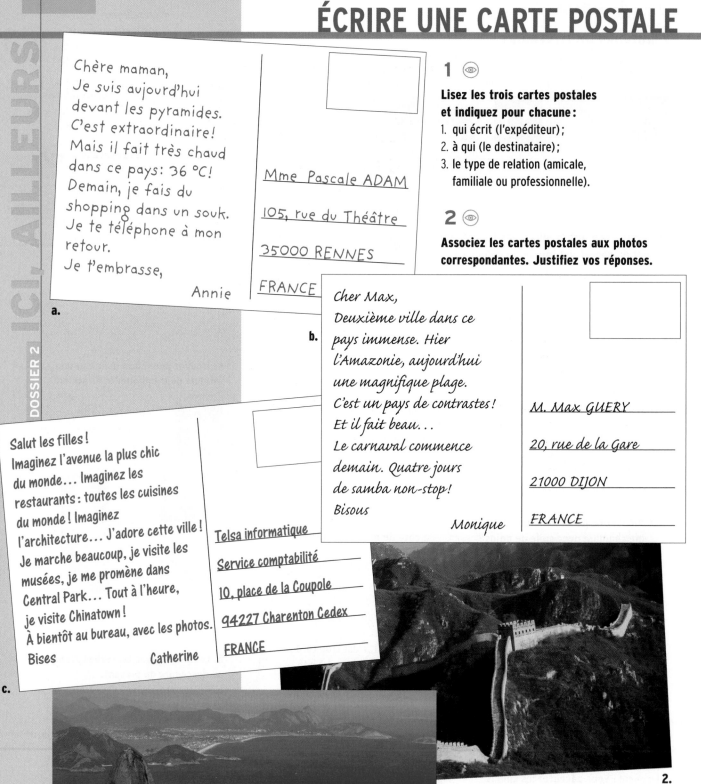

a.

Chère maman,
Je suis aujourd'hui
devant les pyramides.
C'est extraordinaire!
Mais il fait très chaud
dans ce pays: 36 °C!
Demain, je fais du
shopping dans un souk.
Je te téléphone à mon
retour.
Je t'embrasse,
                    Annie

Mme Pascale ADAM

105, rue du Théâtre

35000 RENNES

FRANCE

b.

Cher Max,
Deuxième ville dans ce
pays immense. Hier
l'Amazonie, aujourd'hui
une magnifique plage.
C'est un pays de contrastes!
Et il fait beau...
Le carnaval commence
demain. Quatre jours
de samba non-stop!
Bisous
            Monique

M. Max GUERY

20, rue de la Gare

21000 DIJON

FRANCE

c.

Salut les filles!
Imaginez l'avenue la plus chic
du monde... Imaginez les
restaurants: toutes les cuisines
du monde! Imaginez
l'architecture... J'adore cette ville!
Je marche beaucoup, je visite les
musées, je me promène dans
Central Park... Tout à l'heure,
je visite Chinatown!
À bientôt au bureau, avec les photos.
Bises   Catherine

Telsa informatique

Service comptabilité

10, place de la Coupole

94227 Charenton Cedex

FRANCE

1

**Lisez les trois cartes postales
et indiquez pour chacune:**
1. qui écrit (l'expéditeur);
2. à qui (le destinataire);
3. le type de relation (amicale,
   familiale ou professionnelle).

2

**Associez les cartes postales aux photos
correspondantes. Justifiez vos réponses.**

2.

3

**Relisez les cartes postales
et repérez les informations sur:**
1. le lieu;   3. les impressions;
2. les activités;   4. le temps (la météo).

1.

Bons **baisers** de...

Point **Langue**

› ÉCRIRE À SES AMIS, SA FAMILLE

a) Repérez dans les trois cartes les formules pour commencer et pour terminer.

b) Complétez chaque liste avec les formules suivantes.

Chers amis – Amicalement – Coucou – Ma chère Sonia – Amitiés – Mon cher Paul

S'EXERCER n° 1 et 2

AIDE-MÉMOIRE

- **Donner ses impressions sur un lieu**
  C'est (un endroit) extraordinaire / magnifique / génial !
  C'est un pays de contrastes !
  J'adore cette ville !
  Je passe des vacances inoubliables !
- **Parler de ses activités en vacances**
  Je marche.
  Je visite des musées / le quartier.
  Je me promène dans les parcs / la ville.
  Je fais du shopping.
  Je me baigne.

4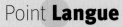

a) Lisez les quatre extraits suivants de cartes postales.

1. Je vois ces merveilleuses montagnes de ma fenêtre. Il fait très beau mais il fait froid !
2. Je me baigne tous les jours sur cette belle plage. Je pense bien à vous.
3. J'habite au centre-ville dans cet hôtel très moderne. Ma chambre est au 33ᵉ étage. La nuit, je vois les lumières de la ville, c'est magnifique !
4. C'est un endroit extraordinaire : ce château est magnifique et son parc aussi ! Je passe des vacances inoubliables !

b) Choisissez un des quatre textes. Dessinez la photo qui correspond au texte de la carte postale.

c) Complétez le texte choisi avec une formule pour commencer et une formule pour terminer.

Point **Langue**

› LES ADJECTIFS DÉMONSTRATIFS pour désigner quelque chose

Complétez avec les formes présentes dans les textes.

Masculin singulier	Féminin singulier
Ce pays	... plage
... hôtel	... ville
Pluriel	
... paysages	
... montagnes	

S'EXERCER n° 3

4.

5.

3.

INDIQUER LA PROVENANCE, LA DESTINATION

1.

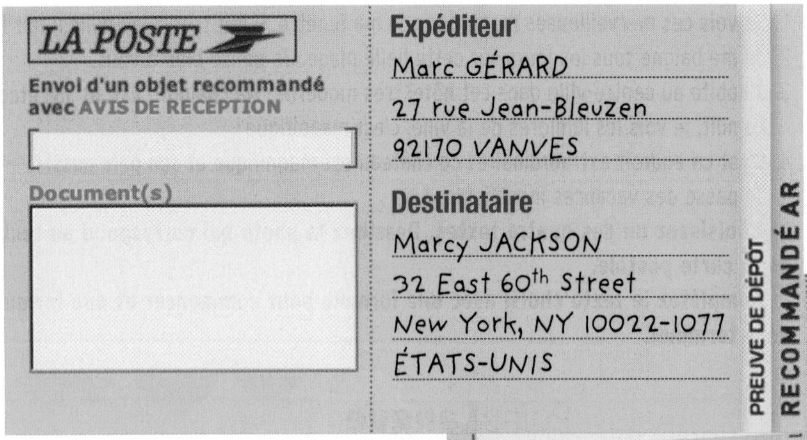

LA POSTE

Envoi d'un objet recommandé avec AVIS DE RECEPTION

Document(s)

Expéditeur
Marc GÉRARD
27 rue Jean-Bleuzen
92170 VANVES

Destinataire
Marcy JACKSON
32 East 60th Street
New York, NY 10022-1077
ÉTATS-UNIS

PREUVE DE DÉPÔT — RECOMMANDÉ AR

2.

Document(s)

Expéditeur
Michèle TOUSSAINT
15 rue du Théâtre
33000 BORDEAUX

Destinataire
Vitorio DE ANGELIS
Via A. Turco, 91
40123 Bologne
ITALIE

PREUVE DE DÉPÔT — RECOMMANDÉ AR

3.

LA POSTE

Envoi d'un objet recommandé avec AVIS DE RECEPTION

Document(s)

Expéditeur
Cécile BERTEAU
74 rue des Plantes
75014 PARIS

Destinataire
Sandra VIEIRA
Rua Pará 1253 apto 21
01240-00 São Paulo – SP
BRÉSIL

PREUVE DE DÉPÔT — RECOMMANDÉ AR

Point **Langue**

› LES PRÉPOSITIONS
pour indiquer le pays de provenance, de destination
Complétez et justifiez vos réponses.

Pour indiquer le pays de provenance, on utilise *de, d', du, des*.
La lettre vient :
... Portugal.
... Espagne.
... Équateur.
... Pologne.
... Pays-Bas.

Pour indiquer le pays de destination, on utilise *en, au, aux*.
La lettre est adressée :
... Japon.
... Angleterre.
... Iran.
... Tunisie.
... Philippines.

S'EXERCER n° 4 ➡

5 ◉

Lisez les trois avis de lettre recommandée et indiquez pour chacun sa provenance et sa destination.

Provenance	Destination
La lettre n°... vient	*Elle est adressée*
de France	en France
d'Italie	en Italie
du Brésil	au Brésil
des États-Unis	aux États-Unis

6 PHONÉTIQUE
Écoutez et répétez.

7 PHONÉTIQUE
a) Écoutez et observez.
À bientôt au bureau.
●●●●● ●
Comptez les mots écrits et les syllabes prononcées. Quelle syllabe est accentuée ?
b) Écoutez et comptez le nombre de syllabes puis répétez.

8 🎧

Écoutez les messages téléphoniques : les personnes rentrent de vacances. Répondez.

1. De quels pays viennent-elles ? Justifiez vos réponses.
2. Gaie ☺ ou triste ☹ ? Dites le sentiment de chaque personne.

AIDE-MÉMOIRE

Dire le temps qu'il fait
Il fait beau / mauvais.
Il fait chaud / froid.

9 ✏️

Vous êtes en vacances. Vous écrivez une carte postale à un(e) ami(e) français(e).

Regardez la carte de France p. 168, choisissez où habite le/la destinataire et rédigez l'adresse.

Comme dans les cartes postales p. 42, donnez des informations sur le lieu, indiquez vos activités et donnez vos impressions ou sentiments.

POINT CULTURE

Le code postal et les départements

A. Observez les adresses des expéditeurs des trois lettres recommandées. En vous aidant de la carte p. 168, repérez :
• l'adresse à Paris ;
• l'adresse en banlieue parisienne ;
• l'adresse en province
  (dans une autre région de France).

B. Complétez.
Le code postal est composé de … chiffres ;
les deux premiers chiffres correspondent au numéro du … .

Leçon 3 — DOSSIER 2

S'EXERCER

> Écrire à ses amis, sa famille

1. Continuez la liste des mots pour parler de la correspondance.
Un timbre, une carte postale...

2. Chassez l'intrus.
a. Pour commencer une carte postale :
Ma chère Isabelle – Coucou ! – Bonjour, monsieur – Salut ! – Cher Julien.
b. Pour terminer :
1 000 baisers – Au revoir ! – Bisous – À bientôt – Amitiés – Affectueusement.

Nice

> Désigner quelque chose

3. Complétez les commentaires avec les adjectifs démonstratifs *ce*, *cet*, *cette* ou *ces*.
Je t'envoie ces huit photos de Nice.
Photo n° 1 : … maison date du XVIe siècle !
Photo n° 2 : tu reconnais … avenue : c'est la célèbre Promenade des Anglais.
Photo n° 3 : j'adore l'ambiance de … marchés de Provence !
Photo n° 4 : non, je n'habite pas ici, mais les riches touristes descendent dans … hôtel.
Photo n° 5 : tu vois, … ciel bleu, … soleil, c'est Nice, c'est la Côte d'Azur !
Photo n° 6 : j'aime beaucoup… endroit, … quartier ; il y a peu de touristes, c'est très tranquille.
Photo n° 7 : ah ! … fleurs, … couleurs, c'est extraordinaire ! et ça sent bon !
Photo n° 8 : de ma fenêtre je vois … jolie église.

> Indiquer le pays de provenance, de destination

4. Décrivez le déplacement de ces avions.
Exemple : L'avion vient d'Italie et va en France.

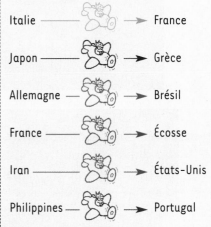

Italie	France
Japon	Grèce
Allemagne	Brésil
France	Écosse
Iran	États-Unis
Philippines	Portugal

Carnet de voyage...

Paris insolite

1.

Vous êtes à Paris, vous envoyez trois cartes postales.
Choisissez les trois photos qui représentent Paris, pour vous. Comparez votre choix avec votre voisin(e).

2.

Quelles photos ne représentent pas Paris pour vous? Justifiez.

3.

Voici les légendes correspondant aux photos. Identifiez les lieux, comme dans l'exemple.

Exemple: Photo 7: la maison Loo.

■ **Les arènes de Lutèce**
49, rue Monge
5e arrondissement
M° Cardinal Lemoine
Au milieu d'un square du Quartier latin, les vestiges des grandes arènes romaines de Lutèce (premier nom de Paris).

■ **La maison Loo**
48, rue de Courcelles
M° Courcelles
8e arrondissement
Au XIXe siècle, un riche antiquaire chinois réalise son rêve : une maison chinoise en plein Paris !

■ **Les vignes de Montmartre**
Rue Saint-Vincent
M° Lamarck-Caulaincourt
18e arrondissement
Vous êtes bien à Paris ! En octobre, les Montmartrois font les vendanges rue Saint-Vincent : 700 bouteilles de vin Clos-Montmartre chaque année.

■ **Le Sacré-Cœur**
35, rue Chevalier-de-la-Barre
18e arrondissement
M° Anvers
Les Parisiens aiment... ou n'aiment pas l'architecture du Sacré-Cœur. Mais la vue sur Paris est magnifique !

■ **La Défense**
M° La Défense
Aux portes de Paris, ce quartier moderne est un centre d'affaires.

■ **Station de métro Abbesses**
Place des Abbesses
M° Abbesses
18e arrondissement
Vous aimez l'art nouveau ? Allez admirer l'entrée du métro Abbesses !

■ Isbas russes
7, boulevard Beauséjour
16e arrondissement
M° La Muette
L'Exposition universelle de 1867 est à l'origine de la construction de ces isbas* russes à Paris.

■ **La mosquée de Paris**
2, place du Puits-de-l'Ermite
5e arrondissement
M° Monge
Un lieu magnifique pour prier et pour se relaxer... visitez le charmant jardin, allez au hammam, buvez un bon thé à la menthe sur la terrasse... c'est ouvert à tous !

■ **La Seine,**
avec ses ponts
Vous voulez faire une belle promenade ? Prenez un bateau-mouche sur la Seine !

* Petites maisons en bois typiques de la Russie du Nord.

4.

Les arrondissements.
Lisez les adresses et localisez les lieux sur le plan ci-dessous. Regardez la place des arrondissements. Qu'observez-vous ?

5.

En visite à Paris.
Observez les photos et choisissez les lieux que vous voulez connaître. Indiquez votre ordre de préférence puis comparez avec votre voisin(e).

6.

Et chez vous ?
Des amis viennent visiter votre ville. En petits groupes, dites quels lieux touristiques vous faites visiter en premier. Puis dites quels sont les lieux insolites à découvrir.

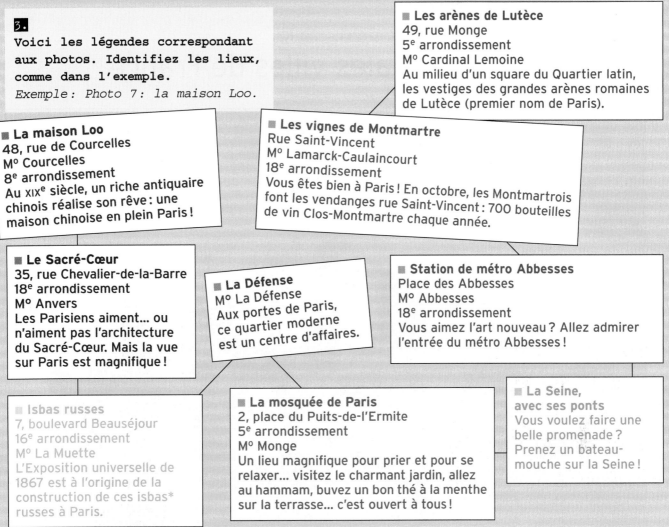

Le 1er arrondissement se situe « au cœur » de Paris.

POURQUOI ?

Parce que Paris est né sur l'île de la Cité (Paris s'appelle alors Lutèce)... Les arrondissements les plus anciens sont le 1er, le 2e, le 3e, le 4e... Puis la ville grandit, petit à petit, autour de ce centre. À partir de 1860, Paris compte vingt arrondissements, numérotés en spirale. Paris est comme... un escargot !
Pour situer un lieu dans Paris, les Parisiens citent souvent l'arrondissement et, pour être plus précis, le métro. Ils disent, par exemple : *La tour Eiffel est dans le 7e, métro Bir-Hakeim. J'habite dans le 6e, métro Odéon.*

AIDE-MÉMOIRE

Les nombres ordinaux

un	premier
deux	deuxième
trois	troisième
quatre	quatrième
cinq	cinquième
six	sixième
sept	septième
huit	huitième
neuf	neuvième
dix	dixième

Les principales villes de France

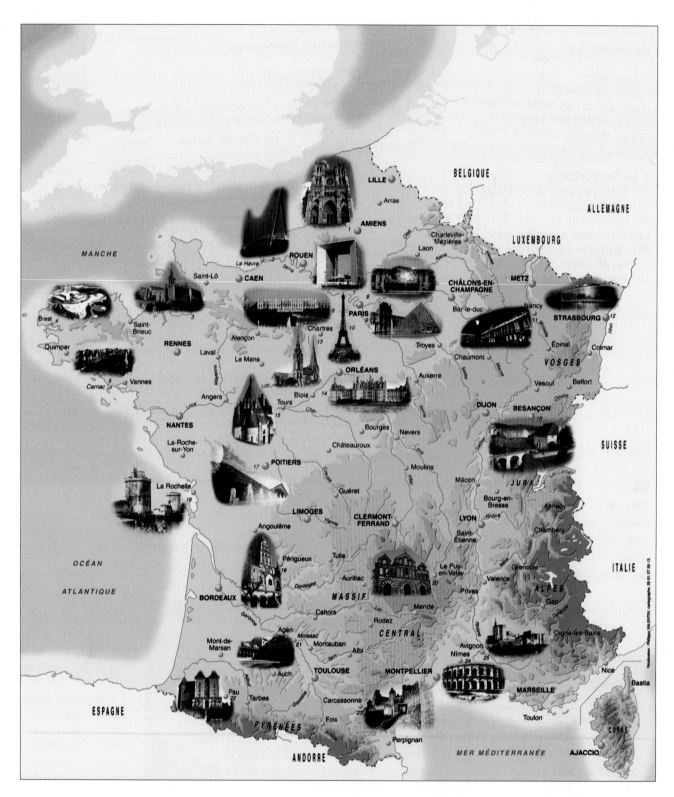

DOSSIER 3

Dis-moi qui tu es

A1

PARLER DE SES GOÛTS, DE SES ACTIVITÉS

a. Mon caméléon.

b. Mon petit chat chéri.

c. Mon chien et moi.

d. Mon serpent bien-aimé.

e. Mon beau perroquet.

DOSSIER 3 — DIS-MOI QUI TU ES

54 millions d'amis

54 millions d'amis : c'est le nombre total d'animaux familiers en France : 27 millions de poissons, 9 millions de chats, 8 millions de chiens, 7,1 millions d'oiseaux, 2 millions de rongeurs (lapins, hamsters…).

Mais, maintenant, il y a aussi les NAC (nouveaux animaux de compagnie) : des reptiles ou d'autres animaux « rares »…

Vous désirez adopter un animal de compagnie ? Répondez : qui êtes-vous ? Et nous vous dirons quel animal adopter.

PROFIL N° 1

▪ Vos goûts et votre mode de vie
Vous êtes indépendant et original. Vous aimez les beaux objets. Vous faites de la peinture, de la photo… Vous avez une vie culturelle intense : vous sortez beaucoup, vous allez au cinéma, au théâtre… seul ou avec des amis.

▪ Votre profession
Vous faites un métier artistique ou intellectuel : acteur, chanteur, ou bien encore architecte, ingénieur, professeur. Votre animal, c'est le…

☞ Pour connaître votre animal, lisez la dernière page du magazine.

PROFIL N° 2

▪ Vos goûts et votre mode de vie
Vous détestez la routine, vous adorez le mystère et l'exotisme. Vous vivez seul, vos amis sont rares. Vous aimez aller à la campagne ou à la mer : vous faites de l'équitation, de la voile, du vélo…

▪ Votre profession
Vous êtes chercheur, scientifique, photographe, pilote, chirurgien, journaliste, explorateur. Votre animal, c'est le…

☞ Pour connaître votre animal, lisez la dernière page du magazine.

---

1 👄

Observez les photos et répondez.
1. Quelle photo préférez-vous ?
2. Avez-vous un animal ? Lequel ?

2 👁

a) Lisez l'article et répondez.
1. Qui sont les 54 millions d'amis ?
2. Que sont les NAC ? Trouvez des exemples sur les photos.

b) Vrai ou faux ?
Relisez l'article et répondez.
1. L'article parle des animaux de compagnie en France.
2. Il y a 54 millions de NAC.
3. Dans chaque fiche Profil, il y a des informations sur la psychologie de la personne, sa profession, la psychologie de l'animal.

Tel maître, tel **chien**

J'adore faire de la trottinette.

Point **Langue**

> **PARLER DE SES GOÛTS**

Complétez.

♥ Vous aimez | les beaux objets.　　♥♥ Vous ... | aller à la mer.

✖ Vous n'aimez pas | la routine.　　✖✖ Vous ... | aller à la campagne.

aimer/adorer/détester + nom/verbe à l'infinitif

S'EXERCER n° 1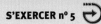

---

3 👁

a) Relisez les fiches Profil, observez les photos et imaginez l'animal conseillé pour chaque type de personne.

b) Retrouvez pour chaque profil :

1. les goûts (ce que les personnes aiment ou n'aiment pas);
2. les activités de loisirs (activités culturelles, sportives...);
3. les professions.

Point **Langue**

> **LES ARTICLES CONTRACTÉS** pour parler de ses activités

Complétez.

	Aller à + nom de lieu	Faire de + nom d'activité sportive/culturelle
	Vous allez	Vous faites
Nom masculin	... cinéma, ... théâtre	... vélo, ... théâtre
Nom féminin	... campagne, ... mer	... voile, ... photo
Nom commençant par une voyelle	... université	... équitation, ... escrime

S'EXERCER n°s 2 et 3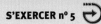

PARLER DE SA PROFESSION

4 👂

a) Écoutez les personnes qui parlent de leur profession. Associez les dessins aux personnes.

b) Pour chaque dessin, trouvez dans la liste suivante le nom de la profession au masculin et au féminin.

boulanger - opticienne - journaliste - coiffeur - couturière - pharmacienne - photographe - boulangère - couturier - réalisatrice - pharmacien - journaliste - coiffeuse - opticien - photographe - réalisateur

5 😮

Parlez de votre profession ou de celle d'une personne de votre famille. La classe doit deviner la profession.

Point **Langue**

> **LE MASCULIN ET LE FÉMININ DES NOMS DE PROFESSION**

a) Observez.

Masculin	Féminin
-ien	-ienne
-er	-ère
-eur	-euse
-teur	-trice
-iste	-iste
-e	-e

Attention ! *Chanteur* ➜ *chanteuse*.

b) Trouvez un exemple de nom de profession pour chaque catégorie.

S'EXERCER n° 5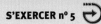

---

6 PHONÉTIQUE

Homme ou femme ?
Écoutez et répondez.
Exemple : 1 ➜ femme

7 ✏

Écrivez un troisième profil pour l'article « 54 millions d'amis ».

8 😮

Échangez en petits groupes : Dites vos goûts et votre mode de vie. Précisez quel animal vous correspond.

PARLER DE SES ACTIVITÉS, DE SON ANIMAL

TÉMOIGNAGES

J'aime la nature, les promenades... alors tous les soirs à 7 heures je ferme mon magasin et je vais au parc avec mon chien. Le week-end, nous allons à la campagne, mon mari et moi, avec notre chien, bien sûr !

Miléna, Conflans

Je travaille à la maison ; je fais des vêtements pour mes clients. Je ne suis pas seule, j'ai un petit chat : il s'appelle Félix. Il y a un petit jardin ici, alors il va dans le jardin et il joue avec le chat de la voisine.

Clémentine, Lyon

9 👁

Lisez les deux témoignages et retrouvez Miléna et Clémentine sur les photos p. 50. Imaginez leur profession.

Point **Langue**

> *ALLER* ET *FAIRE* À L'INDICATIF **PRÉSENT pour parler de ses activités**

Complétez.

Aller

Je ... au parc.

*Tu **vas** à la mer.*

Il/Elle ... dans le jardin.

Nous ... à la campagne.

*Vous **allez** au cinéma.*

*Ils/Elles **vont** au restaurant.*

Faire

Je ... de la natation.

*Tu **fais** du basket.*

*Il/Elle **fait** du sport.*

Nous ... du roller.

Vous ... du ski.

*Ils/Elles **font** de l'équitation.*

S'EXERCER n° 4

10

Échangez avec votre voisin(e) : Dites quelles sont vos activités et où vous allez le week-end, en semaine (le lundi, le mardi, etc.), en vacances.

11

Imaginez ! Une des personnes sur les photos p. 50 témoigne et parle de ses goûts, de son travail et de sa vie avec son animal. Écrivez l'article.

Les animaux préférés des Français

A. Faites deux groupes dans la classe : femmes et hommes. Dites vos trois animaux préférés. Comparez les résultats des deux groupes : quels points communs et quelles différences ?

B. Comparez avec les réponses des Français : lisez ce sondage sur les animaux préférés des Français. Observez les différences entre les hommes et les femmes.

Le top 10 des hommes et des femmes

	Hommes	Femmes
Ier	le chien	le chien
2^e	le chat	le chat
3^e	le cheval	le cheval
4^e	le dauphin	le dauphin
5^e	le tigre	l'écureuil
6^e	le lion	le lapin
7^e	l'écureuil	la biche
8^e	le lapin	le poisson rouge
9^e	la biche	le panda
10^e	le loup	le perroquet

D'après sondage Ipsos pour la fondation *30 millions d'amis*, février 2005.

S'EXERCER

> Parler de ses goûts

1. Exprimez vos goûts avec les éléments suivants.

aimer ♥ – ne pas aimer ✖ – adorer ♥♥ – détester ✖✖

a. Activités
Exemple : aller au cinéma
➜ *J'adore aller au cinéma.*

aller au théâtre – regarder la télévision – faire la cuisine – aller au supermarché – écouter de la musique – lire le journal – dormir – faire une promenade – visiter des musées

b. Animaux
Exemple : J'aime les oiseaux mais je déteste les araignées.

les chiens – les oiseaux – les tortues – les rats – les chats – les souris – les araignées – les serpents – les chevaux – les poissons

> Parler de ses activités

2. Répondez par des phrases.
Où allez-vous :
a. le week-end ?
b. pendant la semaine ?
c. pendant les vacances ?

Je vais
à
à la
à l'
au

université
bureau   école
Paris   restaurant
mer   cinéma
hôtel   Rome   campagne
théâtre   Nice
montagne

3. Associez les dessins ci-contre aux activités puis faites des phrases, comme dans l'exemple.
Exemple : J'aime le football, je fais du football tous les dimanches.

le tennis – le piano – la peinture – le judo – le football – l'escrime – le basket – l'équitation – le roller – la guitare

4. Complétez avec *faire de* ou *aller à*. Faites les changements nécessaires.
a. – Le dimanche, vous ... le cinéma ?
 – Oui, avec des amis. Et après nous ... le restaurant.
b. – Vous ... le jogging ?
 – Non, je déteste ça. Mais je ... la natation tous les mercredis.
c. – Les Français ... la mer, en été ?
 – Oui, et, en hiver, ils ... la montagne ; ils ... le ski.
d. – Moi, je ... la bicyclette, j'adore ça !
 – Tu ... le bureau à bicyclette ?
 – Non, mais, le dimanche, je ... la campagne, j'ai une bicyclette là-bas.

> Parler de sa profession

5. Qui fait quoi ? Complétez avec un nom de profession au masculin ou au féminin.
a. Une ... vend des lunettes.
b. Un ... fait des photos.
c. Une ... coupe les cheveux.
d. Un ... vend des médicaments.
e. Un ... fait des gâteaux.
f. Une ... joue dans un film.
g. Un ... fait des reportages.
h. Une ... fait des vêtements.

a.
b.
c.
d.
e.
f.
g.
h.
i.
j.

DIS-MOI QUI TU ES

DOSSIER 3

SOIRÉE DES CÉLIBATAIRES
JEUDI 12 FÉVRIER DE 19 H À 22 H
AUX GALERIES LAFAYETTE HAUSSMANN

TROUVEZ VOTRE VALENTIN(e)

Speed Dating®, Consultations gratuites de voyant
Maquillage gratuit, Cours de danse,
Grand jeu* du cœur,
avec des centaines de cadeaux à gagner,
et beaucoup d'autres surprises...

Remise immédiate de 15 € à part
Réalisés dans la soirée. Sauf points rouges, alimentation, rest
Offre non cumulable avec toute autre offre e

GALERIES Lafayette

galerieslafayette.com   Speed Dating®

1 👁
Observez l'affiche et relevez les
informations suivantes : date, lieu
et objectif de la soirée.

2 👁
Lisez les annonces affichées à l'entrée
de la soirée des célibataires.
Quelles informations sont données ?
Choisissez dans la liste suivante.
prénom – numéro de téléphone – adresse
mél – âge – date de naissance – description
physique – caractère – profession – goûts
et loisirs – situation familiale – type de
relation recherchée (mariage ou autre)

MOI *Mélanie, 32 ans   06 76 36 27 98*
1 m 65, un peu ronde, décontractée.
Artiste, créative et généreuse, je suis romantique et je
voudrais rencontrer l'homme de ma vie. Je suis douce et
calme. J'aime les musées, je m'intéresse à l'art
contemporain et la musique. Je suis excellente
cuisinière. Le soir, je déteste regarder la télévision,
je préfère sortir... J'ai deux chats.
LUI/~~ELLE~~
Homme 40 ans maximum, grand, mince, élégant, bon
niveau socioculturel. Pour fonder une famille.

MOI *Agnès, 35 ans   06 19 48 57 76*
Assez grande (1 m 70), élégante.
Bien dans mon corps et dans ma tête. Ingénieur en
informatique, j'adore mon travail. Je suis très
indépendante mais je suis rarement seule... Sagittaire,
je voyage beaucoup, je sors avec mes amis, je danse.
J'adore le cinéma. J'ai horreur de la routine.
LUI/~~ELLE~~
Homme 42 ans maximum, pas petit, libre, intelligent,
cultivé. Une soirée et peut-être plus...

MOI *David, 39 ans   06 34 59 61 28*
Grand, mince, sportif.
Professeur de salsa. Je suis cultivé, autodidacte.
Je joue de la guitare et j'adore la musique latine.
Je suis optimiste, je vois la vie en rose... J'aime
les voyages : chaque année, je découvre un pays
différent. Je suis allergique aux chats. Je ne fume pas.
LUI/~~ELLE~~
Femme 25-35 ans, dynamique, cultivée, positive.
Pour partager sorties, voyages, soleil et champagne.

MOI *Pietro, 35 ans   06 88 49 61 39*
Pas très grand, pas très mince.
Je suis dessinateur. Je suis timide, mais j'ai
beaucoup d'amis. J'aime sortir. Je suis passionné par
la lecture et la musique. D'origine italienne, j'aime
la bonne cuisine et je fais d'excellents spaghettis.
J'aime les animaux. Je n'aime pas les femmes
autoritaires.
LUI/~~ELLE~~
Jeune femme 24-34 ans, douce, intelligente,
romantique. Pour une belle histoire d'amour.

Toujours **célibataire** ?

3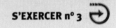

Mariez-les ! À partir des caractéristiques données, imaginez quels couples vont se former. Justifiez votre réponse.

4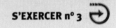

a) Associez les expressions à leurs définitions.

1. je suis timide
2. je suis généreuse
3. je suis indépendante
4. j'ai horreur de la routine
5. je suis passionné par la lecture

a. je déteste la monotonie
b. j'adore lire
c. je ne communique pas facilement
d. j'aime être libre
e. je donne beaucoup aux autres

b) Relisez les quatre annonces et trouvez des mots pour caractériser une personne :
- physiquement ;
- psychologiquement.

Point **Langue**

> **LE MASCULIN/FÉMININ DES ADJECTIFS QUALIFICATIFS pour caractériser une personne**

a) Observez le tableau et complétez la colonne *À l'écrit*.
b) Écoutez et dites si les formes masculin/féminin sont identiques à l'oral.

Masculin	Féminin	À l'écrit	À l'oral
intelligent *grand*	*intelligente* *grande*	+ -e	...
sportif	*sportive*	...	...
généreux	*généreuse*	...	...
cultivé	*cultivée*	...	...
libre *romantique*	*libre* *romantique*	...	...

S'EXERCER n°s 1 et 2

Point **Langue**

> **LES PRONOMS TONIQUES pour parler des personnes**

Complétez les phrases avec *toi, moi, elles, nous, elle, vous.*

..., je suis Sagittaire.
... aussi, tu aimes l'art ?
Lui, il adore voyager.
... aussi, elle est artiste.
..., nous allons à la soirée.
... aussi, vous aimez voyager ?
Eux, ils détestent les chats.
... aussi, elles vont au cinéma.

S'EXERCER n° 3

7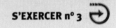

Vous désirez rencontrer des gens. Vous allez sur le site www.rencontres.com. Écrivez votre annonce sur le modèle des annonces p. 54.
Vous vous présentez. Vous précisez votre caractère, vos goûts.
Vous dites qui vous souhaitez rencontrer (caractère, goûts).
Vous précisez dans quel but (pour des activités culturelles / sportives, des voyages, le mariage, etc.).

5 PHONÉTIQUE

Homme ou femme ?
Écoutez et répondez.
Exemple : 1 → femme

6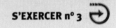

Écoutez, relisez les annonces et répondez.
1. Qui parle avec qui ?
2. À votre avis, vont-ils se revoir ? Justifiez votre réponse.

8

Jouez la scène à deux.
Vous participez à la soirée rencontres.com et vous faites connaissance.

AIDE-MÉMOIRE

Parler de ses goûts, de ses centres d'intérêt

J'aime / J'adore		Je n'aime pas / Je déteste	
Je suis passionné(e) par	mon travail. la lecture. l'art.	J'ai horreur de	la télévision. la routine.
Je m'intéresse à			

CARACTÉRISER UNE PERSONNE

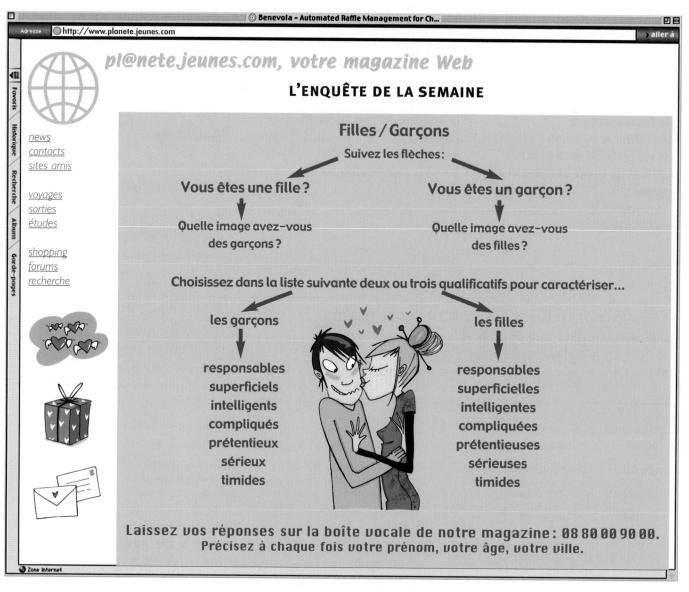

9 👁

Vrai ou faux ? Lisez le message sur Internet et répondez.
1. Le message s'adresse à des adultes.
2. Le magazine demande aux personnes comment elles voient le sexe opposé.
3. Les personnes répondent par un message sur Internet.

10 👁

Classez les caractéristiques en deux catégories, positives et négatives.

11 🔊

a) Écoutez les messages de Léa, Julien, Mathieu et Coralie. Quelles caractéristiques du site Internet sont citées ?
b) Réécoutez les messages et repérez d'autres caractéristiques.
c) Dites si les témoignages sont positifs, négatifs ou les deux.

12 👁

Complétez votre classement avec ces adjectifs qualificatifs.
menteurs/menteuses – beaux/belles – intéressants/intéressantes – ennuyeux/ennuyeuses – indécis/indécises – pessimistes/pessimistes

Point **Langue**

> LE PLURIEL DES ADJECTIFS QUALIFICATIFS pour caractériser des personnes

Observez les listes d'adjectifs dans le document p. 56 et l'activité 12, puis complétez.

En général, pour mettre les adjectifs au pluriel, on ajoute ... .

Exceptions :

Masculin singulier	Masculin pluriel
beau	...
ennuyeux *indécis*	

S'EXERCER nº 4 →

13

Échangez par groupes de trois : Dites quelle image vous avez des personnes de votre sexe et de votre âge.

14 ✎

Échangez : Faites un sondage dans la classe.

Faites un groupe *filles* et un groupe *garçons*.

Chacun écrit sur un petit papier deux qualificatifs (qualités ou défauts) pour caractériser les personnes du sexe opposé.

Chacun des deux groupes arrive à une liste commune de dix qualificatifs.

Un représentant de chaque groupe vient écrire au tableau les résultats de son groupe.

> Caractériser une personne

1. Le journal qui publie ces annonces de rencontres a fait une erreur sur le prénom des personnes. Faites les changements nécessaires pour marquer le masculin ou le féminin des adjectifs.

a.

> **ALEXANDRE**
> **grand, mince, la trentaine.**
> J'occupe un poste de responsabilité. Je suis dynamique et aventurier. J'aime les voyages, la musique, mais je déteste être seul.
> Qui veut partager un week-end avec moi, ou peut-être plus ?

➜ *Alexandra : ...*

b.

> **Nicole**
> **35 ans, petite, mince.**
> Je suis divorcée et j'ai un enfant de deux ans. Sincère, généreuse, fidèle, j'aime la vie en famille. J'ai un chien mais je suis allergique aux chats. Je ne suis pas sportive et... je cherche un partenaire pour la vie.

➜ *Nicolas : ...*

c.

> **LAURENT : 25 ans, grand, athlétique, professeur de gym.**
> Je suis amoureux de la vie : j'aime la nature, les sorties avec les amis, les musées, les restos. Je suis à la recherche d'une partenaire dynamique, sensible et cultivée.

➜ *Laure : ...*

2. Classez les adjectifs suivants dans les listes.

athlétique – dynamique – doux – timide – cultivé – autoritaire – grand – calme – élégant – romantique – créatif – mince – optimiste – petit – sympathique – intelligent – aventurier – sincère – sportif – généreux – gros – sérieux – beau – rond

a. Caractériser physiquement : ...
b. Caractériser psychologiquement : ...

> Parler des personnes

3. Complétez avec le pronom tonique qui convient.

a. – ..., j'aime bien le cinéma, et ... ?
– ..., je préfère le théâtre.
b. – ..., nous sortons en boîte demain, et ... ?
– ..., nous regardons un match à la télé.
c. ..., elle est grande, belle et cultivée et ..., il est petit, pas très beau et pas très intelligent, mais ils s'adorent !
d. – Les filles de ta classe sont comment ?
– ..., elles sont sérieuses.
– Et les garçons ?
– ..., ils sont indisciplinés.

> Caractériser des personnes

4. Complétez les phrases suivantes avec des adjectifs de caractérisation.

a. Je déteste les enfants, ils sont...
b. J'adore les femmes, elles sont...
c. J'aime bien les sportifs, ils sont...
d. Je déteste les fumeurs, ils sont...
e. Je déteste les touristes, ils sont...

J'ai

PROPOSER UNE SORTIE

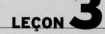

Dossier 3 — **DIS-MOI QUI TU ES**

Dialogue 1

– Allô! Tania?

– Ah! C'est toi, François?

– Oui. Qu'est-ce que tu fais vendredi? Tu veux sortir?

– Ah non! Vendredi, je ne peux pas, je vais à une soirée salsa. Et, ce week-end, je ne suis pas à Toulouse, je pars faire du bateau.

– Alors jeudi?

– Jeudi, oui, ça me va.

– On peut aller en boîte, au Rythmo?

– En boîte, non… Pourquoi pas un bon film?

– OK, on va au ciné, si tu veux. On se retrouve jeudi à 7 heures place Plumereau, et on choisit le film?

– 7 heures, d'accord.

– Alors à jeudi, salut!

– Salut, François!

Dialogue 2

– Allô! Tania? C'est Chloé.

– Chloé! Comment tu vas?

– Bien. Dis-moi, tu es libre mercredi ou jeudi? Une soirée karaoké avec les copines, ça te dit?

– Jeudi, c'est impossible pour moi, je ne suis pas libre.

– Alors mercredi?

– OK pour mercredi, on se retrouve où?

– Au Baratin, tu sais, le petit bar sympa.

– Oui, oui, je connais.

– Alors à 7 heures pour prendre un verre et après on va au restau chinois. Le karaoké commence à 10 heures.

– J'arrive à 8 heures, je dois passer chez ma mère avant.

– C'est pas grave, on t'attend. Salut!

1

Vrai ou faux? Écoutez les deux conversations et répondez.

1. C'est Tania qui téléphone.
2. François et Chloé sont des amis de Tania.
3. Les amis proposent une sortie à Tania.
4. Tania est très disponible cette semaine.
5. Tania et ses amis fixent un rendez-vous.

2

Réécoutez les deux dialogues et complétez l'agenda de Tania.

OCTOBRE – OCTOBER

lundi Monday 16

9
10
11
déjeuner avec M. Cordesse (12) 14
15
16
17
18
19
20
21

mardi Tuesday 17

9
10
11
12
visite (14)
atelier 15
photo (16 30)
17
18
19
20
21

mercredi Wednesday 18

9
10
signature (11 30)
contrat AZD 12
14
15
16
17
18
19
20
21

3

Associez lieux, activités de sortie et définitions.

Pour...	On va...	Cela signifie :
danser	dans un bar sympa	au cinéma
voir un film	en boîte	au restaurant
prendre un verre	au ciné	à la discothèque
dîner	au restau	dans un bar agréable

rendez-vous avec vous

Point **Langue**

› PROPOSER UNE SORTIE

Complétez le tableau avec les formules du dialogue pour :

Proposer une sortie	
– Tu veux sortir ? – Le karaoké, ça te dit ? – ...	
Accepter	Refuser
– ...	– ...
Fixer un rendez-vous	
– ...	

S'EXERCER n° 1 →

4 PHONÉTIQUE

a) Écoutez et indiquez dans quelle syllabe vous entendez le son [ɔ̃].

b) Écoutez et répétez.

5 PHONÉTIQUE

a) Lisez et écoutez les formes verbales.

1. Il peut.
2. Il veut.
3. Ils peuvent.
4. Ils veulent.

b) [ø] ou [œ] ? Réécoutez et répondez.

6 ⌣

Échangez : En petits groupes, faites la liste des sorties possibles dans votre ville. Puis dites quelles sorties vous aimez ou n'aimez pas. Finalement, choisissez une sortie que vous pouvez faire ensemble.

7 ⌣

Jouez la scène à deux.

Vous téléphonez à un(e) ami(e) et vous discutez pour choisir une sortie ou une activité.
Vous fixez le rendez-vous.

Point **Langue**

› LE PRONOM *ON*

Observez ces phrases du dialogue et complétez.

– On peut aller en boîte ?
– On va au ciné.
– On se retrouve jeudi à 7 heures.
On va = ...

Attention ! Après *on*, le verbe est conjugué à la ... personne du singulier.

S'EXERCER n° 2 →

• *Vouloir* indicatif présent	• *Pouvoir* indicatif présent	• *Devoir* indicatif présent
je veu**x**	je peu**x**	je doi**s**
tu veu**x**	tu peu**x**	tu doi**s**
il/elle veu**t**	il/elle peu**t**	il/elle doi**t**
nous voul**ons**	nous pouv**ons**	nous dev**ons**
vous voul**ez**	vous pouv**ez**	vous dev**ez**
ils/elles veul**ent**	ils/elles peuv**ent**	ils/elles doiv**ent**
*Tu veux sort**ir** ?*	*Tu peux ven**ir**.*	*Je dois pass**er** chez ma sœur.*

S'EXERCER n° 3 →

INVITER

Nouveau message

Envoyer Discussion Joindre Adresses Polices Couleurs Enreg. comme brouillon

À : nadia.dupuis@wanadoo.fr

Cc : De : stefmonthulet@aol.fr

Objet : crémaillère !

Chère Nadia,

Ça y est ! On est dans notre nouvel appartement : 20 rue Arger !

Samedi prochain, c'est la fête, on pend la crémaillère !

Viens à 20 h. Tu peux amener un(e) ami(e) si tu veux… (environ vingt personnes viennent).

Prends le bus, et descends à la mairie, c'est tout près.

N'apporte pas de cadeau, mais s'il te plaît fais ton super gâteau au chocolat.

Écris ou téléphone avant vendredi pour confirmer.

Bisous

Mademoiselle,

Nous sommes les nouveaux locataires du 2ᵉ.

Désolés pour le bruit ce week-end !

Faisons connaissance ! Venez samedi 25 pour un petit apéritif, à 19 h 30.

Laissez SVP un petit mot sous la porte ou dans la boîte aux lettres pour dire si vous êtes d'accord.

À très bientôt, nous espérons.

8 👁

a) Lisez ces messages et trouvez la signature qui correspond

Abdel et Stéphanie – M. et Mme Aubert

b) Dites qui sont ces personnes et pourquoi elles écrivent à Nadia.

9 👁

Nadia écrit la note suivante. Relisez les messages et complétez la note.

> *Apéro voisins samedi …*
> *à … .*
> *→ Confirmer voisins.*
> _____
> *Fête Stéphanie et Abdel*
> *… à … .*
> *→ Confirmer + prévenir*
> *retard + préparer … .*

10 👁 ✎

Reconstituez les deux réponses de Nadia.

- Si vous avez un problème ou si vous avez besoin d'aide, demandez-moi !
- Je peux venir samedi, mais pas très longtemps.
- Madame, Monsieur,
- Pour le gâteau, pas de problème !
- Bisous.
- Félicitations !
- Nadia Dupuis
- Je vous remercie pour votre invitation.
- Je viens seule !…
- Nadia
- À samedi.
- Est-ce que tu veux de l'aide pour préparer ?
- D'accord pour samedi, mais un peu plus tard (20 h 45-21 h 00), OK ?
- Salut Stéph !

Point **Langue**

› L'IMPÉRATIF
pour inviter et donner des instructions

a) Complétez.

2ᵉ personne du singulier		2ᵉ personne du pluriel	
Impératif	Indicatif présent	Impératif	Indicatif présent
Viens à 20 heures.	Tu ...	Venez	Vous ...
Prends le bus.	Tu ...	Prenez	Vous ...
Fais ton gâteau.	Tu ...		
Téléphone.	Tu ...		
N'apporte pas de cadeau.	Tu ...		

b) Vrai ou faux ? Répondez et justifiez.

– À l'impératif, il y a un sujet avant le verbe.

– Tous les verbes ont la même forme à l'impératif et à l'indicatif présent.

S'EXERCER n° 4 ➡

---

11 ✎

Vous écrivez un mél pour inviter un(e) ami(e), un(e) collègue, une personne de votre famille, un(e) voisin(e), une personne de la classe à une fête, un apéritif, un goûter ou un dîner.
Vous précisez qui vous invitez (la personne seule, ou avec quelqu'un) la date, l'heure, la raison.
Vous donnez des instructions pour venir chez vous, pour répondre, pour apporter quelque chose, etc.

S'EXERCER
Leçon 3
DOSSIER 3

› Proposer une sortie

1. Retrouvez l'ordre du dialogue.

a. Lui : Bien ! On peut aller au ciné si tu veux ?

b. Elle : Ah non ! Trois films dans la semaine, ça fait beaucoup !

c. Lui : Attends, je vérifie... 15, rue du Havre près du théâtre Mazarin.

d. Elle : Oui, c'est parfait, j'adore le jazz.

e. Lui : On se retrouve samedi à 21 heures au Blue Note ?

f. Elle : C'est où exactement ?

g. Elle : D'accord. À samedi alors !

h. Lui : On sort vendredi ?

i. Lui : Alors pourquoi pas une soirée dans une boîte de jazz ?

j. Elle : Ah ! Vendredi, ce n'est pas possible, je suis déjà invitée ; mais samedi je suis libre !

› Le pronom *on*

2. Transformez avec le pronom *on*.

– Qu'est-ce que vous faites le week-end ?

– Quand nous sommes libres, nous sortons avec des amis. Nous avons rendez-vous en centre-ville. Nous allons dans un bar sympa, puis nous dînons dans un restau, et nous passons le reste de la soirée dans une boîte. Nous rentrons à la maison vers 6 heures du matin, fatigués mais contents !

› *Pouvoir, vouloir, devoir*

3. Complétez avec *pouvoir, vouloir* ou *devoir* à l'indicatif présent.

a. *Entre amis*

– Nous avons des amis à dîner ce soir, tu ... venir si tu ... .

– C'est gentil mais, ce soir, je ne ... pas, je ... terminer un travail urgent, c'est dommage !

– Mais on ... organiser un dîner pour la semaine prochaine.

– Avec plaisir, la semaine prochaine, pas de problème, je ... venir.

b. *Au bureau*

– Mademoiselle, vous ... me répéter mes rendez-vous de la journée ?

– Bien sûr, monsieur ! À 8 heures, vous ... aller au parc des expositions. À midi, vous ... voir M. et Mme Martin.

– Les Martin ? À midi ? Mais je ne ... pas ! Je ...être à Roissy à 14 heures !

– Alors ils ... venir à 11 heures ?

– À 11 heures d'accord.

› Inviter, donner des instructions

4. Mettez les verbes entre parenthèses à l'impératif présent.

a.
Madame,
Votre chat est chez moi. (venir) le reprendre, je rentre à 18 heures.
Votre voisine

b.
Mon amour, (prendre) un taxi et (venir) tout de suite. Je t'attends !

c.
Monsieur Blanchard,
Pour venir chez nous, (traverser) la cour, (prendre) l'escalier B et (monter) au 3ᵉ étage.
M. et Mme Régnier

d.
Salut Flo !
(penser) à la fête chez Arthur samedi, mais avant (passer) chez moi à 18 h 00. (ne pas oublier) le cadeau pour Arthur !
Élodie

e.
Chers amis,
(venir) nous voir dimanche dans notre nouvelle maison. (amener) les enfants.
Nathalie et Gilles

Carnet de voyage...

Comportements

a.

b.

c.

1.

Observez les quatre photos. Sélectionnez la photo qui, pour vous, représente le plus la France.

2.

Associez comportements et photos.
Ils s'embrassent dans la rue.
Il fait le baisemain.
Ils se donnent l'accolade.
Ils se tiennent par la main.
Identifiez la situation.
Où? Qui? Faites des hypothèses sur le type de relation.

3.

Bizarre? Habituel?
Est-ce que ces comportements sont courants ou possibles dans votre pays?

d.

4.

Les sports les plus pratiqués.

Les dix sports ci-dessous sont cités dans une enquête sur les pratiques sportives des Français.

Choisissez dans la liste les cinq sports qui, à votre avis, sont les plus pratiqués en France.

Regardez en bas de page les résultats de l'enquête. Êtes-vous surpris par ces résultats?

 le football

 la course, l'athlétisme

 la natation, la plongée

le ski

 la pêche

 le tennis de table, le badminton, le squash

 la gymnastique

 le vélo

la pétanque, le billard

 la marche

Christine Arron.

5.

Et chez vous?

Pour une enquête similaire dans votre pays, quels sports devez-vous ajouter?
Dans votre pays, quels sont les cinq sports les plus pratiqués, d'après vous?

 la danse

 le judo

 le tennis

le basket-ball

 le base-ball

 le cricket

 l'escalade/ l'alpinisme

l'équitation

6.

Jeu: le champion de la classe.

Faites des groupes de quatre à six personnes. Chaque personne dit quel(s) sport(s) elle pratique. Le groupe sélectionne son «champion» ou sa «championne», c'est-à-dire la personne qui pratique le plus grand nombre de sports.

Les champions sélectionnés viennent à tour de rôle mimer devant la classe les sports qu'ils pratiquent. Les autres devinent le nom de chaque sport.

Le superchampion est la personne qui pratique le plus grand nombre de sports.

Les sports les plus pratiqués par les Français

1. le vélo
2. la natation, la plongée
3. la marche
4. la pétanque, le billard
5. la course, l'athlétisme
6. le ski
7. la gymnastique
8. la pêche
9. le tennis de table, le badminton, le squash
10. le football

Lara MULLER, « Pratique sportive et activités culturelles vont souvent de pair », *Insee première*, n° 1008, mars 2005.

Votre travail dans le dossier 3

1 Quelles sont vos découvertes dans ce dossier ? Cochez les propositions exactes.

- ☑ faire connaissance
- ☐ parler de sa famille
- ☐ demander à quelqu'un son identité
- ☐ proposer une activité à quelqu'un
- ☐ exprimer ses goûts de façon simple
- ☐ fixer un rendez-vous
- ☐ comprendre un itinéraire
- ☐ accepter ou refuser une invitation
- ☐ raconter une activité passée
- ☐ écrire une lettre administrative

2 Où faites-vous ces activités dans le livre ? Notez en face de chaque activité le numéro de la leçon et de l'activité qui correspondent.

- comprendre les goûts de quelqu'un à l'écrit — *L1, 3-8*
- décrire la vie, les goûts de quelqu'un à l'écrit — ....
- parler de son caractère — ....
- fixer le lieu et l'heure d'un rendez-vous à l'oral — ....
- comprendre la description physique de quelqu'un — ....
- parler de ses animaux préférés à l'oral — ....
- parler des qualités et des défauts — ....
- donner des instructions à l'écrit — ....
- comprendre une conversation téléphonique — ....

Votre autoévaluation

1 Cochez d'abord les cases qui correspondent aux activités de communication que vous êtes capable de réaliser maintenant et faites le test donné par votre professeur pour vérifier vos réponses. Puis, reprenez votre fiche d'autoévaluation, confirmez vos réponses et notez la date de votre réussite. Cette date vous permet de voir votre progression au cours du livre.

JE PEUX	ACQUIS	PRESQUE ACQUIS	DATE DE LA RÉUSSITE
comprendre une demande de rendez-vous à l'oral	☐	☐	....
comprendre à l'oral une invitation amicale à faire quelque chose	☐	☐	....
comprendre la relation entre les personnes	☐	☐	....
comprendre les souhaits d'une personne	☐	☐	....
comprendre une invitation publicitaire pour un voyage	☐	☐	....
donner des informations sur un voyage (heure de départ, arrivée, date...)	☐	☐	....
accepter/refuser une invitation	☐	☐	....

2 Après le test, demandez à votre professeur ce que vous pouvez faire pour améliorer les activités pas encore acquises.

- ☐ exercices de compréhension orale
- ☐ exercices de compréhension écrite
- ☐ exercices de production orale
- ☐ exercices de production écrite
- ☐ exercices de grammaire
- ☐ exercices de vocabulaire
- ☐ exercices de phonétique
- ☐ autres (vidéo...)

DOSSIER 4

Une journée particulière

A 1

INDIQUER L'HEURE ET LES HORAIRES

Dialogue 1

– *Voilà votre carnet de chèques, votre carte bleue et 150 euros !*
– *Merci. C'est parfait.*
Quels sont vos horaires d'ouverture, s'il vous plaît ?
– *Le matin de 9 heures et demie à midi et demi et l'après-midi, de 3 heures à 5 heures.*
On est ouvert du mardi au samedi, mais le samedi, on ferme à midi.
– *Très bien. Merci, au revoir.*
– *Au revoir, monsieur.*
Bonne journée !

Dialogue 2

– *Voilà une baguette et deux croissants. Deux euros cinquante, s'il vous plaît !*
– *Merci. Vous ouvrez à quelle heure, le matin ?*
– *À 7 heures.*
– *Et vous fermez à quelle heure, le soir ?*
– *On ferme à 8 heures.*

Dialogue 3

« *Chers clients, votre magasin ferme ses portes dans dix minutes. Merci de vous diriger vers les caisses pour régler vos achats.* »
– *Oh ! là, là ! Déjà sept heures vingt ! J'ai encore des choses à acheter, moi ! Les soldes, c'est pas tous les jours !*
– *C'est pas grave… on revient demain, si tu veux !*
– *Oh oui ! Mais à l'ouverture, à 9 heures et demie, il y a moins de monde…*
– *Oh ! Demain, c'est jeudi, il y a nocturne jusqu'à 10 heures du soir. On peut finir les achats et dîner après ?*
– *D'accord, bonne idée !*

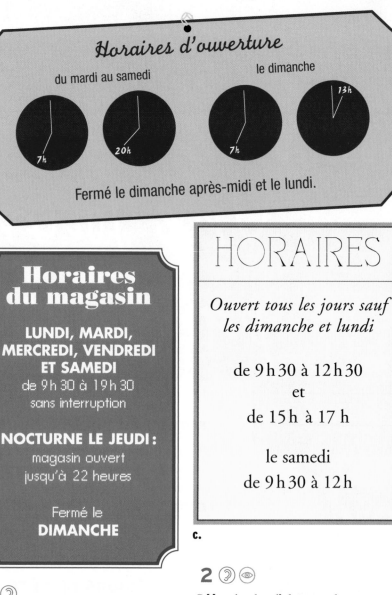

a.

b.

c.

1

a) Écoutez les dialogues et dites où ça se passe.
☐ à la pharmacie
☐ à la boulangerie
☐ dans un grand magasin
☐ à la banque
☐ au pressing

b) Réécoutez et dites quelle est l'information donnée dans les trois dialogues.
☐ les prix
☐ les horaires
☐ les achats

2

Réécoutez les dialogues, observez les panneaux et répondez.
Quel panneau correspond :
– à la boulangerie Bertrand ?
– à la Banque nationale de Bretagne ?
– aux Grandes Galeries ?

3

Observez à nouveau les panneaux et répondez.
Du lundi au vendredi, vous commencez votre travail à 9 h 30 et vous terminez à 19 heures. Quand pouvez-vous aller à la banque et aux Grandes Galeries ?

Au fil des **heures**

4 🕪 👁

Réécoutez les dialogues et observez les panneaux p. 66. Repérez comment les horaires sont donnés à l'oral et à l'écrit.

POINT CULTURE

Les rythmes de la ville

A. Regardez les panneaux p. 66. Qu'est-ce que vous observez sur les jours de fermeture ? Et sur les horaires ?

B. Dites si les horaires et les jours d'ouverture et de fermeture sont comme dans votre pays/ ville.

5 🕪

Écoutez l'enregistrement et identifiez les heures.

8 h 15	10 h 50	12 h 30	13 h 45
		1	
16 h 35	19 h 20	22 h 40	0 h 10

Point **Langue**

> INDIQUER L'HEURE ET LES HORAIRES

a) Lisez les dialogues et complétez.

Pour demander les horaires d'ouverture :

…, s'il vous plaît ?

…, le matin ? Et …, le soir ?

b) Observez.

Heure officielle formelle	Heure dans la conversation
Il est 6 heures.	Il est 6 heures du matin.
Il est 18 heures.	Il est 6 heures du soir.
Il est 22 heures.	Il est 10 heures du soir.
Il est 12 heures.	Il est midi.
Il est o heure.	Il est minuit.
Il est 1 h 15.	Il est une heure et quart.
Il est 1 h 30.	Il est une heure et demie.
Il est 1 h 40.	Il est 2 heures moins vingt.
Il est 1 h 45.	Il est 2 heures moins le quart.

c) Lisez les panneaux et les dialogues et complétez.

Pour exprimer une régularité :

Fermé … dimanche après-midi et … lundi.

Vous ouvrez à quelle heure, … matin ?

Vous fermez à quelle heure, … soir ?

S'EXERCER nº 1 ⤵

6 PHONÉTIQUE

a) Prononciation identique ou différente ?

Écoutez les nombres et répondez.

Exemple : 1 → *prononciation différente.*

b) Écoutez et répétez.

c) Quelle heure entendez-vous ? Écoutez et répondez.

1. Il est deux heures. Il est douze heures.
2. Il est sept heures. Il est seize heures.
3. Il est trois heures. Il est treize heures.
4. Il est cinq heures. Il est quinze heures.
5. Il est six heures. Il est seize heures.
6. Il est dix heures. Il est six heures.

7 😄

Jouez la scène à deux.

Vous arrivez dans une ville que vous ne connaissez pas et vous demandez les horaires dans des magasins ou services.

AIDE-MÉMOIRE

Demander l'heure

Quelle heure est-il ?

Vous avez l'heure, s'il vous plaît ?

PARLER DE SES HABITUDES

Quel téléspectateur êtes-vous ?

■ **Lucie, 75 ans, retraitée.**

Je vis seule... Heureusement, j'ai la télé ! Je me réveille vers 6 heures et demie du matin et j'allume ma télé. D'abord, je regarde les informations, puis, il y a le téléachat. J'adore ça ! L'après-midi, j'ai mon feuilleton à 2 heures. Le soir, je regarde les actualités puis je choisis un bon film ou un documentaire intéressant... mais souvent je m'endors devant le poste !

■ **Constant, 36 ans, commercial, marié, deux enfants.**

Chez nous, toute la famille regarde la télé mais rarement les mêmes programmes. Le matin, à 7 h 30, les enfants prennent le petit déjeuner devant le petit écran : ils regardent une émission pour les jeunes jusqu'à 8 heures, et ma femme et moi nous nous préparons tranquillement.
Après l'école, les enfants se reposent une demi-heure devant la télé avec les dessins animés et, le soir, ils se couchent tôt. Avec ma femme, on regarde toujours le 20 heures.
Après, le choix est difficile parce que moi, je suis un fanatique de foot et ma femme, elle adore regarder les magazines de société !

■ **Gaspard, 19 ans, étudiant.**

Le matin, je me réveille avec les clips sur M6. Mais le soir, je vais sur le Net, je joue ou je chatte, je ne regarde pas la télé.

Téléjournal

Lundi 15 janvier

6.45 **TF1 info.** 6.50 **TF ! jeunesse.** 8.35 **Téléshopping.** 9.25 **La vie avant tout.** Série hospitalière É-U. 10.15 **Julia Corsi, commissaire.** Série policière ITA. 11.15 **Alerte à Malibu.** Série aventures. 12.50 **Julie cuisine.** 13.00 **Journal.** 14.00 **Les Feux de l'amour.** Feuilleton sentimental É-U. 14.50 **Une si ravissante voleuse.** Film TV suspense. 16.25 **New York, police judiciaire.** Série policière É-U. 17.20 **Dessins animés.** 18.15 **Zone rouge.** Jeu. 19.05 **À prendre ou à laisser.** Jeu. 20.00 **Journal.** 20.35 **Football Lyon/PSV Eindhoven.** 22.45 **Le droit de savoir : faits divers.** Magazine société. 0.30 **Rallye de Tunisie.** 0.45 **Reportages.**

Téléjournal

AIDE-MÉMOIRE

• **Indiquer les horaires**
une heure exacte : **à** 9 heures
une heure approximative : **vers** 10 heures
une heure limite : **jusqu'à** 20 heures
une période de temps : **de** 8 h 30 **à** 17 heures
• **Indiquer la succession des actions**
d'abord, puis, ensuite, après, finalement

S'EXERCER n° 3 ➔

---

8 👁

a) Lisez les témoignages du magazine et répondez.
1. Qui regarde la télé ?
2. À quel moment ?
3. Quel type d'émission ?
b) Regardez le programme de télévision ci-dessus et dites quelles émissions Lucie, Constant et Gaspard peuvent choisir.

9 👁

Relisez les trois témoignages et faites la liste des autres activités citées.

Point **Langue**

> **LES VERBES PRONOMINAUX À L'INDICATIF PRÉSENT pour parler des habitudes quotidiennes**

a) Observez et répondez.
Je me réveille vers 6 h 30.
Je m'endors.
Nous nous préparons tranquillement.
Les enfants se couchent tôt.
Quelle est la particularité de ces verbes ?
Connaissez-vous d'autres verbes pronominaux ?
b) Complétez la conjugaison du verbe *se réveiller.*

je ...	réveille	nous ...	réveillons
tu **te**	réveilles	vous **vous**	réveillez
il/elle ...	réveille	ils/elles ...	réveillent

S'EXERCER n° 2 ➔

Les Français et la télévision

Le poste reste allumé 6 heures par jour.

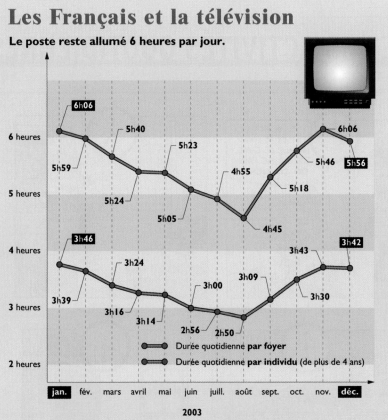

Durée quotidienne **par foyer**
Durée quotidienne **par individu** (de plus de 4 ans)

jan. fév. mars avril mai juin juill. août sept. oct. nov. déc.

2003

Observez le schéma et faites des hypothèses.

• La courbe baisse en juillet et en août. Pourquoi ?

• La courbe augmente d'octobre à février. Pourquoi ?

10 PHONÉTIQUE

a) Écoutez et comptez les syllabes.

b) Réécoutez et répétez.

11

Vous témoignez vous aussi pour le magazine *Téléjournal*. Vous décrivez vos habitudes : vos différentes activités, vos horaires ; vous précisez quel type d'émission vous regardez à la télévision, et à quel moment de la journée.

S'EXERCER

> Dire l'heure

1. Regardez l'heure officielle puis complétez avec l'heure utilisée dans la conversation.

Exemple : 16 h 15 → Il est quatre heures et quart, je vais chercher les enfants à l'école.

a. 8 h 40
→ ... , tu as dix minutes de retard.

b. 10 h 45
→ ... , et vous n'avez pas encore fini !

c. 12 h 30
→ ... , à table, les enfants !

d. 13 h 55
→ ... , mon train part dans cinq minutes !

e. 20 h 15
→ ... , trop tard, le magasin est déjà fermé !

f. 0 h
→ ... , et je n'arrive pas à dormir !

> Parler des habitudes quotidiennes

2. Complétez au présent avec des verbes pronominaux. Choisissez dans la liste suivante. (Plusieurs réponses sont possibles.)

se lever – se coucher – se laver –
se doucher – se réveiller – s'endormir –
s'habiller – se raser – se maquiller –
se coiffer – se brosser les dents

a. Le matin, je me prépare en vingt minutes : je ... , je ... , je ... et je ... .

b. Elle dort toujours beaucoup. Le soir, elle ... à 22 heures et elle ... immédiatement. Le matin, elle ... à 8 heures !

c. Tu es grand maintenant : tu ... et tu ... tout seul !

> Indiquer les horaires

3. Complétez avec à, vers, de... à, jusqu'à.

Exemple : Patrick arrive à 18 heures à la gare de Lyon.

Messages publics

a. Nos bureaux sont ouverts ... 17 heures.

b. Les employés travaillent ... 9 heures ... 17 heures.

c. Le magasin ouvre ses portes ... 10 heures.

Petits messages entre amis

d. Je te téléphone ... 12 heures.

e. J'ai mon cours de piano ... 14 heures ... 16 heures et je passe chez toi après.

f. Appelle-moi ... 21 heures précises.

g. Les invités arrivent ... 20 heures, n'oublie pas.

PARLER DE SES ACTIVITÉS QUOTIDIENNES

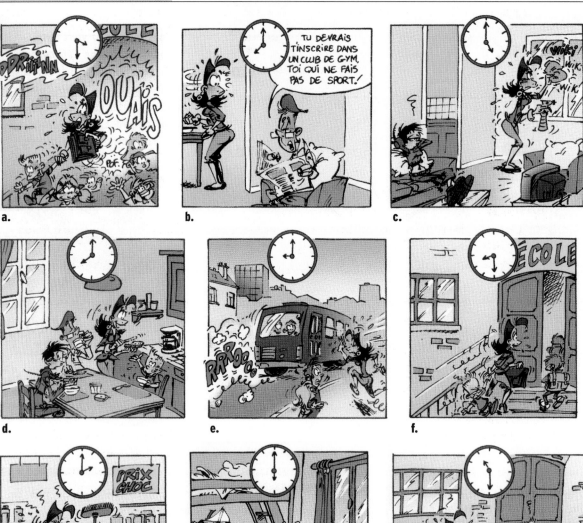

UNE JOURNÉE PARTICULIÈRE

DOSSIER 4

Extrait de la BD des copines, Mainguy et Grisseaux, Vents d'Ouest.

Au jour le **jour**

1 👁

**Les vignettes a à k de la bande dessinée p. 70 sont dans le désordre.
Observez et répondez.**

1. La BD raconte :
   ☐ une journée de week-end ; ☐ une journée de vacances ; ☐ une journée de la semaine.
2. Le personnage principal est :
   ☐ un enfant ; ☐ une mère de famille ; ☐ un père de famille.
3. Dans la famille, il y a :
   ☐ deux personnes ; ☐ trois personnes ; ☐ quatre personnes.

2 👁

**a) Trouvez l'ordre des vignettes et reconstituez l'histoire.
Expliquez la réaction de la femme, Myriam, dans la dernière vignette.**
**b) Mettez dans l'ordre les commentaires suivants pour les onze premières
vignettes (Attention, il y a neuf commentaires et onze vignettes ;
deux commentaires correspondent à deux vignettes.)**

1. Tous les jours, elle va chercher les enfants à l'école vers 11 h 30.
2. Le soir, elle fait le ménage, elle range les chambres.
3. Tous les matins, elle emmène ses enfants à l'école à 8 h 30.
4. Souvent, elle doit courir pour prendre le bus !
5. D'habitude, elle fait la vaisselle pendant que son mari Patrick lit le journal.
6. Elle reprend les enfants à l'école à 16 h 30.
7. Chaque matin, elle prépare le petit déjeuner pour la famille.
8. Les enfants dînent vers 19 h 30.
9. En général, l'après-midi, elle fait les courses au supermarché
   et rapporte ses achats à la maison.

3 👁

Relisez les commentaires et répondez. Justifiez votre réponse.
À votre avis, la journée racontée dans la BD est une journée exceptionnelle
ou habituelle pour cette mère de famille ?

Point **Langue**

❯ EXPRIMER LA RÉGULARITÉ ET LA FRÉQUENCE

a) Relevez, dans les commentaires, les mots qui expriment l'habitude.
D'habitude, ...
**b) Relisez les commentaires suivants de l'activité 2 puis complétez avec
des expressions équivalentes.**

Le soir, elle fait le ménage.	...
L'après-midi, elle fait les courses.	...
Chaque matin, elle prépare le petit déjeuner.	...
Tous les jours, elle va chercher les enfants.	...

S'EXERCER n° 1 ➡

---

4 😋

**a) Échangez avec votre voisin(e) :
Comparez vos rythmes de vie.**
À l'aide du dessin, dites quelles activités
vous faites le matin, à midi, le soir.
Précisez l'heure.

**b) Est-ce que votre rythme de vie
ressemble à celui de la femme
dans la BD ? Donnez des exemples
de vos habitudes (tous les matins,
tous les jours...).**

5 😋

Échangez : Corvée ou plaisir ?
Listez les choses que vous aimez faire
et les choses que vous n'aimez pas faire
dans votre vie quotidienne. En petits
groupes, sélectionnez des activités
agréables et imaginez un emploi du
temps idéal.

6 ✏

**Imaginez ! Vous êtes journaliste
au magazine *Elle* et vous êtes
responsable de la rubrique
« 24 heures avec... ». Vous avez
interviewé un personnage sur sa
journée habituelle et vous la racontez
dans le magazine : ses activités et
horaires, les lieux où il/elle va...**

RACONTER DES ÉVÉNEMENTS PASSÉS

14 mai, 21 heures

Vacances !

Pas de dîner à préparer, pas de mari, pas d'enfants, super !

Hier, je suis restée au lit tout l'après-midi et j'ai lu ! Je n'ai pas fait le ménage, je n'ai pas couru pour prendre le bus, je n'ai pas fait les courses…

Quel bonheur !

Ce soir, je suis allée dans un petit restau près de la plage et, ce matin, j'ai dormi jusqu'à 10 h 30 …

Cet après-midi, je suis sortie de l'hôtel à 3 h 00, et j'ai marché sur la plage, c'est tout ! Nice, c'est magnifique !

16 mai, minuit

Aujourd'hui, journée soleil, détente et lecture sur la plage. J'ai rencontré des gens sympas qui sont venus en vacances ; ils sont arrivés hier matin. Ce soir, nous avons dansé après le dîner !

Ce matin Patrick a téléphoné… il me demande de rentrer ! mais je suis EN VACANCES !

18 mai, 18 heures

Hier, je suis partie toute la journée, j'ai visité deux musées : le musée Matisse et le musée Chagall.

Aujourd'hui, j'ai pris le bus et j'ai visité la région : Antibes, Juan-les-Pins, Saint-Paul-de-Vence. Patrick a encore appelé ce matin, il a laissé un message à l'hôtel… Je dois rentrer demain, mais j'ai décidé une chose importante cette semaine : maintenant, une semaine de vacances SEULE, chaque année ! Et à partir de demain, tout change à la maison !

7 👁

Observez le document et répondez.

1. Il s'agit :
   - ☐ d'un mél ;
   - ☐ d'une lettre ;
   - ☐ d'une page de journal intime ;
   - ☐ d'un article de journal.
2. Qui écrit ? Quand ? Où ? Pourquoi ?

Point **Langue**

> **INDIQUER UN MOMENT SPÉCIFIQUE**

Classez les expressions suivantes.

l'année dernière – ce soir – cet après-midi – ce matin – aujourd'hui – hier

Actuel	Passé
cette semaine	la semaine dernière
…	…

8 👁

a) Relisez le document et complétez le tableau.

Myriam écrit le…	Quels moments sont cités ?	Elle parle de quel jour ?
14 mai	hier ce soir … …	13 mai … … …
16 mai	… … … …	… … … …
18 mai	… … … …	17 mai … … …

b) Choisissez la bonne réponse.

Le séjour au bord de la mer est :
- ☐ du 13 au 18 mai ;
- ☐ du 13 au 19 mai ;
- ☐ du 14 au 18 mai ;
- ☐ du 14 au 19 mai.

9 👁

Pour chaque moment, trouvez les informations que Myriam donne sur ses activités et les événements de la journée.

Point **Langue**

› Le passé composé pour raconter des événements passés

a) Observez et complétez.

J'ai marché sur la plage.
Nous avons dansé.
J'ai dormi jusqu'à 10 h 30.
J'ai pris le bus.
Je n'ai pas couru.
Je n'ai pas fait les courses.

Je suis restée au lit.
Je suis allée dans un petit resto.
Ils sont arrivés hier.
Je suis sortie de l'hôtel à 3 h 00.
Ils sont venus en vacances.

Le verbe au passé composé a deux éléments :
1. le verbe ... ou ... au présent ;
2. le participe passé, qui se termine par :
– ... pour les verbes en -er ;
– ... pour certains verbes en -ir ;
– -is, -u ou -t, pour d'autres verbes.

b) Observez à nouveau les verbes et complétez.

Quand le passé composé est formé avec *être*, on ajoute -e au participe passé quand le sujet est ... , et on ajoute -s au participe passé quand le sujet est ... .
Quand le passé composé est formé avec *avoir*, le participe passé ne change pas si le sujet est féminin ou pluriel.

c) Observez la place de la négation.

Je n'ai pas couru.   *Je n'ai pas fait les courses.*

S'EXERCER nos 2 à 4 ➡

---

10 PHONÉTIQUE

a) Mots identiques ou différents ? Écoutez et répondez.
Exemple : 1 ➡ *mots identiques.*

b) Quelle phrase entendez-vous ? Écoutez et répondez.
1. Je fais les courses. J'ai fait les courses.
2. Je visite les musées. J'ai visité les musées.
3. Je décide seule. J'ai décidé seule.
4. Je ris toute seule. J'ai ri toute seule.
5. Je finis le travail. J'ai fini le travail.
6. Je dis oui. J'ai dit oui.
7. J'aime ça. J'ai aimé ça.
8. J'écris une carte. J'ai écrit une carte.

11 ✎

En petits groupes, imaginez les événements chez Myriam pendant sa semaine de vacances. Choisissez un scénario optimiste ou pessimiste. Un membre du groupe prend des notes.

12 ✎

Imaginez ! C'est le soir du 20 mai. De retour à la maison, Myriam raconte sa première journée dans son journal.

› Exprimer la régularité, la fréquence

1. Complétez la lettre de Lucas, pensionnaire dans une école. Utilisez des expressions indiquant la fréquence ou la régularité, comme souvent, tous les jours, le matin...

Chère maman,
Je me lève ... à 6 h 30 et, après le petit déjeuner, je reste ... dans ma chambre jusqu'à 8 heures. Nous avons cours ... de 8 h 30 à 11 h 30. Je déjeune ... à la cantine. Après le repas, nous avons une heure libre : ... je lis ou je m'amuse avec les copains. Puis ... nous travaillons jusqu'à 18 heures. Après le dîner, ... on regarde la télé, mais moi, ... je me couche tôt.
Je t'embrasse,
Lucas

› Raconter des événements passés

2. Racontez des histoires avec les verbes suivants. Attention à la chronologie !

Exemple : emmener les enfants à l'école – faire les courses – préparer le petit déjeuner – reprendre les enfants à l'école – Myriam
➡ *Myriam a préparé le petit déjeuner, puis elle a emmené les enfants à l'école. Elle a fait les courses et elle a repris les enfants à l'école.*

a. danser – rencontrer Josette – aller dans une agence matrimoniale – tomber amoureux – Il
b. courir – quitter la maison – rater le bus – ne pas travailler – rentrer à la maison – Elle
c. visiter un appartement – lire les petites annonces – acheter le journal – déménager – Nous

3. Complétez avec les verbes au passé composé.

a. Lundi, M. Catastrophe (arriver) en retard au travail. Mardi, il (avoir) un accident de voiture. Mercredi, ses enfants (casser) l'ordinateur. Jeudi, sa mère (entrer) à l'hôpital. Vendredi, il (perdre) son travail. Dimanche, sa femme (partir).
b. Imaginez la semaine de Mme Chance. *Lundi, elle...*

4. Imaginez ce qui s'est passé.
Exemple : D'habitude, le soir, je regarde la télévision, mais hier j'ai dîné avec des amis.

a. Chaque matin, je pars travailler en voiture mais hier...
b. Tous les matins, j'arrive au bureau vers 9 heures, mais hier...
c. D'habitude, je pars en vacances au mois d'août, mais l'année dernière...
d. D'habitude, ma femme cuisine très bien, mais hier soir...
e. En général, je fais la sieste après le déjeuner, mais hier...

COMPRENDRE UN QUESTIONNAIRE D'ENQUÊTE

UNE JOURNÉE PARTICULIÈRE

ENQUÊTE – Les Français et les fêtes

1. Quelle est votre fête préférée ?
- ☐ le jour de l'an
- ☐ la Saint-Valentin
- ☐ mardi gras
- ☐ Pâques
- ☐ la fête du Travail
- ☐ la fête des Mères
- ☐ la fête nationale
- ☐ Noël
- ☐ la Saint-Sylvestre
- ☐ autre

2. Où passez-vous cette fête en général ?
- ☐ à la maison
- ☐ chez des amis
- ☐ chez une personne de votre famille
- ☐ au restaurant
- ☐ à l'étranger
- ☐ autre

3. Avec qui passez-vous cette fête ?
- ☐ avec des amis
- ☐ seul(e)
- ☐ avec une/des personne(s)
- ☐ de votre famille
- ☐ autre

4. Que faites-vous à cette occasion ? Y a-t-il un rituel spécial ?
....
....
....
....
....

5. Pourquoi aimez-vous spécialement cette fête ?
....
....
....
....
....

Vous êtes
- ☐ un homme
- ☐ une femme

Vous êtes
- ☐ marié(e)
- ☐ célibataire
- ☐ divorcé(e)

À quelle tranche d'âge appartenez-vous ?
- ☐ 20-30 ans
- ☐ 30-40 ans
- ☐ 40-50 ans
- ☐ 50-60 ans
- ☐ 60-70 ans
- ☐ + de 70 ans

Quelle est votre profession ?
....

1 👁

Observez le document et répondez.
1. Il s'agit :
   - ☐ d'une publicité ;
   - ☐ d'un questionnaire d'enquête sociologique ;
   - ☐ d'un article de journal ;
   - ☐ des résultats d'une enquête.
2. Quel est le thème ?

2 👁

Retrouvez dans le calendrier p. 168 les fêtes citées dans le questionnaire et indiquez leur date.
Exemple : La Saint-Valentin, c'est le 14 février.

3 👂

a) L'enquêteur interroge deux personnes. Écoutez les dialogues et complétez les questions 1, 2 et 3 du questionnaire.

b) Réécoutez les dialogues et répondez aux questions 4 et 5 du questionnaire.

4 👂👁

Réécoutez les dialogues et repérez pour chaque question du questionnaire comment l'enquêteur demande les informations.

Jours de fête

Point **Langue**

› QUESTIONNER

a) Observez et répondez.

Dans le questionnaire	Dans les dialogues
Quelle est votre fête préférée ?	*Quelle est votre fête préférée ?*
Où passez-vous cette fête ?	*Vous passez cette fête où ?* *Où est-ce que vous passez cette fête ?*
Avec qui passez-vous cette fête ?	*Vous passez cette fête avec qui ?* *Avec qui est-ce que vous passez cette fête ?*
Que faites-vous à cette occasion ?	*Vous faites quoi précisément ?* *Qu'est-ce que vous faites à cette occasion ?*
Pourquoi aimez-vous cette fête ?	*Pourquoi vous aimez cette fête ?* *Pourquoi est-ce que vous aimez cette fête ?*
Y a-t-il un rituel spécial ?	*Il y a un rituel spécial ?* *Est-ce qu'il y a un rituel spécial ?*

À l'écrit ou en situation formelle, le mot interrogatif est :
□ au début de la phrase.
□ à la fin de la phrase.
□ au début ou à la fin de la phrase.

À l'oral ou en situation informelle, le mot interrogatif est :
□ au début de la phrase.
□ à la fin de la phrase.
□ au début ou à la fin de la phrase.

b) Complétez avec : *verbe – sujet – mot interrogatif.*

Questions ouvertes

À l'écrit :
... + ... + ... ?

À l'oral :
... + *est-ce que* + ... + ... ?
sujet + verbe ? (intonation montante)

Questions fermées (réponse *oui/non***)**

À l'écrit :
... + ...?

À l'oral :
sujet + verbe ? (intonation montante)
Est-ce que + ... + ... ?

c) Vrai ou faux ? Répondez.
Pour les questions avec *Quel est... ?*,
il y a une seule forme à l'oral et à l'écrit.

S'EXERCER n° 1 ➔

---

5 PHONÉTIQUE

a) Intonation montante ou descendante ? Écoutez et répondez.

b) Réécoutez et choisissez la réponse correcte.

1. Avec un mot interrogatif, l'intonation est :
   □ descendante ;
   □ montante.
2. Sans mot interrogatif, l'intonation est :
   □ descendante ;
   □ montante.

c) Réécoutez et répétez les questions.

6 ⬭

Échangez : Vous présentez les fêtes de votre pays à des Français.
En petits groupes, préparez les informations à donner : Avez-vous les mêmes fêtes dans votre pays ? Quelles sont les fêtes principales ? Indiquez leur nom, la date, de quel type de fête il s'agit. Expliquez : qu'est-ce qu'on fait à cette occasion ? Est-ce qu'on dit quelque chose de spécial ?

7 ✎

Vous préparez une enquête pour mieux connaître les habitudes des Français sur un des sujets suivants ou de votre choix.
les Français et les vacances – les Français et les rythmes de vie – les Français et les voyages
Rédigez le questionnaire en petits groupes.

AIDE-MÉMOIRE

Dire
indicatif présent

je	**di**s	nous	**dis**ons
tu	**di**s	vous	**dit**es
il/elle	**di**t	ils/elles	**dis**ent

Le verbe *dire* est un verbe irrégulier, il a trois bases.

PARLER DE SES PROJETS

en Direct

À VOUS LA PAROLE !

Quels sont vos projets pour les fêtes de fin d'année ?

Héloïse Lemarié
22 ANS
ÉTUDIANTE
CAEN (14)

Michelle Magloire
58 ANS
COMMERCIALE
LYON (69)

Patricia Capelin
37 ANS
SECRÉTAIRE
MELUN (77)

« Mon mari et moi, nous allons célébrer les fêtes avec les enfants : nous allons passer le réveillon de Noël chez mon fils à Lyon et le réveillon de la Saint-Sylvestre à Nancy, chez notre fille, avec les petits-enfants. Nous allons passer une semaine chez eux. C'est surtout pour voir la famille mais, si on a le temps, on va visiter un peu la région. J'ai déjà acheté les cadeaux. »

« Nous allons nous retrouver en famille pour Noël. Chez moi, avec mes enfants et mes parents, pour un menu traditionnel. Je dois m'occuper des cadeaux pour mes deux enfants, je n'ai pas encore eu le temps. Nous n'avons pas décidé pour le réveillon du 31 mais, comme d'habitude, nous allons avec des amis au restaurant ou simplement chez l'un d'eux. »

« Je vais partir à Rome, pour le nouvel an. Avec mon petit ami, nous allons voyager en train et dormir dans une auberge de jeunesse. Nous avons tout programmé : les visites de monuments et le feu d'artifice sur la piazza di Populo pour le réveillon du jour de l'an. Et je vais passer Noël en famille. »

Point **Langue**

＞ LE FUTUR PROCHE pour parler de ses projets

a) Observez.
Je vais partir à Rome.
On va visiter la région.
Nous allons passer le réveillon à Lyon.
Nous allons dormir en auberge de jeunesse.
b) Complétez.
futur proche = verbe ... au présent + verbe à l'... .

S'EXERCER n° 3 ➡

8 ◉

Observez cette page de journal et choisissez l'information correcte.

1. Cette page est dans un journal :
   □ avant Noël ;
   □ après Noël ;
   □ à Noël.
2. Dans cette page de journal, on présente :
   □ trois témoignages ;
   □ trois annonces ;
   □ trois articles.

9 ◉

Lisez les trois textes et trouvez les projets de chaque personne.

	Où ?	Avec qui ?	Quoi ?
Noël			
Le nouvel an			

10 ◉

Trouvez dans les témoignages des équivalents de ces expressions.
- Le jour de l'an : ...
- La nuit du 31 décembre au 1er janvier : *la Saint-Sylvestre*, ... , ...
- Fêter Noël et le nouvel an : ...

AIDE-MÉMOIRE

Indiquer le domicile
Nous allons passer le jour de l'an **chez** mon fils et ma belle-fille. Nous allons passer une semaine **chez** eux.

S'EXERCER n° 2

11 ◉

Comparez ! Est-ce qu'on célèbre Noël et le jour de l'an dans votre pays ? Si oui, où, comment et avec qui ? Sinon, est-ce qu'il y a une fête équivalente ? Quelles sont les traditions pour les fêtes de fin d'année dans votre pays et dans votre famille ?

12

Imaginez ! Votre classe organise une fête.

En petits groupes, imaginez un programme pour cette fête : Quand ? Où ? Quel type de fête ? Quelles activités ? Rédigez un projet pour le présenter à la classe. La classe choisit le projet préféré.

13

Le journal vous questionne sur vos projets quelques jours avant la fête la plus importante de votre pays. Écrivez votre témoignage.

POINT CULTURE

Les fêtes de fin d'année

Retrouvez les traditions et les modes de célébration des fêtes de Noël et du jour de l'an en France. Associez les éléments.

- au restaurant.
- chez des amis.
- chez nous ou chez quelqu'un de la famille.

Noël •

- avec des amis.
- en famille.

la Saint-Sylvestre •

- On mange et on boit.
- On offre des cadeaux.
- On voyage.

S'EXERCER

> Questionner quelqu'un

1. Un lycéen a répondu au questionnaire d'enquête d'un magazine sur les vacances d'hiver.
Retrouvez les questions écrites du magazine et imaginez les mêmes questions posées à l'oral par le journaliste. (Plusieurs réponses sont possibles.)

Questions écrites de l'enquête	Questions orales du journaliste	Réponses du lycéen
...	Quel est votre âge ?	Seize ans.
Partez-vous pour les vacances d'hiver ?	...	Oui.
...	Vous allez où en vacances ?	À la montagne.
Avec qui partez-vous ?	...	Avec ma famille.
Comment voyagez-vous ?	...	En train.
Où logez-vous ?	...	À l'hôtel.
...	Qu'est-ce que vous faites pendant les vacances ?	Du ski.
	Est-ce que vous avez l'habitude de partir en vacances, l'hiver ?	Oui, je pars chaque année.

> Indiquer le domicile d'une personne

2. Complétez avec le pronom tonique qui convient.
a. Je vous invite chez ... , vous voulez bien ?
b. J'achète un cadeau pour Jean et Hélène, car je vais dîner chez ... .
c. — Tu vas voir ta sœur ?
   — Oui, je suis invitée chez ... .
d. Nous vous invitons chez ... pour le réveillon.
e. — Tu as téléphoné à Pierre ?
   — Oui, mais il n'est pas chez ... .

> Parler de ses projets

3. Transformez, comme dans l'exemple.
Exemple : L'année dernière, j'ai passé Noël en famille chez ma sœur.
→ *Cette année, je vais passer Noël en famille chez ma sœur.*

a. L'année dernière, j'ai invité un couple d'amis pour le réveillon de la Saint-Sylvestre.
b. Le week-end dernier, on est allés à Londres.
c. L'année dernière, vous êtes bien restés à Paris au mois d'août ?
d. La semaine dernière, mes parents ont organisé une superbe fête pour leurs vingt ans de mariage.
e. Le week-end dernier, je suis sorti avec des amis.
f. L'année dernière, nous avons célébré le nouvel an avec des amis italiens.

Carnet de voyage...

Les fêtes en France

1.

Pour les principales fêtes célébrées en France, retrouvez les traditions.

le jour de l'an - la Saint-Valentin - mardi gras -
Pâques - la fête du Travail - la fête des Mères -
la fête nationale - Halloween - Noël - la Saint-Sylvestre

1. On regarde le feu d'artifice et on danse dans les petits bals de rue.
2. Les syndicats de travailleurs défilent et on offre du muguet à sa famille et à des amis.
3. On se réunit en famille pour un grand repas et on offre des cadeaux.
4. On se déguise en personnages terrifiants.
5. On déjeune en famille et les enfants cherchent les œufs en chocolat cachés dans le jardin.
6. Les amoureux s'offrent des cadeaux.
7. On mange des crêpes.
8. Les enfants offrent un cadeau à leur maman.
9. Tout le monde se souhaite une bonne année.
10. On se réunit entre amis pour fêter la fin de l'année.

3.

Pour quelle fête dit-on les formules suivantes?
Joyeux Noël!
Bonne année!/Meilleurs vœux!
Joyeuses Pâques!
Bonne fête!

4.

Silence, on tourne!
Vous êtes réalisateur de films. Vous tournez une scène de fête qui se passe en France. Par petits groupes, choisissez votre fête et imaginez le contexte (où? qui?...).
Jouez la scène. Moteur!
La classe devine quelle fête est mise en scène.

2.

Choisissez un symbole pour chaque fête.

a.   b.   c.   d.   e.

f.   g.   h.   i.   j.

Qui fait quoi dans la maison?

5.

Lisez ce texte sur la répartition des tâches ménagères dans le couple en France.

8 mars 2005 – Ipsos[1] s'intéresse à la répartition des tâches ménagères dans le couple. L'enquête montre que les choses sont plus équilibrées chez les jeunes générations mais que les femmes font toujours l'essentiel des activités domestiques : en moyenne 16 heures par semaine, contre 6 pour les hommes.

Les femmes travaillent aujourd'hui de plus en plus comme les hommes. Mais elles gagnent en moyenne 20 % de moins que leurs collègues masculins. La journée du 8 mars 2005 (journée de la Femme) est l'occasion d'analyser la répartition des tâches dans le couple. Aujourd'hui, les femmes consacrent 16 heures par semaine, contre 6 pour les hommes, aux tâches domestiques.

Le total des heures consacrées aux tâches domestiques et aux enfants montre que les femmes font beaucoup plus que les hommes : 24 heures contre 13 en moyenne. Ce chiffre monte à 30 heures pour les femmes trentenaires[2], contre 20 heures pour les hommes trentenaires : les femmes font presque une deuxième semaine de travail (mais, à cet âge, elles doivent aussi s'investir dans leur carrière).

Hélène PLISSON

1. Ipsos : institut de sondages.
2. Trentenaires : de trente ans environ.

6.

Trouvez le nombre d'heures pour les hommes et les femmes et observez la différence. Est-ce que cette situation est une surprise pour vous ?

	Temps pour les tâches ménagères	Temps pour les tâches ménagères et les enfants
Femmes en général	*16 heures*	
Hommes en général		
Femmes de 30 ans		
Hommes de 30 ans		

7.

Comparez avec la répartition du travail chez vous : qui fait quoi à la maison? Combien d'heures par semaine?

8.

a) Regardez la page de magazine ci-dessous. Est-ce que ce thème est possible dans un magazine de votre pays?
b) Comparez la situation en France avec la situation en général dans votre pays : Plus confortable pour les femmes? Pour les hommes?

Dossier ■ ■
L'homme nouveau est arrivé?

9.

En conclusion...
Vous êtes une femme?
Vous êtes un homme?
Pour les tâches ménagères, vous préférez vivre en France ou dans votre pays? Justifiez.

Votre travail dans le dossier 4

1 Qu'est-ce que vous avez appris à faire dans ce dossier ? Cochez les propositions exactes.

- ☑ comprendre l'heure
- ☐ demander à quelqu'un un horaire
- ☐ proposer une sortie
- ☐ comprendre un programme de théâtre
- ☐ exprimer des projets immédiats
- ☐ parler de ses activités habituelles
- ☐ décrire quelqu'un
- ☐ annoncer un événement familial
- ☐ comprendre une action passée
- ☐ donner la date d'un événement

2 Quelles activités vous ont aidé(e) à apprendre ? Voici une liste de savoir-faire de communication. Notez en face de chaque savoir-faire le numéro de la leçon et de l'activité qui correspondent.

- comprendre des horaires de lieux publics à l'oral *L1, 1*
- rédiger un questionnaire ....
- parler de sa fête préférée ....
- raconter une journée passée ....
- comprendre des informations sur une fête ....
- écrire un petit texte sur la journée type d'une personne ....
- comprendre des faits passés ....
- proposer un programme de fête ....
- parler de ses rythmes de vie ....

Votre autoévaluation

1 Cochez d'abord les cases qui correspondent aux savoir-faire que vous êtes capable de réaliser maintenant et faites le test donné par votre professeur pour vérifier vos réponses.
Puis, reprenez votre fiche d'autoévaluation, confirmez vos réponses et notez la date de votre réussite. Cette date vous permet de voir votre progression au cours du livre.

JE PEUX	ACQUIS	PRESQUE ACQUIS	DATE DE LA RÉUSSITE
comprendre des informations sur les jours et les heures	☐	☐	....
comprendre l'emploi du temps d'une personne à l'écrit	☐	☐	....
comprendre les sentiments d'une personne par rapport à ses activités quotidiennes	☐	☐	....
proposer un programme d'activités par écrit	☐	☐	....
donner des informations sur les lieux et les moments à l'écrit	☐	☐	....
donner des informations sur la journée type d'une personne	☐	☐	....

2 Après le test, demandez à votre professeur ce que vous pouvez faire pour améliorer les activités pas encore acquises.

- ☐ exercices de compréhension orale
- ☐ exercices de compréhension écrite
- ☐ exercices de production orale
- ☐ exercices de production écrite

- ☐ exercices de grammaire
- ☐ exercices de vocabulaire
- ☐ exercices de phonétique
- ☐ autres (vidéo...)

DOSSIER 5

Vie privée, vie publique

DELF

A1 > A2

ANNONCER UN ÉVÉNEMENT FAMILIAL, RÉAGIR

VIE PRIVÉE, VIE PUBLIQUE

DOSSIER 5

Lui, vous le connaissez déjà !
Clément vous présente sa petite sœur Miléna,
arrivée parmi nous le 23 avril.

Avec ses 50 cm, ses 2,750 kg
et surtout son sourire, elle fait la joie
de son (déjà grand !) frère
et de ses parents.

Clément, Philippe Bernard – Catherine Hugot-Bernard
6, rue de l'Oise – 78570 Andrésy

M. et Mme Dunand
19, rue du Connétable
60500 Chantilly

M. et Mme Lagrange
9, rue Léon-Blum
80000 Amiens

sont heureux de vous annoncer
le mariage de leurs enfants

Aude et Christophe

le 18 septembre 2005
à la mairie de Chantilly à 15 h 30.
Le mariage sera ensuite célébré
à l'église Notre-Dame à 16 h 30.

2.

1.

M. et Mme Chabaud
ont la joie de vous annoncer
la naissance de leur fille
Laura
le 30 juin 1996 à Neuilly-sur-Seine
80, avenue Charles-de-Gaulle
92200 Neuilly-sur-Seine

COUCOU
ME
VOILÀ

3.

a.
MEGAS · MV-5
Je rentre de l'hôpital.
Appelle-moi : ta tante
Marcelle vient de
mourir. Claire

b.
MEGAS · MV-5
Arthur est né cette
nuit à 3 heures ! Je
suis très fier ! Marc

MEGAS · MV-5
Félicitations aux
heureux parents !
Mais tu ne m'as pas
dit : comment
s'appelle votre fille ?
Samuel

c.
MEGAS · MV-5
Quelle bonne
nouvelle ! Tous mes
vœux de bonheur
pour toi et ton futur
mari ! Bises. Tante
Jacqueline

d.
Telemobil

---

1 👁

Lisez les trois faire-part et trouvez quels événements sont annoncés.

2 👁

**a) Lisez les textos et dites de quel événement familial il s'agit :
mariage, naissance ou décès ?**
b) Répondez.
1. Quels textos annoncent un événement ?
2. Quels textos répondent à l'annonce d'un événement ?

3 👁

Relisez les faire-part et trouvez pour chacun :
- qui annonce l'événement ;
- qui fait l'événement ;
- quels sont les liens familiaux.

AIDE-MÉMOIRE

- **Annoncer un événement familial**

M. et Mme… { **ont la joie** / **sont heureux** } **de vous annoncer** { la naissance de… / le mariage de… }

Arthur est né !
J'ai une grande nouvelle ! On se marie !

M. et Mme… { **ont la douleur** / **ont la grande tristesse** } **de vous annoncer** le décès de…

J'ai une mauvaise nouvelle. Ta tante vient de mourir.

- **Réagir à une nouvelle, féliciter**
Félicitations !
Tous mes/nos vœux de bonheur !
Je suis/Nous sommes très heureux pour toi/vous.
Je te/vous souhaite beaucoup de bonheur !
Quelle bonne nouvelle !

Toutes mes/nos condoléances !
Je suis désolé(e).
Nous sommes très tristes.

Carnet du **jour**

Point **Langue**

⟩ LES ADJECTIFS POSSESSIFS

a) Complétez le tableau avec les adjectifs possessifs.

Je	Tu	Nous/On	Vous
... *frère*	*ton mari*	*notre père*	*votre mari*
... *sœur*	... *tante*	... *mère*	... *fille*
mes parents	... *enfants*	... *enfants*	*vos parents*

b) Relisez les faire-part et complétez avec *leur*, *leurs*, *sa*, *ses*.

Il/Elle	Ils/Elles
*Claire annonce la naissance de **son** petit frère.* *Clément annonce la naissance de ... petite sœur.* *Elle fait la joie de ... parents.*	*M. et Mme Ardouz annoncent la naissance de **leur** fils Djamel.* *M. et Mme Chabaud ont la joie d'annoncer la naissance de ... fille Laura.* *M. et Mme Dunand sont heureux de vous annoncer le mariage de ... enfants.*

c) Complétez.

Un possesseur	Deux/Plusieurs possesseurs
son + nom masculin	... + nom singulier
... + nom féminin	... + nom pluriel
... + nom pluriel	

Attention ! *Mon épouse, ton épouse, son épouse.*
mon/ton/son + nom féminin qui commence par une voyelle

S'EXERCER nᵒˢ 1 et 2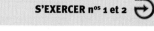

4 PHONÉTIQUE

a) Écoutez les « mots doux » et répétez.
b) Écoutez et dites si le mot est au singulier ou au pluriel.
c) Observez, écoutez et dites si vous entendez la même chose ou pas.

1. leur fils – leurs fils
2. leur fille – leurs filles
3. leur ami – leur amie
4. leur ami – leurs amis

DEMANDER, DONNER DES NOUVELLES DE QUELQU'UN

5

a) Écoutez la conversation téléphonique entre Marc et sa mère et faites des hypothèses sur l'événement annoncé.
b) Réécoutez et mettez dans l'ordre ces répliques pour reconstituer la conversation.

1. – Oui, cette nuit à trois heures !
2. – Oh ! Elle va bien, elle a juste un peu mal au ventre, c'est normal ! Mais moi, je me sens épuisé ! J'ai mal à la tête, c'est terrible.
3. – Maman, ça y est, Arthur est arrivé !
4. – Je trouve qu'il ressemble à Marie, il a le même nez. Il pèse 3 kilos et il mesure 50 cm !

c) Dites quel texto de la page 82 Marc envoie.

AIDE-MÉMOIRE

- **Demander des nouvelles**
  Comment vas-tu/allez-vous ? Comment elle va ?
  Comment te sens-tu/vous sentez-vous ?
  Comment elle se sent ?
- **Donner des nouvelles**
  Elle va bien (mieux). ≠ Elle va mal.
  Elle a mal. J'ai mal au ventre/à la tête/à l'épaule/aux jambes.

Point **Langue**

⟩ LES PARTIES DU CORPS

Associez les mots aux numéros.

la tête, le nez, un œil (les yeux), la bouche, les dents, une oreille, les cheveux, un bras, une main, une jambe, un pied, le dos, une épaule, le ventre, les fesses

S'EXERCER nᵒ 3

6

Jouez la scène à deux.
Marc a annoncé la naissance d'Arthur à tout le monde. Vous êtes un(e) ami(e) de Marie, la maman d'Arthur. Vous téléphonez pour la féliciter et demander de ses nouvelles.

7

a) Vous avez reçu le texto de Marc. Répondez par un texto ou un mél.
b) Vous annoncez une bonne nouvelle. Écrivez un texto.

PARLER DE SA FAMILLE

8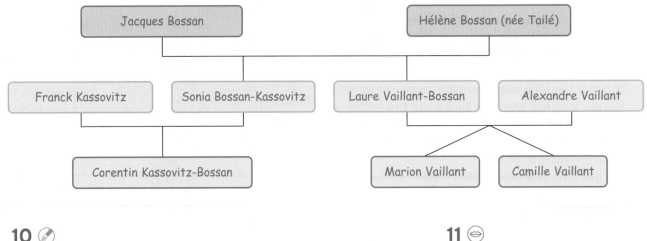

a) Corentin montre son album de photos à son amie. Écoutez Corentin et repérez sur la photo les personnes citées.

b) Réécoutez et associez les étiquettes aux personnes de la photo.

MA MÈRE

MA TANTE

MON GRAND-PÈRE MATERNEL

MES COUSINES

MON PÈRE

MON GRAND-PÈRE PATERNEL

MA GRAND-MÈRE MATERNELLE

MON ONCLE

MA GRAND-MÈRE PATERNELLE

9

Observez l'arbre généalogique de la famille Bossan et trouvez le nom des personnes suivantes.

1. les parents de Sonia – son mari – son beau-frère – ses deux nièces
2. l'oncle de Marion Vaillant – sa grand-mère maternelle – sa sœur – son cousin

```
        Jacques Bossan                    Hélène Bossan (née Tailé)

Franck Kassovitz   Sonia Bossan-Kassovitz   Laure Vaillant-Bossan   Alexandre Vaillant

        Corentin Kassovitz-Bossan          Marion Vaillant   Camille Vaillant
```

10

Trouvez l'équivalent masculin ou féminin.

Masculin	...	...	...	...	cousin	neveu	...
Féminin	sœur	belle-sœur	belle-mère	tante	...	...	grand-mère

11

Échangez : Dessinez votre arbre généalogique et présentez votre famille à votre voisin(e).

S'EXERCER nᵒˢ 4 et 5 ➜

Les noms de famille

A. Observez les noms des trois femmes mariées de la famille, Hélène, Laure et Sonia, et expliquez les différences. Observez les noms de famille des enfants, Corentin, Marion et Camille. Que remarquez-vous ?

B. À partir de vos observations, complétez.

• Sonia Bossan se marie avec Franck Kassovitz. Après son mariage, elle a quatre choix possibles pour son nom de famille. Elle peut s'appeler :
  – Sonia... (son nom de jeune fille) ;
  – Sonia ... (le nom de son mari) ;
  – Sonia .... (son nom de jeune fille + le nom de son mari) ;
  – Sonia .... (le nom de son mari + son nom de jeune fille).
• Depuis le 1er janvier 2005, il y a aussi quatre possibilités pour les noms des enfants : ... .

C. Comparez avec la situation dans votre pays.

• Quel(s) nom(s) de famille ont les femmes mariées ?
• Quel(s) nom(s) de famille ont les enfants ?

Leçon 1 DOSSIER 5

S'EXERCER

> Parler de sa famille

1. Complétez avec les adjectifs possessifs *mon/ma/mes, ton/ta/tes, notre/nos, votre/vos.*

a. *Jérôme présente sa famille.*
Moi, je m'appelle Jérôme et ... femme, Sylvie. J'ai trois enfants : ... fils s'appelle Thomas et ... filles s'appellent Cécile et Pauline.

b. *Jean-Claude et Suzanne présentent leur famille.*
Nous sommes mariés depuis vingt-cinq ans, ... fils s'appelle Jeremy et ... fille, Pascale. ... enfants sont grands maintenant. Pascale vient d'avoir un bébé : ... petit-fils s'appelle Léo.

c. *Claire pose des questions à un ami sur sa famille.*
 – ... parents s'appellent comment ?
 – Gilles et Pierrette.
 – Et ... sœurs ?
 – Édith et Myriam.
 – ... grand-père et ... grand-mère sont morts ?
 – Non, ... grands-parents sont toujours en vie.

d. *Béatrice répond à des questions sur sa famille.*
 – Vos parents s'appellent comment ?
 – Michèle et Patrick.
 – Et ... grands-parents s'appellent comment ?
 – Henri et Anne.
 – Daniel, c'est bien ... oncle ?
 – Oui, c'est le frère de ma mère.

 – Nathalie, c'est ... tante ?
 – Oui, bien sûr, c'est la femme de mon oncle Daniel.
 – Et vous avez des cousins ?
 – Non.

> Annoncer un événement familial

2. Complétez avec *son, sa, ses, leur, leurs.*

a. Nous sommes heureux de vous faire part du mariage d'Arnaud Leroy et Capucine Basquier : ... union a été célébrée dans l'intimité le 8 février en présence de ... famille et de ... amis.

b. Christophe, ... papa, et Aude, ... maman, sont heureux de vous envoyer la première photo de Marine dans les bras de ... grand frère Paul.

c. Léa et Léon sont nés le 15 avril 2004. Voici Léon dans les bras de ... maman et Léa dans les bras de ... papa. ... parents sont très heureux et les jumeaux se portent bien !

> Les parties du corps

3. Complétez les phrases avec *avoir mal à*, comme dans l'exemple.

ventre	tête	jambe
main	bras	
fesses	dos	dents
épaules	yeux	

*Exemple : J'ai regardé la télé trop longtemps et j'ai mal **aux yeux**.*
a. Il a trop mangé et maintenant il ... .
b. Ils ont joué au tennis pendant quatre heures et ils ... .
c. Vous ... parce que vos valises sont lourdes.
d. Si tu ..., tu dois aller chez le dentiste.
e. J'ai fait 30 km à vélo et j' ... .
f. Tu ... parce que tu as écrit toute la journée.
g. Il y a trop de bruit ! Maintenant, j' ... .

> Les liens de parenté

4. Associez les éléments des deux colonnes.

la belle-famille	le frère du père
le beau-père	le fils de l'oncle ou de la tante
le cousin	la famille du mari ou de la femme
l'oncle	le père du mari ou de la femme

5. Trouvez les définitions de ces mots.
la tante – la nièce – la belle-mère – les grands-parents – la petite-fille – le neveu

TÉLÉPHONER

Dialogue 1

– *Allô! Tante Claudia?*
– *Oui, c'est moi.*
C'est toi, Amélie? Tu es où?
Je ne t'entends pas bien. [...]

Dialogue 2

– *Société Lamar, j'écoute.*
– *Bonjour, madame. Je voudrais parler à Mme Claudia Martin, s'il vous plaît.*
– *C'est de la part de qui?*
– *De Mme Gillet, sa mère.*
– *Ne quittez pas, je vous la passe.* [...]

Dialogue 3

– *Allô!*
– *Ingrid? Ma fille est là?*
– *Oui, madame. Ne quittez pas, je vous la passe.* [...]

Dialogue 4

– *Allô!*
– *C'est toi, Florence?*
– *Pardon, quel numéro demandez-vous?*
– *Le 05 56 89 78 50.*
– *Je regrette, vous faites erreur. Le 05 56 69 78 50.*
– *Ah! Excusez-moi, je me suis trompée.*

1. Mme Gillet, grand-mère d'Amélie

2. Florence Martin, mère d'Amélie

3. Claudia, tante d'Amélie

4. Amélie

1

a) Écoutez les quatre conversations téléphoniques, observez les photos et répondez pour chaque dialogue.
1. Qui téléphone?
2. À qui?
3. De qui on parle?
b) Quel est le sujet de conversation?

2

a) Réécoutez les conversations puis, par deux, échangez vos informations sur la mère d'Amélie.
b) Choisissez un mot pour décrire les sentiments d'Amélie, de sa tante Claudia et de sa grand-mère à l'annonce de l'événement.
surprise – très heureuse – indifférente – en colère

Familles d'aujourd'hui

3 🕪

Réécoutez et identifiez la situation pour chaque conversation.

1. La personne demandée répond.
2. La personne demandée est là mais une autre personne répond.
3. La personne demandée n'est pas là et une autre personne répond.
4. La personne qui appelle a composé un faux numéro.

Point **Langue**

> ### APPELER/RÉPONDRE AU TÉLÉPHONE

a) Repérez dans les dialogues les formules utilisées pour demander quelqu'un au téléphone.

b) Associez les formules aux situations.

La personne demandée répond elle-même.	*Vous voulez laisser un message ?*
La personne demandée est là mais une autre personne répond.	*Je regrette, vous faites erreur. Ici, c'est le 05 56 69 78 50.*
	C'est de la part de qui ?
La personne demandée n'est pas là et une autre personne répond.	*Pardon, quel numéro demandez-vous ?*
	Ne quittez pas, je vous la passe.
La personne qui appelle a composé un mauvais numéro.	*Oui, c'est moi.*

S'EXERCER nᵒˢ 1 et 2 ⟶

4 🕪

Réécoutez la conversation entre Amélie et sa tante et répondez : Quels sont les deux événements annoncés ? Ces événements sont-ils présents, passés ou futurs ?

Point **Langue**

> ### LE PASSÉ RÉCENT, LE FUTUR PROCHE

a) Observez ces informations extraites des conversations téléphoniques.

Pour situer une action dans le passé immédiat, on utilise le **passé récent** :
Éric vient de trouver un travail à Nice.
Elle vient de partir.

Pour situer une action dans le futur immédiat, on utilise le **futur proche** :
Je vais quitter Bordeaux. On va habiter avec eux.
Ses enfants vont vivre avec nous aussi.

b) Trouvez la règle. Complétez.

Formation du passé récent : ... + ... + infinitif de l'action.
Formation du futur proche (rappel) : ... + infinitif de l'action.

S'EXERCER nᵒ 3 ⟶

5 PHONÉTIQUE

a) Mots différents ou identiques ? Écoutez et répondez.
b) Écoutez et repérez la phrase entendue.

1. Il tient bien – ils tiennent bien.
2. Il vient bientôt – ils viennent bientôt.
3. Il se souvient de tout – ils se souviennent de tout.
4. Elle revient tard – elles reviennent tard.

6 🗨

Jouez la scène par groupes de deux ou trois.
Vous téléphonez à un(e) ami(e) pour lui annoncer un événement.

COMPRENDRE UN PHÉNOMÈNE DE SOCIÉTÉ

UN PHÉNOMÈNE DE SOCIÉTÉ : les familles recomposées

76 % des Français considèrent que les « familles recomposées » sont des familles comme les autres.

1,6 million d'enfants vivent avec...

... un monsieur qui n'est pas leur papa ou une dame qui n'est pas leur maman. C'est ce qu'on appelle une famille recomposée, c'est-à-dire une famille avec des enfants d'une union antérieure des parents. Dans ces nouvelles tribus, les beaux (parents) et les demi (frères ou sœurs) cohabitent avec plus ou moins de facilité.

En France, dans les années 1950, on compte 430 000 unions par an pour une population de 40 millions d'habitants. Un demi-siècle plus tard, il y a 280 000 mariages par an, pour une population de 60 millions d'habitants. Un quart de ces unions sont des remariages. Plus d'un couple sur trois se sépare, un sur deux dans les grandes villes (contre un divorce pour dix couples en 1965). Parallèlement, on compte environ 5 millions de couples non mariés (contre 310 000 en 1962), plus d'un million de familles mono-parentales et 660 000 familles recomposées. Une évolution historique !

Sources : www.çasediscute.com INSEE.

---

7 👁

Vrai ou faux ? Lisez le document et répondez.

Dans ce texte...

1. on raconte la vie d'une famille recomposée ;
2. on donne une définition de la famille recomposée ;
3. on décrit la famille en 1950 ;
4. on explique l'évolution de la famille depuis 50 ans.

8 👁

a) Relisez le deuxième paragraphe du texte et complétez en indiquant un chiffre ou un pourcentage (%).

	Dans les années 1950-1960	Actuellement (années 2000)
Nombre de mariages en France	. . . .	. . . .
Nombre de couples non mariés	. . . .	. . . .
Nombre de divorces	. . . .	. . . .

b) Choisissez le graphique qui correspond à l'évolution.

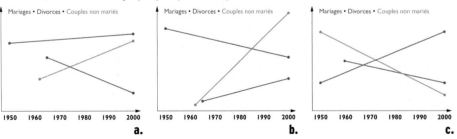

9 👁

Relisez le texte et trouvez des synonymes des expressions suivantes.

une famille recomposée – les parents (père ou mère) de la nouvelle famille – un mariage – un deuxième mariage – une séparation – une famille avec un seul parent (père ou mère)

Point **Langue**

> **EXPRIMER UN POURCENTAGE**

Relisez le texte et complétez.

	un sur quatre (= 1/4)	vingt-cinq pour cent (= 25 %)
...		
un tiers	...	... (= 33 %)
la moitié	...	... (= 50 %)

S'EXERCER nº 4

10 👁

Éric Mercier

Isabelle Rieux-Mercier

Benoît Mercier

Sophie Mercier

Timothée Mercier

Marion Dubois

a) Lisez le commentaire du dessin ci-contre.

Éric a eu deux enfants d'un premier mariage, Sophie et Benoît, puis il a divorcé. Isabelle, elle, a eu une fille, Marion, de son premier mariage avec Yves Dubois ; puis elle a divorcé. Isabelle et Éric se sont mariés l'année dernière et ils viennent d'avoir un bébé, le petit Timothée.

b) Complétez avec le prénom qui convient.

1. ... est la mère de Timothée et de Marion et la belle-mère de Sophie et Benoît.
2. ... est le frère de Sophie.
3. ... a un demi-frère, Benoît, et deux demi-sœurs, Sophie et Marion.
4. ... est le père de Benoît, Sophie et Timothée, et le beau-père de Marion.

11 👄

Échangez en petits groupes :

a) Quelle est la composition de votre famille ? Avez-vous des frères, des sœurs, des demi-frères ou demi-sœurs ? Connaissez-vous des familles recomposées ?

b) Comparez la situation en France avec celle de votre pays.

Quelle est la situation dans votre pays ? Y a-t-il beaucoup de familles recomposées ? Est-ce qu'il y a beaucoup de couples non mariés ? Le nombre de divorces est-il important ?

S'EXERCER

Leçon 2 DOSSIER 5

> Téléphoner à quelqu'un

1. Mettez les répliques dans l'ordre.

a. Je te rappelle un peu plus tard, si tu veux ?
b. C'est le 06 60 65 32 40. À plus tard !
c. Allô ! Sandrine ? C'est Paul.
d. D'accord, mais je n'ai pas le numéro.
e. Oui, Paul, un instant, ne quitte pas... Écoute, je suis occupée, là.
f. Oui, mais sur mon portable.

2. Complétez les conversations téléphoniques.

a. — Allô !
— Bonjour, ... Mme Marchand, s'il vous plaît.
— Désolé, Mme Marchand n'est pas là.
— ... ?
— Bien sûr, je note.

b. — Allô ! Institut Chrysalide, j'écoute.
— Bonjour, je voudrais parler à M. Latify, s'il vous plaît.
— ... ?
— Mme Gaucher.
— ..., je vous la passe.

> Le passé récent, le futur proche

3. Imaginez ce qui vient de se passer ou va se passer et complétez avec le passé récent ou le futur proche.

*Exemple : Tout le monde a rendez-vous à la mairie : Clément et Mathilde **vont se marier**.*

a. Tout le monde a rendez-vous à la mairie : Clément et Mathilde... . Après la cérémonie à la mairie et à l'église, tout le monde...

b. Les Dufour... ; ils invitent tous leurs amis à fêter la nouvelle maison.

c. Adrien est encore une fois papa. Avec la naissance de ce deuxième enfant, l'appartement est devenu trop petit. La famille...

d. Carole et Maxime sont mariés depuis trois ans. Ils sortent de chez le médecin, ils sont très heureux : ...

e. Bastien et Fanny ne s'aiment plus, ils se disputent toujours. Ils...

f. Claire et Abdou envoient des faire-part de naissance : leur premier fils, Nathan...

> Exprimer un pourcentage

4. a) Dites si ces affirmations sont vraies ou fausses.

Dans la classe...

a. 50 % des personnes sont des femmes ;
b. un tiers des personnes a moins de vingt ans ;
c. une personne sur trois est mariée ;
d. 25 % des personnes ont des parents divorcés ;
e. un quart des personnes a deux frères ou sœurs ;
f. les trois quarts des personnes ont quatre grands-parents vivants.

b) Trouvez une autre formulation pour chaque pourcentage.

Exemple : 50 % des personnes sont des femmes.
➡ La moitié des personnes sont des femmes.
Une personne sur deux est une femme.

> Les événements de la vie

5. Associez chaque nom de la liste a avec un verbe de la liste b.

Exemple : la séparation ➡ se séparer.

a. la séparation – le divorce – le décès – le mariage – la mort – la naissance – les fiançailles – la rupture

b. se fiancer – naître – mourir – divorcer – se marier – rompre – se séparer – décéder

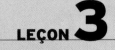
ÉVOQUER DES FAITS PASSÉS

VIE PRIVÉE, VIE PUBLIQUE

DOSSIER 5

Clotilde Courau et Emmanuel Philibert de Savoie

1.

La vérité sur notre couple

On a beaucoup parlé de leur histoire d'amour, de leur mariage et de la naissance de leur bébé : la jeune actrice épouse son prince. Mais qui sont-ils vraiment ?
Jour après jour, Clotilde et Emmanuel Philibert prouvent qu'on peut être tout à la fois actrice, altesse royale et maman ; petit-fils du dernier roi d'Italie, époux d'une comédienne et papa attentionné.

En avril 2003, Clotilde a accompagné Emmanuel Philibert en Sicile. L'histoire d'amour est devenue officielle et ils ne se sont plus quittés. Tout l'été, ils ont séjourné à Cavallo.

Ils se sont mariés le 25 septembre 2003.

2.

3.

Le 28 décembre, Vittoria est née.

1 👄

Observez cette page de magazine et répondez.
De quel type de magazine s'agit-il ? Pourquoi est-ce que les gens lisent ces magazines ? Et vous, lisez-vous ces magazines ? Pourquoi ?

2 👁

Lisez l'article et trouvez :
1. de qui on parle ;
2. les informations données sur les personnes (nom, situation de famille, origine, profession).

3 👁

Relisez et retrouvez la chronologie des événements.
- naissance d'un enfant
- annonce officielle de la relation
- vacances
- mariage

Riches et **célèbres**

Point **Langue**

> ### > LE PASSÉ COMPOSÉ pour évoquer des faits passés

a) Dites dans quelle colonne placer le commentaire de la photo 3 et justifiez votre réponse.

Clotilde a accompagné Emmanuel Philibert.

Ils ont séjourné à Cavallo.

L'histoire est devenue officielle.

Ils ne se sont plus quittés.

Ils se sont mariés le 23 septembre.

b) Quinze verbes se conjuguent avec *être* au passé composé. Complétez la liste.

monter ≠ descendre, aller ≠ …, … ≠ partir, entrer ≠ …, … ≠ mourir, retourner, tomber, passer, …, …

c) Tous les verbes pronominaux se conjuguent avec *être* au passé composé. Donnez d'autres exemples.

se marier…

d) Rappelez-vous ! Complétez la règle.

Quand le passé composé est formé avec …, le participe passé ne s'accorde pas avec le sujet.

Exemple : …

Quand le passé composé est formé avec …, le participe passé s'accorde avec le sujet.

Exemple : …

S'EXERCER n°s 1 à 3 ➔

4

Vrai ou faux ?
Écoutez le dialogue et répondez.

1. Les deux personnes qui parlent sont des comédiens.
2. Elles parlent de Clotilde Courau.
3. Elles font des commentaires sur le mariage de Clotilde Courau et Emmanuel Philibert de Savoie.

5

Réécoutez le dialogue et complétez la notice biographique de Clotilde Courau avec les indications temporelles entendues.
Exemple : L'année suivante
➔ *départ pour l'Afrique avec sa famille.*

6

a) Réécoutez et repérez comment sont donnés à l'oral les événements de la vie de Clotilde Courau notés sur la fiche.
Exemple : date de naissance
➔ *Elle est née…*
b) Identifiez le temps utilisé.

7

À l'aide des informations p. 90, complétez oralement les données biographiques sur Clotilde Courau.

8 PHONÉTIQUE

Écoutez la conversation et répétez les formes pronominales.

9

Vous êtes journaliste d'un magazine people. Vous préparez une page sur une célébrité de votre pays. En petits groupes, choisissez une personnalité et décidez quelles informations vous voulez donner sur cette personne.
Imaginez le gros titre, le chapeau, les commentaires des photos et préparez la page. Puis vous présentez la page à la classe.

CLOTILDE COURAU

Date de naissance : …

… Départ pour l'Afrique avec sa famille.

… Retour en France.

… Inscription au cours Florent*.

… Débuts au théâtre dans la pièce *Lorenzaccio*.

… Prix à Berlin pour son premier rôle au cinéma dans *Le Petit Criminel* de Jacques Doillon.

… Rôles dans différents films ; début de la célébrité.

… Rencontre de son futur mari, Emmanuel Philibert de Savoie.

* Nom d'une célèbre école de théâtre à Paris.

DÉCRIRE PHYSIQUEMENT UNE PERSONNE

Fils et filles de *Stars...*
Célèbres de père en fils

Les papas

Johnny Hallyday, chanteur.

Marcello Mastroianni, acteur.

Serge Gainsbourg, chanteur.

Les mamans

Catherine Deneuve, actrice.

Jane Birkin, actrice et chanteuse.

Sylvie Vartan, chanteuse.

Eux-mêmes
sont très connus
dans le monde
du spectacle...

a.

b.

c.

10

Regardez ces photos. Est-ce que vous connaissez ces personnes ?

11

a) Observez cette page de magazine et trouvez le lien entre les six premières photos et les photos a, b et c.
b) Par deux, essayez de reconstituer les familles à partir des photos. Comparez votre choix avec les autres groupes.

12

a) **Vérifiez vos réponses avec les trois présentations suivantes.**
Photo a : Petite, Charlotte a chanté avec son père qui est mort en 1991. Elle est grande et mince comme sa mère et toutes les deux ont les cheveux longs et raides et les yeux marron.
Photo b : David est grand et blond, il a l'air équilibré. Il est chanteur, comme son père et sa mère.
Photo c : Chiara est la fille d'une actrice de cinéma célèbre dans le monde entier. Elle a les cheveux blonds et longs. Elle a une allure distinguée comme sa mère. Son père, un célèbre acteur italien, est décédé en 1996.
b) **Retrouvez le nom complet des trois personnes et le nom de leurs parents.**
Photo a : elle s'appelle ... ; c'est la fille de ... et de ... .
Photo b : il s'appelle ... ; c'est le fils de ... et de ... .
Photo c : elle s'appelle ... ; c'est la fille de ... et de ... .
c) **Dans quel texte trouvez-vous des informations sur les éléments suivants ?**
la taille – les cheveux – la silhouette – les yeux – l'apparence – la profession de la personne – la profession des parents

Point **Langue**

› DÉCRIRE PHYSIQUEMENT UNE PERSONNE

À l'aide des textes de l'activité 12, complétez les descriptions.

L'apparence générale
Il/Elle a l'air gentil, fatigué, malade...
Il/Elle a une allure sportive...

La taille
Il/Elle est petit(e), de taille moyenne...

La silhouette
Il/Elle est gros(se), fort(e), maigre...

Les yeux
Il/Elle a les yeux noirs, bleus, verts...

Les cheveux
Il/Elle est brun(e), roux/rousse...
Il/Elle a les cheveux ┌ *bruns, châtains, roux...*
│ *mi-longs, courts...*
└ *bouclés, frisés...*

Attention !
Il est brun/blond. → couleur des cheveux.
Il est blanc/noir. → couleur de la peau.

AIDE-MÉMOIRE

- **Présenter quelqu'un**
C'est Charlotte.
C'est la fille de…

- **Décrire quelqu'un**
Elle est grande.
Il est blond.

S'EXERCER nº 4 ➡

13

David, Charlotte et Chiara ont un demi-frère ou une demi-sœur, célèbre comme eux. Observez les photos et complétez les familles : qui est le demi-frère ou la demi-sœur de qui ? Pour vous aider, écoutez les précisions suivantes.

Lou Doillon.   Christian Vadim.   Laura Smet.

14

Par deux, choisissez une des trois personnes ci-dessus et présentez-la dans un magazine.
Donnez des précisions sur sa famille. Décrivez-la physiquement.

15

Est-ce qu'il y a aussi dans votre pays des familles de célébrités ? Lesquelles ?

› Évoquer des faits passés

1. Complétez ces titres de presse avec les verbes pronominaux suivants conjugués au passé composé : *se connaître – se revoir – se séparer – se déshabiller – se fiancer – se marier*. (Plusieurs réponses sont parfois possibles.)

a. Vanessa et le prince Henri ... après un an de séparation

b. *Gina Lopez ... avec un riche producteur de cinéma le 15 avril*

c. Scandale à l'hôtel Hilton : Déborah Moore ... en public !

d. NICOLAS KILMAN ET TONIA CROZE ... APRÈS DEUX ANS DE MARIAGE

e. **Eleonore Martins ... avec un industriel AMÉRICAIN**

f. **Arthur et Estelle ... pendant un concert de rock**

2. Dites dans quel ordre vous avez fait les actions suivantes, hier.
Exemple : D'abord, je me suis réveillée à 7 heures, puis je...

se doucher – s'habiller – s'endormir – se déshabiller – se laver les dents – se raser/se maquiller – se réveiller – se coucher – se coiffer – se lever

3. Complétez avec les verbes suivants à la forme négative : *se déshabiller – se maquiller – se voir – se réveiller – se raser*.
a. Je suis en retard, je ... ce matin.
b. Elle est moins jolie aujourd'hui ! Elle ... .
c. Aïe, tu piques ! Tu ... ce matin !
d. Vous ne pouvez pas aller au lit, vous ... !
e. Ils se téléphonent parce qu'ils ... depuis la semaine dernière.

› Décrire physiquement une personne

4. Complétez avec *c'est, il est, elle est, il a, elle a*. Puis dessinez un des personnages et montrez-le à votre voisin(e) qui doit identifier la personne.
a. ... un homme de quarante ans environ. ... grand et ... une allure sportive.
b. ... petite et blonde, ... frisée et ... les yeux bleus.
c. ... un petit garçon, ... un pantalon court et un tee-shirt. ... les cheveux courts et frisés. ... l'air intelligent.
d. ... petit et assez fort. ... le crâne rasé. ... l'air fatigué.
e. ... une actrice célèbre. ... rousse, ... les cheveux longs et bouclés.

Carnet de voyage...

Le(s) plus grand(s) Français de tous les temps

1.

Connaissez-vous des personnalités françaises?

Par groupes, faites une liste des personnalités françaises que vous connaissez, dans des domaines différents (cinéma, politique...) et des époques différentes.

Quelle équipe a la liste la plus longue?

2.

En avril 2005, une émission de télévision a demandé aux Français de choisir «le plus grand Français de tous les temps».

Observez cette page du site France 2 et prenez connaissance du classement final des dix personnalités préférées des Français.

Est-ce que vous retrouvez dans ce classement des personnages de votre liste? Lesquels?

Le plus grand Français

http://programmes.france2.fr/leplusgrandfrancais/8709130-fr.php

france2.fr

NEWSLETTER

Contacter France 2 | Tout savoir sur France 2 ▸France 3 ▸France 4 ▸France 5 ▸RFO ▸France Télévisio

PROGRAMMES   Rechercher sur tout le web

Accueil ▸ Programmes ▸

LE PLUS GRAND FRANÇAIS DE TOUS LES TEMPS

LE PLUS GRAND FRANÇAIS DE TOUS LES TEMPS

Programmes
Jeunesse / KD2A
Séries & Fictions
Tous les Programmes
Tous les Animateurs
Forums
Info
Sport
Culture et Loisirs
Art/Expositions
Automobile
Cinéma

L'émission   **Lundi 4 avril, à partir de 20h55**

Le classement final

Vous avez été nombreux à voter pour élire le plus grand Français de tous les temps. Voici votre Top 10 !

1. Charles de Gaulle
2. Louis Pasteur
3. Abbé Pierre
4. Marie Curie
5. Coluche
6. Victor Hugo
7. Bourvil
8. Molière
9. Jacques Yves Cousteau
10. Edith Piaf

3.

En petits groupes, observez les photos de ces dix personnalités. Pouvez-vous identifier certaines personnalités?

a) Classez les personnalités en deux catégories: personnalités contemporaines/ personnalités du passé.

b) Cherchez dans quel domaine chaque personne est célèbre.

cinéma - littérature - aide humanitaire - chanson - politique - science - spectacle

4.

a) Lisez les biographies et associez-les aux noms des personnalités.

b) Associez avec la profession ou fonction de la personnalité. Choisissez dans la liste ci-dessous.

acteur et humoriste – militaire et homme d'État – scientifique – écrivain – prêtre fondateur d'Emmaüs – auteur de théâtre et comédien – officier de la marine et océanographe – acteur et chanteur

11	Marcel PAGNOL
12	Georges BRASSENS
13	FERNANDEL
14	Jean de LA FONTAINE
15	Jules VERNE
16	NAPOLÉON BONAPARTE
17	Louis de FUNÈS
18	Jean GABIN
19	Daniel BALAVOINE
20	Serge GAINSBOURG
21	Zinedine ZIDANE
22	CHARLEMAGNE
23	Lino VENTURA
24	François MITTERRAND
25	Gustave EIFFEL
26	Émile ZOLA
27	Sœur EMMANUELLE
28	Jean MOULIN
29	Charles AZNAVOUR
30	Yves MONTAND
31	Jeanne d'ARC
32	Général LECLERC
33	VOLTAIRE
34	Johnny HALLYDAY
35	Antoine de SAINT-EXUPÉRY
36	Claude FRANÇOIS
37	Professeur Christian CABROL
38	Jean-Paul BELMONDO
39	Jules FERRY
40	Louis LUMIÈRE
41	Michel PLATINI
42	Jacques CHIRAC
43	Charles TRENET
44	Georges POMPIDOU
45	Michel SARDOU
46	Simone SIGNORET
47	Haroun TAZIEFF
48	Jacques PRÉVERT
49	Éric TABARLY
50	Louis XIV

A - (vrai nom: Édith Gassion)
(Paris, 19/12/1915 – Plascassier 11/10/1963)
La vie en rose, l'Hymne à l'amour, Je ne regrette rien... Ses chansons ont marqué des générations dans le monde entier.
Interprète à la voix inoubliable, elle a fait connaître plusieurs artistes marquants du xxᵉ siècle.
Après une vie dramatique, elle est morte en pleine gloire, à l'âge de quarante-huit ans.

***

B - (Lille, 22/11/1890 –
Colombey-les-Deux-Églises, 9/11/1970)
Cet homme politique a marqué l'histoire de la France du xxᵉ siècle: il a joué un rôle fondamental pour la libération de son pays pendant la Seconde Guerre mondiale, et ensuite dans la vie politique française.
Il a été président de la République de 1959 à 1969.

***

C - (vrai nom: Michel Colucci),
(Paris, 28/10/1944 – Cannes, 19/06/1986)
Les sketches de ce comique provocateur restent dans la mémoire collective.
Il a eu beaucoup de succès également au cinéma dans des rôles comiques ou dramatiques.

***

D - (Saint-André-de-Cubzac, 11/06/1910 – Paris, 25/06/1997)
En 1954, il a commencé ses recherches océanographiques sur son bateau la *Calypso*.
Ses films sur le monde marin l'ont rendu célèbre.

***

E - (née Sklodowska)
(Varsovie, 7/11/1867 – Sancellemoz, 4/07/1934)
C'est une héroïne de la science, de la médecine et du féminisme.
Chercheuse pionnière, ses découvertes ont lancé la physique nucléaire et les premiers traitements de radiothérapie pour les cancers.

F - (Besançon, 26/02/1802 – Paris, 22/05/1885)
Poète, dramaturge, romancier, cet auteur a produit tous les genres de littérature.
Il a été député en 1848 et a exercé une grande influence dans la vie politique française.
Il a été élu en 1841 à l'Académie française.

***

G - (Dole, 27/12/1822 – Paris, 28/09/1895)
En 1858, il a inventé le procédé de la pasteurisation, pour conserver les aliments, en particulier les produits laitiers.
Il a inventé les premiers vaccins.

***

H - (vrai nom: Jean-Baptiste Poquelin)
(Paris, 15/01/1622 – Paris, 17/02/1673)
Grande figure du théâtre au temps de Louis XIV.
Il a écrit de très nombreuses pièces: *Le Bourgeois gentilhomme, Dom Juan...*
À l'âge de cinquante et un ans, il est mort sur scène pendant une représentation du *Malade imaginaire*.

***

I - (vrai nom: André Raimbourg)
(Prétot-Vicquemare, 27/07/1917 – Paris, 23/09/1970)
Après des débuts dans la chanson, il a connu le succès surtout avec ses sketches et films.
Il a joué avec Louis de Funès dans plusieurs films. Aujourd'hui, on peut retrouver ce comédien populaire grâce aux DVD.

***

J - (vrai nom: Henri Grouès)
(né à Lyon, 05/08/1912)
Pendant la Seconde Guerre mondiale, ce religieux a été résistant et a sauvé beaucoup de personnes.
Il a créé l'association Emmaüs en 1953, pour la défense et la promotion de la justice sociale.
Il est très âgé mais continue de militer, pour les immigrés sans-papiers ou les mal-logés, par exemple.

5.

Observez la liste ci-contre des personnalités sélectionnées par les Français pour le palmarès, de la onzième à la cinquantième position.
Retrouvez-vous des personnalités de votre liste de l'activité 1?
Un nouveau domaine apparaît: le sport. Pouvez-vous trouver dans la liste quelques célébrités sportives?

6.

Une émission identique au *Plus Grand Français de tous les temps* est organisée dans votre pays.
Faites la liste des dix personnalités qui peuvent arriver en tête du classement.
Présentez-les.
Dans votre liste, choisissez votre personnalité préférée et expliquez pourquoi.
Écrivez sa notice biographique.

Votre travail dans le dossier 5

1 Qu'est-ce que vous avez appris à faire dans ce dossier ? Cochez les propositions exactes.

- ☑ comprendre un faire-part
- ☐ décrire le caractère de quelqu'un
- ☐ donner des nouvelles de quelqu'un
- ☐ comprendre des données statistiques sur la famille
- ☐ annoncer un événement familial
- ☐ comprendre un programme de fête familiale
- ☐ décrire le physique de quelqu'un
- ☐ caractériser un lieu
- ☐ évoquer une action passée
- ☐ parler de sa ville

2 Quelles activités vous ont aidé(e) à apprendre ? Voici une liste de savoir-faire de communication. Notez en face de chaque savoir-faire le numéro de la leçon et de l'activité qui correspondent.

- comprendre une action passée — *L3, 2-3*
- parler de la famille — ....
- répondre au téléphone — ....
- raconter quelques événements de la vie d'une personne à l'écrit — ....
- comprendre quelqu'un qui donne de ses nouvelles — ....
- réagir à un événement familial — ....
- comprendre la description physique de personnes — ....
- comprendre un faire-part — ....
- situer une action dans le passé immédiat — ....
- comprendre des données statistiques — ....

Votre autoévaluation

1 Cochez d'abord les cases qui correspondent aux savoir-faire que vous êtes capable de réaliser maintenant et faites le test donné par votre professeur pour vérifier vos réponses.
Puis, reprenez votre fiche d'autoévaluation, confirmez vos réponses et notez la date de votre réussite. Cette date vous permet de voir votre progression au cours du livre.

JE PEUX	ACQUIS	PRESQUE ACQUIS	DATE DE LA RÉUSSITE
comprendre un message informatique	☐	☐	....
comprendre quelqu'un qui parle de sa santé	☐	☐	....
comprendre un article sur un événement familial	☐	☐	....
me décrire physiquement à l'écrit	☐	☐	....
donner des informations sur mon arrivée	☐	☐	....
parler de mes relations avec ma famille	☐	☐	....

2 Après le test, demandez à votre professeur ce que vous pouvez faire pour améliorer les activités pas encore acquises.

- ☐ exercices de compréhension orale
- ☐ exercices de compréhension écrite
- ☐ exercices de production orale
- ☐ exercices de production écrite
- ☐ exercices de grammaire
- ☐ exercices de vocabulaire
- ☐ exercices de phonétique
- ☐ autres (vidéo...)

DOSSIER **6**

Voyages, voyages

DELF

A1 > A2

PARLER DE SES SENSATIONS

– Agnès Ruhlman, parlons de vos souvenirs. J'ai quelques questions pour vous. Quelle est votre saison préférée ?

– L'automne !

– L'automne... Pourquoi aimez-vous cette saison ?

– Tout d'abord, parce que je suis née dans un pays tropical. J'ai connu les couleurs de l'automne à l'âge de douze ans seulement, au Canada. Et là... quel émerveillement, les feuilles jaunes, orange, rouges ! Puis... la lumière dorée... elle est magnifique, en automne !

– Dans les souvenirs d'automne, justement... une odeur ?

– Ah oui ! Bien sûr. L'odeur du feu de bois dans la cheminée, quand il commence à faire froid.

– Un bruit ?

– Le vent qui souffle très fort.

– Une émotion ?

– La joie de voir la neige pour la première fois.

– Une sensation ?

– Le froid aux mains.

– Une chose à boire ou à manger ?

– Un bon chocolat chaud au goûter de quatre heures.

– Une image ?

– C'est la fin de l'automne. Il fait très beau et très froid. Le ciel est bleu, le soleil brille, je construis mon premier bonhomme de neige dans le jardin et je suis... heureuse !

– Agnès Ruhlman, je vous remercie.

CINÉ *mag*

Les Quatre Saisons, dernier film d'Agnès Ruhlman, sort cette semaine. Un homme âgé se souvient de trois moments de sa vie, à trois saisons différentes : printemps, été, automne.

Les 4 Saisons

Un film d'Agnès Ruhlman

page 4

Quand le film commence, c'est l'hiver ; l'homme vient de perdre sa femme et il se souvient… C'est un film plein de finesse, la réalisatrice a voulu respecter le souvenir tel qu'on le vit : en images, en sensations, en odeurs.

1

a) Écoutez et associez les sons aux images.

b) Associez les sons et les images aux quatre saisons : l'automne, l'hiver, le printemps, l'été.

c) Dites si ces saisons existent dans votre pays, et à quels bruits vous les associez.

2

Lisez l'article et donnez-lui un titre. Justifiez votre réponse.

3

Écoutez l'interview et répondez.
1. Qui parle ? 2. De quoi ?

la pluie

les jeux dans la piscine

les pas dans la neige

le feu de cheminée

les pas dans la forêt

le chant des oiseaux

l'orage

4 🎧

Voici les notes du journaliste pour préparer l'interview.
Réécoutez l'enregistrement et repérez les informations
demandées à Agnès Ruhlman.

Saison préférée ?

Pourquoi ?

En relation avec la saison → une image ?

une odeur ? un bruit ? une chose à boire,

à manger ? un objet ? un jour spécial ?

un animal ? une émotion ? une sensation ?

un plaisir ?

5 🎧

a) **Réécoutez l'interview. Vous êtes le journaliste. Notez
l'essentiel des réponses d'Agnès Ruhlman pendant l'interview.**
b) **Associez chaque réponse à un des cinq sens.**

la vue	l'ouïe	l'odorat	le goût	le toucher

*Exemple : J'ai connu les couleurs de l'automne à l'âge de
douze ans seulement, au Canada. Et là... quel émerveillement,
les feuilles jaunes, orange, rouges ! Puis... la lumière dorée...
elle est magnifique, en automne ! → la vue*

6 PHONÉTIQUE

a) **Fermez les yeux et écoutez.**
b) **Réécoutez et associez les sons aux dessins.**
c) **C'est le printemps. Imaginez les bruits que vous
entendez et associez-les à des consonnes.**

Exprimer des sentiments

Sentiments	Noms	Verbes
être heureux/heureuse	le bonheur	sourire, rire
être joyeux/joyeuse	la joie	
être malheureux/malheureuse	le malheur	pleurer
être triste	la tristesse	

7 🗣

**Échangez : Comme dans l'interview, questionnez votre
voisin(e) sur sa saison préférée et les sensations
correspondantes.**
Comme le journaliste, préparez vos questions.

Point **Langue**

> **PARLER DES SENSATIONS ET DES PERCEPTIONS**
Complétez le tableau avec les mots suivants.

une image – un goût – une odeur – un son – un bruit –
un parfum – une voix, une musique – regarder – voir –
sentir – entendre – écouter – goûter

Les cinq sens	Noms	Verbes
la vue	*une image*	*regarder, voir*
l'ouïe	...	...
l'odorat	...	...
le toucher	...	...
le goût	...	...

S'EXERCER nº 1 →

a.   b.   c.   d.   e.   f.   g.   h.   i.   j.

BZZZZ

PARLER DU CLIMAT

Le climat à Montréal

En été

En juin, il commence à faire chaud.
En juillet et jusqu'à la mi-août, il fait très chaud.
Le temps commence à se rafraîchir vers
le 15 août. Pendant l'été, les climatiseurs
sont nécessaires.

En automne

En septembre, les journées sont
chaudes mais les nuits fraîches.
Début octobre, il fait frais ou très frais.
En novembre, les températures sont
assez froides ; il commence à geler.

En hiver

En décembre, janvier et février, il fait très froid,
avec de superbes journées ensoleillées.
C'est la saison du ski, des randonnées
à motoneige ou des courses en raquettes.
Mais, depuis quelques années, au sud du Québec,
la neige n'est plus systématique : les hivers
deviennent progressivement plus doux.

Au printemps

En mars et avril, il commence à faire plus doux.
En mai, il fait souvent chaud pendant la journée,
mais les nuits restent fraîches.

MONTRÉAL

8

a) Lisez le texte et dites de quoi il parle.

b) Relisez le texte et dessinez la courbe des températures.

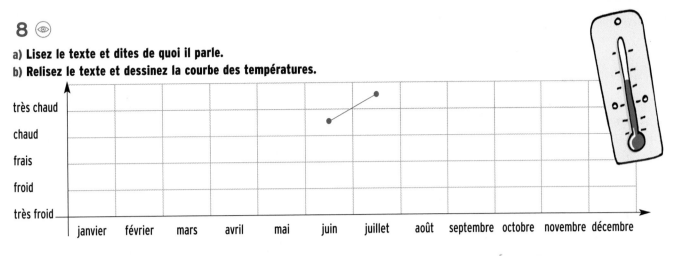

9

À quelles saisons associez-vous les phénomènes météorologiques suivants ?

la pluie	le ciel bleu	le soleil	l'orage	la canicule
le vent	le ciel gris	la neige	le gel	le brouillard

10

Imaginez ! Vous devez rédiger la rubrique « Climat » pour le site Internet de l'office du tourisme de votre région ou de votre pays.

Avant d'écrire la rubrique, échangez en petits groupes sur les informations importantes à communiquer : les saisons sont-elles très marquées ? Quelles sont les températures moyennes en été et en hiver ? Y a-t-il des périodes de pluie ? Quelle saison conseillez-vous pour visiter votre pays, et pourquoi ?

AIDE-MÉMOIRE

- **Dire le temps qu'il fait, parler du climat**
  Il pleut.
  Il neige.
  Il fait beau./Il y a du soleil.
  Il fait mauvais./Il y a des nuages.
  Il fait 0 °C : il fait froid.
  Il fait 13 °C : il fait frais.
  Il fait 18 °C : il fait doux.
  Il fait 28 °C : il fait chaud.
  Il y a du vent.
  Le ciel est bleu/dégagé.
  Le ciel est gris/couvert.

- **Situer dans l'année**
  la saison : au printemps, en été, en automne, en hiver, pendant l'été
  le mois : en juillet, en août…
  la période du mois : début octobre, (à la) mi-août, (à la) fin novembre
  la date : le 15 août.

  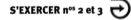

  S'EXERCER n°s 2 et 3

> ## Parler des sensations et des perceptions

1. Complétez en utilisant les verbes suivants : *voir – sentir – entendre – écouter – regarder*.

a. Tu … la télé depuis cinq heures !

b. Qui a fumé ici ? Je … une odeur de cigarette.

c. J'aime bien qu'on … quand je parle !

d. Le printemps est revenu : on … les petits oiseaux chanter.

e. Ferme la porte : je … l'air froid !

f. Je ne … pas mon sac. Où est-il ?

> ## Dire le temps qu'il fait

2. Complétez avec des expressions météorologiques comme *il fait…, il pleut, il y a, le ciel est couvert…* (Plusieurs réponses sont possibles.)

a. Regarde, c'est tout blanc !

b. Ah ! Mon chapeau !

c. Prends ton parapluie !

d. Attention, si vous sortez la nuit, prenez un pull.

e. On ne voit pas les montagnes aujourd'hui.

f. Oh ! là, là ! Le thermomètre est en dessous de zéro !

g. Regarde ce beau ciel bleu !

> ## Situer dans l'année

3. Répondez aux questions.

Vous êtes né(e) quand ? En quelle saison ? Quel mois ? À quel moment du mois ?

Quand travaillez-vous et quand êtes-vous en vacances ?

SITUER UN LIEU

VOYAGES, VOYAGES

DOSSIER 6

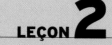

La France des 3 océans

...des petits bouts de France éparpillés à travers l'océan Atlantique, l'océan Indien et le Pacifique Sud...

Maison de la FRANCE
Club Outre-Mers

Océan Atlantique

Océan Pacifique

Océan Pacifique

Océan Indien

| Tahiti et ses îles | Saint-Martin Saint-Barthélemy | Les îles de Guadeloupe | Martinique | Guyane | Mayotte | La Réunion | Nouvelle-Calédonie |

1

a) Lisez et observez cette page extraite d'une brochure touristique.
Comment expliquez-vous le titre *La France des trois océans*?
b) Pour confirmer vos hypothèses, lisez le Point culture.

2

Observez la carte et localisez les DOM et les TOM.

La France des trois **océans**

3 👁

Lisez ces fiches préparées pour le jeu télévisé *Questions pour un voyage* et trouvez de quel DOM-TOM on parle.

Questions pour un  *Voyage*

Ce territoire d'outre-mer se trouve dans le Pacifique Sud, à l'est de l'Australie et au nord de la Nouvelle-Zélande. Cet archipel baigne dans un immense lagon vert. Sa capitale est Nouméa.

Questions pour un  *Voyage*

Cette île est située dans l'océan Indien, à 800 km à l'est de Madagascar. C'est une île volcanique, avec des paysages magnifiques.

Questions pour un *Voyage*

Situé dans les Caraïbes, ce DOM est composé de deux îles principales : Grande-Terre et Basse-Terre. Sa capitale est Pointe-à-Pitre.

Questions pour un *Voyage*

Cette île se trouve au centre du Pacifique Sud, en Polynésie française. Sa beauté a fasciné le peintre Gauguin.

AIDE-MÉMOIRE

- **Situer un lieu**
  Cette île **est située** à 800 km de Madagascar.
  Ce territoire d'outre-mer **se trouve** dans le Pacifique Sud.
- **Les points cardinaux**
  au nord de, à l'est de, au sud de, à l'ouest de

4 🔊

a) Écoutez le jeu en direct et notez les noms des DOM-TOM cités par les candidats.
b) Réécoutez les questions et dites quelles informations sont données sur ces lieux.

Point **Langue**

› SITUER UN LIEU

Relisez les fiches et complétez les phrases avec les expressions suivantes.
dans – au sud de – au centre de – à l'est de – à 800 km de

*La Guyane est située **entre** le Surinam et le Brésil.*
*Saint-Pierre-et-Miquelon se trouve **près de** la côte de Terre-Neuve.*
La Nouvelle-Calédonie se trouve … l'Australie et … la Nouvelle-Zélande.
Tahiti se trouve … Pacifique Sud.
La Réunion se trouve … Madagascar, … l'océan Indien.

S'EXERCER n° 1 ➡

5 PHONÉTIQUE

a) **Combien de fois entendez-vous le son [ɔ] ? Écoutez et répondez.**
b) **Lisez, écoutez les mots suivants et répondez.**
1. La poste – le sport – elle est bonne.
Entendez-vous une consonne après [ɔ] ?
2. Le métro – l'eau – il fait chaud.
Entendez-vous une consonne après [o] ?
c) **Réécoutez et répétez.**

6 👁

Jouez à *Questions pour un voyage.*
En groupe, préparez trois questions de géographie : vous donnez des indications sur la localisation géographique d'un pays, avec éventuellement un indice (la capitale, une caractéristique, une célébrité…). Chaque groupe pose ses questions. Quel est le groupe champion en géographie ?

POINT CULTURE

Les DOM-TOM*

A. Lisez le texte suivant.

La France, c'est l'Hexagone, mais c'est aussi la métropole, pour les habitants de la Martinique, de la Guyane française, de la Réunion… La France, c'est ce pays que vous situez bien, mais aussi ces lointains départements/régions et territoires d'outre-mer : les DOM et les TOM. Les DOM sont au nombre de quatre : la Guadeloupe, la Guyane, la Martinique et la Réunion. Les TOM (comme la Nouvelle-Calédonie ou la Polynésie française) ont un statut particulier, plus indépendant. Dans les DOM-TOM, la langue officielle est le français mais on parle aussi d'autres langues, comme le créole.

---
* Depuis 2003, les DOM sont nommés ROM (régions d'outre-mer), les TOM sont nommés collectivités d'outre-mer. Ce sont les appellations officielles mais les Français disent encore DOM-TOM.

B. Trouvez dans le texte :
- la signification de DOM et de TOM ;
- les noms utilisés pour désigner la France.

CARACTÉRISER UN LIEU

Dans l'océan Indien, cette petite terre française
offre une grande diversité :
on y retrouve les influences de l'Europe,
de l'Afrique, de Madagascar, de l'Inde et de la Chine…
On y parle français bien sûr, mais aussi le créole.
C'est une belle île, montagneuse et volcanique,
la nature y est exubérante.
C'est le paradis des sportifs : beaucoup de personnes
y vont pour faire de la randonnée et pratiquer
des sports aquatiques. On l'appelle l'île intense…

7 ◉

a) Lisez cet extrait d'une brochure touristique et dites de quel département d'outre-mer il s'agit.

b) Relisez le texte et répondez.

1. Quelles informations sont des points positifs pour attirer les touristes ?
2. Est-ce que cela vous donne envie d'aller visiter cette île ?

AIDE-MÉMOIRE

Caractériser un lieu
Cette petite terre française offre la diversité d'un continent.
C'est une île montagneuse et volcanique.
C'est le paradis des sportifs.
La nature y est exubérante.
On l'appelle l'île intense.

Point **Langue**

> **LA PLACE DES ADJECTIFS
pour caractériser un lieu**
a) Relisez l'extrait de la brochure et répondez.
Justifiez avec des exemples.
Les adjectifs qualificatifs sont :
□ toujours après le nom.
□ toujours avant le nom.
□ avant ou après le nom.

> **LE PRONOM Y**
b) Lisez les phrases suivantes et complétez.
On y parle français.
La nature y est exubérante.
Beaucoup de personnes y vont pour faire de la randonnée.
Le pronom *y* remplace…

S'EXERCER n⁰ˢ 2 et 3 ⟶

8 👁

Lisez cet autre extrait de la brochure et donnez un sous-titre au texte.

L'île intense

La Réunion c'est l'île de tous les sports. Tranquilles ou extrêmes, les sports pratiqués sur l'île sont très variés. Pour les amateurs de loisirs en pleine nature, la Réunion propose des activités sur terre, dans les airs et dans l'eau.

9 👁

Voici la suite du texte. Complétez-le avec les extraits suivants.

a. Pour bien choisir votre itinéraire, contactez la Maison de la montagne.

b. Les itinéraires sont variés, les degrés de difficulté aussi.

c. À la Réunion, l'eau est une invitation permanente : les rivières, les cascades, l'océan Indien…

d. Tous les types de randonnées sont possibles : à pied, à cheval, en VTT, en 4x4.

e. Découvrir la Réunion en hélicoptère, c'est inoubliable !

f. Les activités sont très variées : surf, voile, ski nautique, plongée sous-marine, canyoning, kayak…

g. La Réunion est le paradis des randonneurs.

En quelques minutes, vous êtes au centre de l'île. Vue du ciel, la Réunion offre des paysages magnifiques et contrastés.
Dans l'eau : …
Sur terre : …
Dans les airs : …

10 👂

Écoutez les commentaires des touristes et répondez.

1. Quelle option de la brochure ont-ils choisie ?
2. Quel aspect de l'île les touristes remarquent-ils particulièrement ?

S'EXERCER n° 4 S'EXERCER n° 4

11 ✎

En petits groupes, choisissez un endroit (ville, région, pays…) que vous aimez et connaissez bien. Écrivez une page de brochure touristique pour présenter cet endroit.

Leçon 2 — DOSSIER 6

S'EXERCER

> Situer un lieu

1. À l'aide d'une carte du monde, situez les lieux ci-dessous en utilisant les expressions suivantes.

dans – à l'est de – à l'ouest de – au sud de – au nord de – près de – à … km de – entre … et

*Exemple : La Corse se trouve **au sud de** la France dans la Méditerranée, **près de** l'Italie.*

a. l'Australie
b. la Suisse
c. le Groenland
d. le détroit de Gibraltar
e. la Sicile
f. la mer Noire
g. Madagascar
h. l'Islande
i. Cuba
j. l'Irlande

> Caractériser un lieu

2. Complétez avec un adjectif de la liste suivante. Attention à la place de l'adjectif !

grand – fleuri – bruyant – peuplé – calme – petit – vert – beau – ancien – tropical – moderne – désertique

Exemple : Dans cette ville il y a beaucoup de parcs. → C'est une ville verte.

a. Dans cette région, il n'y a pas d'eau et il fait très chaud. C'est une…
b. Dans ce pays, il y a 200 millions d'habitants. C'est un…
c. Dans ce quartier, il y a beaucoup de bruit. C'est un…
d. Dans cette région, il n'y a pas de circulation ni d'animation. C'est une…
e. Dans ce jardin, il y a beaucoup de fleurs. C'est un…
f. Dans ce village, il y a seulement 120 habitants. C'est un…
g. Dans cette ville, il y a des bâtiments et des monuments historiques. C'est une…
h. Dans cette ville il y a beaucoup de tours. C'est une…
i. Cette région se trouve sous les tropiques. C'est une…
j. Cette île a la dimension d'un continent. C'est une…
k. Cette région est un paradis pour les touristes. C'est une…

> Le pronom y

3. Imaginez de quel lieu on parle. (Plusieurs réponses sont parfois possibles.)

a. On y prend des bains de soleil.
b. Il y fait très froid.
c. Il y fait très chaud.
d. Les gens y vivent heureux.
e. Les poissons y vivent.
f. On y pratique l'escalade.
g. Les avions y circulent.
h. On y parle espagnol.

> Les activités de plein air

4. Associez les sports à leur élément et complétez la liste avec d'autres sports.

la randonnée – la plongée – la voile – le vol en hélicoptère – le surf – le VTT – l'équitation – le ski nautique

a. sur terre
b. dans les airs
c. dans l'eau

Bruxelles,
COMPRENDRE UN PROGRAMME DE VISITE

VOYAGES, VOYAGES

DOSSIER 6

Dialogue 1
– *Allô! Oui?*
– *Salut Antoine,*
  tu es où?
– *À Bruxelles, pour le week-end.*
– *Super! Et qu'est-ce que tu fais?*
– *Écoute, je suis sur la terrasse*
  d'un café, sur la Grand-Place,
  et je suis en train de déguster
  une excellente bière belge!
– *Bon, profite bien de ton week-*
  end, et je te rappelle lundi.
– *Salut, à lundi!*

Dialogue 2
– *Allô!*
– *Sonia? C'est Hélène.*
– *Ah! Bonjour, Hélène!*
– *Alors, tout se passe bien?*
– *Oui, c'est vraiment génial!*
  Moi, je me promène dans les
  petites rues du centre et les
  enfants, eux, ils sont en train
  de visiter le musée de la BD.
– *Eh bien, je vous embrasse tous,*
  et à mardi!
– *À mardi, d'accord! Et je*
  n'oublierai pas de te rapporter
  une boîte de chocolats belges.
– *C'est très gentil, merci!*

Tourisme

Week-end à...

À 1 h 30 seulement de Paris par le Thalys, cette capitale est la destination idéale pour vos week-ends.

À VOIR ABSOLUMENT:

Le centre-ville avec sa célèbre Grand-Place. Vous y admirerez les belles façades des maisons datant du XVIe siècle. Vous aimerez vous promener dans les petites rues autour de la place. Vous rencontrerez certainement un petit garçon en train de faire pipi: c'est le Manneken-Pis. Cette fontaine originale est devenue un des symboles de la ville. Vous aurez aussi la possibilité de faire des courses dans les élégantes galeries Saint-Hubert.

Bruxelles compte de nombreux musées. Vous irez voir en priorité les musées royaux des Beaux-Arts où sont exposées des œuvres de Bruegel, Rubens, Magritte et bien d'autres peintres anciens et modernes. Les fans de bande dessinée, eux, visiteront le Centre belge de la BD.

Une promenade dans le quartier des institutions européennes permettra aux visiteurs de découvrir le Parlement, bâtiment très moderne. Non loin de là, vous pourrez visiter le musée du Cinquantenaire.

Les amateurs de voitures anciennes se dirigeront ensuite vers Autoworld, un musée voisin.

En soirée, vous dînerez dans le restaurant panoramique de l'Atomium. Ce curieux monument, construit pour l'Exposition universelle de 1958, représente une molécule avec ses neuf atomes. C'est aussi un lieu d'expositions sur la santé, la technologie et les découvertes scientifiques.

2.
1.
3.
4.
5.
6.
7.

cœur de l'Europe

1 👁

Observez les sept photos d'une ville européenne francophone. Choisissez le titre de la page.
☐ Week-end à Genève.
☐ Week-end à Strasbourg.
☐ Week-end à Bruxelles.

2 👁

Lisez l'article et répondez.
L'objectif principal de l'article est de :
☐ raconter l'histoire de la ville ;
☐ accueillir des nouveaux habitants ;
☐ proposer des idées de visite.

3 👁

Repérez chaque lieu cité et associez-le à la photo correspondante.

4 👁

Les personnes suivantes s'informent à l'office du tourisme de la ville. Quelles visites peut-on conseiller à chacun ?
un architecte – un scientifique – un adolescent – un étudiant des beaux-arts – un diplomate

5 👄

Échangez : Quels lieux avez-vous envie de visiter dans cette ville ? Pourquoi ?

6 🎧

Écoutez les deux conversations téléphoniques et répondez.
1. Où se trouvent exactement Antoine et Sonia ?
2. Quelles sont leurs activités ?
3. Deux spécialités belges sont citées. Lesquelles ?

Point **Langue**

> **LE PRÉSENT CONTINU pour parler de l'action en cours**

Complétez à partir du dialogue.
Je ... une excellente bière belge.
Les enfants ... le musée de la BD.
sujet + ... + verbe infinitif

S'EXERCER n° 2

7 👄

a) Jouez la scène à deux.
Vous êtes touriste à Bruxelles ou dans une ville de votre choix. Un(e) ami(e) vous appelle sur votre téléphone portable. Vous expliquez où vous êtes dans la ville et ce que vous êtes en train de faire.

b) Jouez la scène par petits groupes.
Vous travaillez à l'office du tourisme de votre ville. Des touristes très différents viennent vous demander des idées de visite ou de promenade.

8 ✏

Imaginez ! Vous écrivez un article pour la rubrique « Week-end à... » d'un magazine de tourisme. Choisissez une ville puis rédigez un programme de visite.

Point **Langue**

> **LE FUTUR SIMPLE pour annoncer un programme de visite**

a) Pour expliquer le programme des visites, le journaliste utilise le futur simple. Trouvez plusieurs exemples dans le texte.

b) Complétez ces formes du futur simple avec la terminaison correcte.
Vous admirer... les belles façades.
Vous aimer... vous promener.
Une promenade permettr... de découvrir le Parlement.
Ils se diriger... vers le musée.

c) Complétez.
– Les terminaisons du futur sont : *ai – as – a – ... – ... – ...* .
– Pour les verbes à l'infinitif en *-er* et *-ir*, la base pour le futur est ... .
– Pour les verbes à infinitif en *-re*, on supprime le ... de l'infinitif pour trouver la base du futur.
– Quelques verbes irréguliers

avoir ➔ *vous ...*   aller ➔ *vous ...*   pouvoir ➔ *vous ...*

S'EXERCER n° 1 ➡

ÉCRIRE UNE LETTRE DE VACANCES

9 👁

Lisez la lettre et répondez.

1. Qui écrit ? À qui ? Quand ? Où ? Quelle est la relation entre les personnes ?
2. Dans quel ordre les éléments suivants apparaissent-ils ?
   la météo – la ville – le retour des vacances – les activités – les habitants de la ville

10 👁

Relisez la lettre et choisissez quelles photos du week-end Marianne va montrer à Véronique à son retour.

a.

b.

Bruxelles, le 15 juin.

Ma chère Véronique,

Je suis sous le charme de cette ville !

Les gens sont très chaleureux ; ici, on aime discuter pendant des heures autour d'une bonne gueuze[1].

Hier, on a loué des vélos avec des amis et on a fait un tour de la ville à la découverte des peintures murales. Elles représentent des personnages de BD ; c'est très amusant d'essayer de les identifier !

Que te dire encore ? Aujourd'hui, il pleut, alors on va visiter les musées royaux des Beaux-Arts et, ce soir, moules-frites ! On nous a conseillé un bon resto dans le centre.

Demain on va chiner[2] place du Jeu de balle, c'est dans le quartier des Marolles. J'espère trouver l'objet rare... et pas cher !

Je te montrerai les photos à mon retour.

Bises

Marianne

1. *Une gueuze :* un type de bière belge.
2. *Chiner :* chercher des objets anciens, chez un antiquaire ou dans un marché à la brocante.

c.

d.

e.

f.

Point **Langue**

> **LE PRONOM** *ON*

Observez les phrases
suivantes et dites quelle est
la signification de *on* dans
chaque phrase : *nous*,
quelqu'un ou *les gens* ?

*Ici, on aime discuter pendant
des heures.*

➔ *On = ...*

Hier, on a loué des vélos.

➔ *On = ...*

On nous a conseillé un bon resto.

➔ *On = ...*

S'EXERCER n° 3 ➔

11 PHONÉTIQUE

a) [o] ou [ɔ̃] ? Écoutez et répondez.

b) Combien de fois entendez-vous
le son [ɔ̃] ? Écoutez et répondez.

c) Réécoutez les phrases et répétez.

12

Aidez Marianne à identifier quelques
personnages de BD représentés
sur les peintures murales.
Le Chat – Lucky Luke – Boule et Bill

S'EXERCER n° 4 ➔

a.

b.

c.

---

13 ✎

Pensez à une ville que vous
connaissez et que vous aimez.
Écrivez une lettre à un(e) ami(e),
sur le modèle de la lettre de Marianne.

Leçon 3 – DOSSIER 6

S'EXERCER

> **Annoncer un programme
de visite**

**1. Mettez les verbes entre parenthèses
au futur simple.**

« Je n'oublierai jamais ! »
C'est ce que vous (dire)
après une visite à l'Atomium.
Vous (avoir) la possibilité
d'entrer dans six des neuf
boules de l'édifice.
Des ascenseurs (permettre)
à tous de circuler facilement.
Vous (découvrir) diverses
expositions sur la médecine
et les technologies modernes.
Toute la famille (pouvoir)
dîner dans un restaurant
panoramique situé dans
la sphère supérieure.
De là-haut, vous (admirer)
les lumières de la ville
de Bruxelles… et vous
(redescendre) enchantés !

> **Parler de l'action en cours**

**2. Imaginez ce que la personne est en
train de faire et complétez, comme
dans l'exemple.**

Exemple : Tu as un portable à l'oreille.
➔ *Tu es en train de téléphoner.*

a. Il est au musée des Beaux-Arts, il…

b. Ils sont dans un restaurant du
centre, ils…

c. Vous êtes au cinéma, vous…

d. Je suis au Festival international de
musique classique, je…

e. Nous sommes dans une librairie,
nous…

f. On est dans notre chambre, on…

> **Le pronom** *on*

**3. Transformez le texte en utilisant le
pronom** *on* **quand c'est possible.**

Nous partons une semaine à Bruxelles :
nos amis Farida et Maxime nous
reçoivent chez eux ; ils sont vraiment
sympathiques ! Quelqu'un m'a dit qu'il
y a beaucoup de fêtes et festivals en
Belgique : nous allons vraiment nous
amuser ! Et puis, là-bas, les gens
aiment discuter, rire ensemble.
Seul problème : il va pleuvoir ce week-
end, donc nous ne pourrons pas rester
dehors… Mais ça ne fait rien !
Nous irons visiter un ou deux musées :
en général, ils ouvrent jusqu'à
17 heures.

> **Parler des activités
culturelles**

**4. Associez les verbes aux noms.
(Plusieurs réponses sont parfois
possibles.)**

	un concert
	un opéra
assister à	une compétition
participer à	un musée
voir	un film
regarder	un défilé
écouter	un concours
visiter	une émission
aller voir	de télévision
aller écouter	une exposition
découvrir	une pièce
déguster	de théâtre
	une spécialité
	gastronomique

Carnet de voyage...
Parcours francophones

Tété
en tête à tête

Tout le monde sait que votre dernier album remporte un très grand succès. *À la faveur de l'automne* est le titre d'une chanson de cet album mais aussi le nom donné à l'album lui-même. Pourquoi ce titre ?

> *J'ai composé toutes les chansons de mon album pendant un séjour à Montréal en octobre dernier. Vous savez, en octobre là-bas, l'atmosphère est très particulière : c'est la fin des beaux jours et on ressent une certaine nostalgie. C'est ce sentiment qui s'exprime dans toutes mes chansons, et particulièrement dans la chanson qui a donné son titre à l'album.*

Et puis, dans cette chanson, vous évoquez un sentiment amoureux plein de nostalgie lui aussi…

> *Tout à fait. C'est une histoire d'amour qui se termine en même temps que s'achèvent les beaux jours…. et c'est du vécu !*

Naissance : Dakar (Sénégal), mère antillaise et père sénégalais.

Études : En France à l'université de Nancy.

Albums : Premier album : *L'air de rien*, sorti en 2000.
Deuxième album : *À la faveur de l'automne*, sorti le 27 octobre 2003.

Goûts musicaux : La soul, le reggae.

Lieux de résidence : Paris et Montréal.

Célibataire

1.
Lisez l'article sur le chanteur Tété et dites pourquoi il peut symboliser la francophonie.

2.
Relisez l'interview du chanteur et trouvez le thème principal abordé par le journaliste.

3.
Relisez l'interview et dites quel sentiment domine dans la chanson.

4.

Écoutez la chanson de Robert Charlebois
sans lire les paroles. Soyez attentif à
la mélodie et à ce qui est répété plusieurs
fois, et répondez.
1. Vous avez entendu combien de parties?
2. De quel lieu parle-t-on dans la chanson?
3. De quelle période de l'année?

5.

Réécoutez la chanson.
a) Vrai ou faux? Écoutez et répondez.
1. Le narrateur (la personne qui parle dans
   la chanson) connaît la ville.
2. Il est dans la ville.
3. Il donne une idée négative de la ville.
4. Il a une saison préférée dans cette ville.
b) Le titre de la chanson est «Je
reviendrai à Montréal». À partir de vos
réponses précédentes, expliquez ce titre.

6.

Lisez les paroles de la chanson.
a) Faites la liste de tous les mots relatifs
à la saison et répondez.
Est-ce qu'on apprend beaucoup de choses sur
la ville? Quel est le thème principal de la
chanson?
b) Trouvez quels sont les sens (la vue, le
toucher, l'ouïe, l'odorat, le goût) évoqués,
et avec quels mots.
c) Relisez les paroles et répondez. Justifiez
votre réponse avec des extraits du texte.
Quel est le sentiment du narrateur pour la
ville?

7.

Retrouvez les images poétiques utilisées dans
la chanson (les métaphores): associez les
éléments des deux colonnes.

un lac	des bonbons
des glaçons	le désert
le vent	le cristal
des rues vides	des roses bleues et d'or
la neige	un grand cheval

8.

Rédigez un texte poétique.
Choisissez une saison et une ville
que vous aimez.
Faites une liste de mots que vous
associez à cette saison, puis
cherchez des images possibles pour
les caractéristiques principales
de cette saison dans la ville que
vous avez choisie.
Rédigez un court texte poétique
qui permet d'imaginer la ville à
la saison que vous avez choisie et
qui montre quelles sensations vous
ressentez.

Je reviendrai à Montréal

Je reviendrai à Montréal
Dans un grand Boeing bleu de mer
J'ai besoin de revoir l'hiver
Et ses aurores boréales

J'ai besoin de cette lumière
Descendue droit du Labrador
Et qui fait neiger sur l'hiver
Des roses bleues, des roses d'or

Dans le silence de l'hiver
Je veux revoir ce lac étrange
Entre le cristal et le verre
Où viennent se poser des anges

Je reviendrai à Montréal
Écouter le vent de la mer
Se briser comme un grand cheval
Sur les remparts blancs de l'hiver

Je veux revoir le long désert
Des rues qui n'en finissent pas
Qui vont jusqu'au bout de l'hiver
Sans qu'il y ait trace de pas

J'ai besoin de sentir le froid
Mourir au fond de chaque pierre
Et rejaillir au bord des toits
Comme des glaçons de bonbons clairs

Je reviendrai à Montréal
Dans un grand Boeing bleu de mer
Je reviendrai à Montréal
Me marier avec l'hiver
Me marier avec l'hiver

Votre travail dans le dossier 6

1 Qu'est-ce que vous avez appris à faire dans ce dossier ? Cochez les propositions exactes.

- ☑ comprendre des informations touristiques
- ☐ caractériser un lieu
- ☐ parler de la santé de quelqu'un
- ☐ comprendre quelqu'un qui parle de ses loisirs de plein air
- ☐ rédiger une lettre de félicitations
- ☐ parler des saisons
- ☐ exprimer des sensations
- ☐ commander un repas
- ☐ comprendre des informations de localisation
- ☐ parler de ses voyages

2 Quelles activités vous ont aidé(e) à apprendre ? Voici une liste de savoir-faire de communication. Notez en face de chaque savoir-faire le numéro de la leçon et de l'activité qui correspondent.

- prendre des notes *L1, 5*
- présenter le climat de sa ville ....
- parler de ses loisirs ....
- exprimer des sentiments/des sensations ....
- comprendre un extrait de guide touristique ....
- parler de sa saison préférée ....
- caractériser un lieu géographique ....
- comprendre un programme culturel ....
- exprimer ses impressions sur un lieu à l'écrit ....

Votre autoévaluation

1 Cochez d'abord les cases qui correspondent aux savoir-faire que vous êtes capable de réaliser maintenant et faites le test donné par votre professeur pour vérifier vos réponses. Puis, reprenez votre fiche d'autoévaluation, confirmez vos réponses et notez la date de votre réussite. Cette date vous permet de voir votre progression au cours du livre.

JE PEUX	ACQUIS	PRESQUE ACQUIS	DATE DE LA RÉUSSITE
comprendre une conversation téléphonique amicale	☐	☐	....
comprendre quelqu'un qui exprime des sensations	☐	☐	....
comprendre quelqu'un qui parle de sa ville	☐	☐	....
rédiger une carte postale sur mes activités de détente	☐	☐	....
donner des informations sur les gens, les lieux	☐	☐	....
parler du temps qu'il fait	☐	☐	....
parler de mes loisirs préférés	☐	☐	....

2 Après le test, demandez à votre professeur ce que vous pouvez faire pour améliorer les activités pas encore acquises.

- ☐ exercices de compréhension orale
- ☐ exercices de compréhension écrite
- ☐ exercices de production orale
- ☐ exercices de production écrite

- ☐ exercices de grammaire
- ☐ exercices de vocabulaire
- ☐ exercices de phonétique
- ☐ autres (vidéo...)

DOSSIER 7

C'est mon choix

LEÇON 1 LES GOÛTS ET LES COULEURS

> Indiquer ses goûts alimentaires
> Comprendre/Composer un menu
> Parler de sa consommation alimentaire

LEÇON 2 QUELLE ALLURE !

> Décrire une tenue
> Donner une appréciation positive/négative
> Donner des conseils vestimentaires

LEÇON 3 DES CADEAUX POUR TOUS

> Choisir un cadeau
> Caractériser un objet

CARNET DE VOYAGE

> Philippe Starck, grand nom du design
> Les couleurs

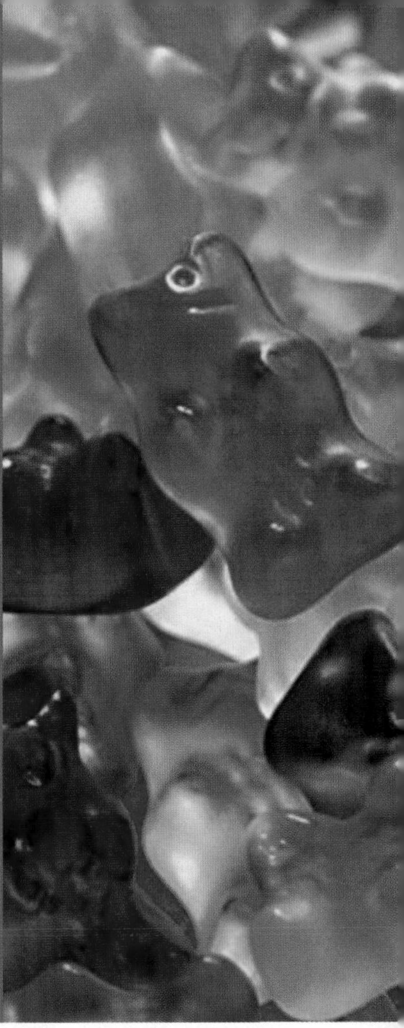

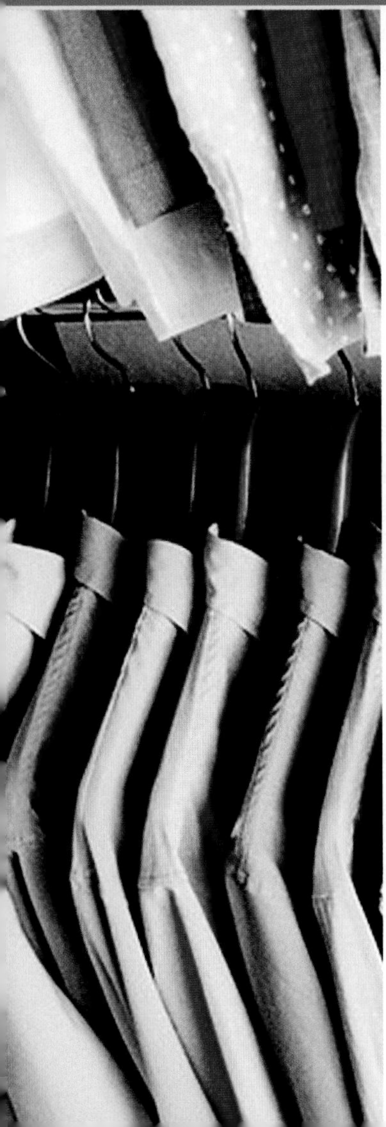

DELF

A1/A2

LEÇON **1**

Les **goûts**

INDIQUER SES GOÛTS ALIMENTAIRES

la Semaine du **Goût**

La semaine du goût dans ton école

Apprends à bien manger!
Pour être en bonne santé,
mange de tout !

POINT CULTURE

La Semaine du Goût

Lisez le prospectus distribué dans les écoles, puis répondez.

> La première Journée du Goût a eu lieu le 15 octobre 1990, à l'initiative de Jean-Luc Petitrenaud (spécialiste de gastronomie). En 1992, la Journée du Goût est devenue la Semaine du Goût.
>
> **Les Leçons de Goût**
> Action incontournable de la Semaine du Goût, la Leçon de Goût dans les écoles a mobilisé en octobre 2004 près de 4000 chefs de cuisine et professionnels des métiers de bouche, qui ont rencontré 5000 classes. Pour plus d'informations: http://www.legout.com

- À qui s'adresse la Semaine du Goût?
- À votre avis, quels sont les objectifs de cette initiative?
  - ☐ former des futurs professionnels de la cuisine
  - ☐ préparer des spécialités culinaires
  - ☐ vendre des produits alimentaires
  - ☐ développer des comportements alimentaires
- Est-ce qu'il existe des initiatives similaires dans votre pays?
- Que pensez-vous de cette initiative?

1 👁

Vous avez le projet d'organiser une soirée française pour la classe. Découvrez la consommation alimentaire en France. Regardez les dessins et trouvez le nom de chaque groupe d'aliments dans la liste suivante.
poissons et fruits de mer – légumes frais – viandes et volailles – produits laitiers – fruits – légumes secs et céréales

2 👂 👁

Écoutez et repérez sur le prospectus les aliments cités par les enfants.

et les couleurs

semaine du 11 au 17 octobre
SEMAINE DU GOÛT

	lundi	mardi	mercredi	jeudi	vendredi
ENTRÉE	Salade de tomates	Pommes de terre au thon	Salade de lentilles	Carottes râpées	Pâté de campagne/ Terrine de volaille
PLAT PRINCIPAL	Sauté de porc au paprika/ Sauté de mouton Gratin de pommes de terre	Poulet rôti à l'estragon Petits pois à la française	Boulettes de bœuf à la tomate Haricots verts	Pâtes à la bolognaise	Filet de poisson au citron Riz
FROMAGE	Fromage blanc au sucre	Camembert	Brie	Yaourt aux fraises	Comté
DESSERT	Fruit	Crêpe au sucre	Mousse au chocolat	Fruit	Compote de pommes à la cannelle

POINT CULTURE

Les repas en France

Observez ces menus d'une cantine scolaire française
et complétez le texte suivant sur les repas en France.

> Un repas ordinaire en France comporte en général ...
> parties : une entrée, un ..., du ... ou un produit laitier, puis
> un ... .
>
> Pour l'entrée, on trouve principalement deux caté-
> gories alimentaires : des crudités (légumes crus ou parfois
> cuits, servis froids), de la charcuterie (saucisson, pâté...),
> ou quelquefois un fruit (melon, pamplemousse, avocat).
> La soupe est plutôt réservée au dîner.
>
> Pour le plat principal, il y a de la ..., des œufs ou du ...,
> avec des légumes, du riz, ou des pâtes.
>
> Le dessert est sucré : cela peut être un fruit, un gâteau,
> une crème...

S'EXERCER nos 1 et 2 ➡

AIDE-MÉMOIRE

- **Indiquer l'ingrédient principal
  d'un plat**
  une salade **de** tomates
  une compote **de** pommes
- **Indiquer un ingrédient important,
  le parfum ou une façon de
  préparer**
  des pâtes **à la** bolognaise
  une mousse **au** chocolat
  du poulet **à l'**estragon
  un yaourt **aux** fraises

S'EXERCER nº 3 ➡

3 👁

**À deux, composez le menu du lundi
suivant. Choisissez selon vos
préférences dans la liste ci-dessous.**
tarte aux pommes – frites – steak haché –
fruits au sirop – terrine de poisson –
gratin de courgettes – yaourt sucré –
omelette aux fines herbes – fromage
de chèvre – salade grecque

4 ✎

**Imaginez ! Vous invitez des amis à dîner.
Il y a une végétarienne, un homme
qui fait un régime pour maigrir, des
personnes qui aiment bien manger.
En petits groupes, composez le menu
pour faire plaisir à tous vos invités.**

5 😐

**Échangez en petits groupes.
a) Dites quel est votre menu
ordinaire/de fête préféré, puis
comparez.
b) Faites une liste commune des
aliments que vous aimez et que vous
n'aimez pas.
Ensuite, avec les listes des différents
groupes, faites une liste finale pour
toute la classe.**

PARLER DE SA CONSOMMATION ALIMENTAIRE

Dialogue 1

– *Pardon, monsieur, vous connaissez la Semaine du Goût ?*
– *Oui...*
– *Je fais une enquête sur la consommation alimentaire. Vous voulez bien m'accorder quelques minutes ?*
– *Oui, bien sûr !*
– *Nous sommes au rayon boucherie. Pouvez-vous regarder cette liste de viandes et me dire ce que vous mangez souvent, pas souvent ou jamais ?*
– *Oui, d'accord ! Alors... je mange souvent du porc, du poulet, de la dinde... et parfois du lapin : j'aime beaucoup les viandes blanches ! Du bœuf et de l'agneau, rarement.*
– *Du cheval ?*
– *Ah non ! Pas de cheval. Je n'aime pas le cheval !*
– *Merci. Vous voulez bien me donner votre âge ?*
– *26 ans.*
– *Merci, monsieur.*

Dialogue 2

– *Madame, vous êtes devant le rayon des fruits et légumes, c'est la Semaine du Goût et je fais une enquête sur la consommation alimentaire. Vous mangez beaucoup de légumes ?*
– *Oui, j'adore les légumes, et c'est bon pour la santé, alors...*
– *Regardez cette liste et dites quels légumes vous mangez souvent, pas souvent ou pas du tout.*
– *Je mange souvent des carottes, beaucoup de carottes ; des haricots verts, de la salade verte, des tomates, des courgettes... presque tous les légumes, en fait !*
– *Ah bon !*
– *Oui, sauf deux : je ne mange pas d'artichauts, et jamais de navets non plus ; je déteste les navets !*
– *J'aurais besoin de votre âge, s'il vous plaît, c'est pour l'enquête.*
– *Ah ! Eh bien... 49 ans !*
– *Merci beaucoup, madame !*

6

Écoutez cette enquête dans un supermarché et répondez.

1. **Les personnes interrogées s'expriment sur :**
   ☐ les fruits.   ☐ les légumes.
   ☐ les viandes.   ☐ les produits laitiers.
   ☐ les poissons.

2. **Ils disent quels produits :**
   ☐ ils achètent aujourd'hui.   ☐ ils aiment.
   ☐ ils cherchent.   ☐ ils consomment en général.

7

Réécoutez les dialogues et complétez la fiche de réponses de l'enquêteur.

	Mange souvent/parfois	Mange rarement	Ne mange pas
Personne n° **1** Sexe : **M** Âge : **26**	*du porc, ...* *de la dinde, ...*	*..., de l'agneau*	*pas de cheval*
Personne n° **2** Sexe : **F** Âge : **49**	*des carottes, ...* *de la salade verte, ...*		*pas d'artichauts jamais de ...*

8

Réécoutez les habitudes alimentaires des clients et relevez leurs explications.

Point **Langue**

› LES ARTICLES pour parler de sa consommation alimentaire
a) Observez et complétez avec d'autres exemples des dialogues.
Indiquer une quantité précise
Une salade (deux salades, trois salades...), un poulet (entier), un yaourt = un pot (deux pots, trois pots...).
Quand on peut compter, on utilise l'article indéfini ou un nombre.
Indiquer une quantité indéterminée
Je mange de la salade/du poulet/de l'agneau/des haricots verts.
Quand on ne peut pas compter, on utilise l'article partitif.
b) Observez et trouvez d'autres exemples dans les dialogues.
Ah non ! Pas de cheval.
Pour une « quantité zéro », on utilise *pas de, pas d'*.
Attention !
*Je bois **de l'**eau. Je mange **de la** salade, **du** poulet, **des** légumes.*
mais *J'aime/je n'aime pas **l'**eau, **la** salade, **le** poulet, **les** légumes.*

S'EXERCER n° 4

9 PHONÉTIQUE

a) Entendez-vous le _e_ souligné ? Observez, écoutez et répondez.
Vous ach_e_tez du veau à la bouch_e_rie.
b) Entendez-vous le _e_ souligné ? Écoutez et répondez.
_Exemples : une c_e_rise_ ➜ e _prononcé_
_des c_e_rises._ ➜ e _non prononcé_

1. une s_e_maine
   la s_e_maine
2. Nous prenons notre r_e_pas ici.
   Nous prenons nos r_e_pas ici.
3. une tranche d_e_ pomme
   un quartier d_e_ pomme
4. Je mange d_e_ la dinde.
   Je prends d_e_ la dinde.

Point **Langue**

› EXPRIMER LA FRÉQUENCE

Retrouvez et classez les expressions de fréquence des dialogues.

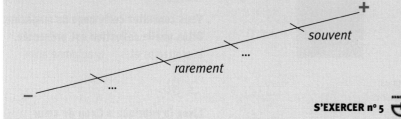

S'EXERCER n° 5 ➜

---

10 ⊖

Échangez en petits groupes.
a) Comparez vos habitudes alimentaires avec celles des Français.
b) Choisissez un plat très représentatif de la cuisine de votre pays ou région.
Précisez :
- le type de plat (entrée, dessert...) ;
- si on le mange pour une occasion spéciale ;
- sa composition.

11 ⊖

Échangez : En petits groupes, comparez vos habitudes alimentaires avec celles des personnes de l'enquête. Précisez pourquoi vous consommez ou non les produits.

12 ✎

Imaginez ! Votre classe organise une soirée française. En petits groupes, vous rédigez un menu pour le proposer à la classe.

› Parler de sa consommation alimentaire

1. Dans la liste suivante, sélectionnez les légumes qu'on mange crus chez vous.
poireaux – carottes – tomates – pommes de terre – salade – champignons – courgettes – radis – artichauts – navets – choux-fleurs – choux

2. Citez des fruits qu'on mange toujours crus et des fruits qu'on peut manger cuits.

› Composer un menu

3. Complétez le menu ci-contre avec _à_ ou _de_. Ajoutez l'article si nécessaire.
Exemples : soupe ... légumes ➜ _soupe_ **de** _légumes_
soupe ... oignon ➜ _soupe_ **à l'**_oignon_

Menu

ENTRÉE
salade ... grecque
_ou_
terrine ... lapin
_ou_
crêpe ... fromage

PLAT PRINCIPAL
omelette ... champignons
_ou_
canard ... orange
_ou_
rôti ... veau
_et_
purée ... pommes de terre

DESSERT
salade ... fruits
_ou_
crème ... vanille
_ou_
gâteau ... riz

---

4. Complétez avec les formes qui conviennent.
En été, à midi, je prends ... salade, ... poisson et ... fruit de saison : j'adore ... pêches et ... abricots ! Mais, en hiver, je prends ... charcuterie en entrée, ensuite ... steak avec ... pommes de terre sautées et, pour finir, ... petit gâteau au chocolat et ... bon café. Pour le dîner, en général, je ne mange ... viande, je prends ... soupe et ... pizza, par exemple.

› Exprimer la fréquence

5. Précisez quelles sont les habitudes alimentaires de ces différentes nationalités en utilisant _souvent, rarement, ne... jamais_.
Exemple : Les Anglais boivent souvent du thé.
Les Allemands mangent rarement des escargots.

les Italiens – les Saoudiens – les Français – les Japonais – les Allemands – les Polonais – les Suédois – les Chinois – les Indiens

---

DÉCRIRE UNE TENUE

bijoux

gants

ceintures

robes

jupes

sacs

pantalons

manteaux

Nouvelle collection

Coup de ♥ pour :

• le pantalon en laine, à carreaux rouges et jaunes, porté avec une écharpe à rayures bleues et blanches ;

• la robe en soie à fleurs, courte et sans manches, portée avec des escarpins noirs à talons hauts.

Point Langue

› LES VÊTEMENTS ET LES ACCESSOIRES

a) Classez les mots de la liste suivante en deux catégories : vêtements et accessoires.

un chapeau – un manteau – un bermuda – un bijou – une jupe – un pantalon – un tailleur – une robe – une veste – un sac – une écharpe – une cravate – un top – une ceinture – des gants (m) – une casquette – un short – un costume – des chaussures (f) – un tee-shirt – une chemise

b) Homme, femme, ou les deux ? Dites pour chaque vêtement ou accessoire qui peut les porter.

c) Relisez le *Coup de cœur* et complétez chaque liste avec d'autres termes.

La couleur

❋	❋	❋	❋	❋	
...	vert	...	...	...	multicolore
❋	❋	❋	❋	❋	
gris	...	jaune	orange	violet	clair ≠ foncé
					vif ≠ sombre

La forme	**La matière**	**Le motif**
une robe longue ≠...	*en coton*	*uni*
un vêtement à manches longues ≠	*en jean*	*à carreaux*
un pull à col en V/à col roulé	*...*	*à ...*
des chaussures à talons plats ≠...	*...*	*à ...*

S'EXERCER nº 1 ➡

1

Vous vous intéressez peut-être à la mode, peut-être pas... Mais elle est partout ! Échangez par petits groupes.

– Quels grands noms de la mode connaissez-vous ?

– Faites une liste des mots que vous associez au thème de la mode. Comparez avec les listes des autres groupes.

2

Vous consultez cette page du magazine. Dites quelle collection est présentée.

☐ printemps-été   ☐ automne-hiver

3

Lisez la rubrique « Coup de cœur pour ». Dites à quel modèle correspond chaque commentaire.

4

Relisez le *Coup de cœur* et trouvez quelles informations sont données.

☐ le prix   ☐ la forme   ☐ la couleur
☐ la matière   ☐ le nom du créateur
☐ le motif   ☐ le type de vêtement

5

Imaginez ! Choisissez une tenue pour une des circonstances suivantes. Puis, en petits groupes, décrivez votre tenue : vêtements, matières, couleurs, formes, accessoires.

une soirée en discothèque – un examen oral – un entretien pour un emploi – une soirée de mariage – la fête du nouvel an

6

Imaginez ! Vous travaillez pour un magazine de mode. Vous préparez la rubrique « Look pour » (un mariage, une journée à la mer...).

En petits groupes, choisissez une circonstance et une tenue. Puis rédigez le descriptif.

Quelle **allure** !

DONNER UNE APPRÉCIATION POSITIVE/NÉGATIVE

7 🎧

Vous assistez au défilé de Christian Lacroix.
Observez les trois photos. Écoutez les
commentaires d'un couple de spectateurs
et dites de quels modèles ils parlent.

Christian Lacroix

8 🎧

a) Réécoutez le dialogue. Sur quoi et qui
Paul et Marie font-ils des commentaires ?
Associez.

	le costume	
	la jupe	
Paul	la veste	le mannequin femme
Marie	les gants	le mannequin homme
	la ceinture	
	la cravate	

b) Dites si les commentaires expriment des
appréciations positives ou négatives.

Lignes de prêt-à-porter masculine et féminine

Collection automne-hiver

AIDE-MÉMOIRE

- **Exprimer une appréciation sur un vêtement**
  C'est sublime/ridicule/magnifique/super !
  Je trouve ce modèle très élégant.
- **Exprimer une appréciation sur une personne**
  Il/Elle a l'air d'un clown/d'une star.
  Il/Elle a l'air ridicule/sympathique/intéressant.
  Il/Elle est original(e)/beau/belle/élégant(e).
  Je trouve cet homme très distingué.
  Je trouve la fille bien/belle.
- **Pour nuancer son appréciation**

	+	franchement	
		vraiment	
Je trouve ce modèle		très	original/ridicule…
		plutôt	
		assez	
	−	un peu	

S'EXERCER n° 2 ➡

11 💬

Jouez la scène : Vous organisez un défilé de mode dans la
classe. Les mannequins défilent devant la classe. Par deux,
les spectateurs font leurs commentaires sur les tenues.

Point **Langue**

> **LES PRONOMS PERSONNELS COD*** *LE, LA, LES*

a) Lisez ces répliques et retrouvez de quoi
ou de qui Paul et Marie parlent.
*Je **la** trouve bien.*
*Je ne **les** aime pas du tout.*
*Je **le** trouve très distingué.*
*Je **l'**aime beaucoup.*

b) Réécoutez pour vérifier. Puis complétez.
Pour ne pas répéter un mot COD, on utilise les
pronoms … ou … pour un nom masculin, … ou …
pour un nom féminin, … pour un nom pluriel.
Le pronom est en général placé avant le verbe.

* COD : complément d'objet direct.

S'EXERCER n° 3 ➡

9 PHONÉTIQUE

a) Écoutez les expressions
suivantes et dites si
l'appréciation est positive ou
négative.

b) Écoutez encore une fois et
entraînez-vous à reproduire les
intonations.

10 💬

Échangez à deux : Regardez
les tenues présentées dans
les pages précédentes et
faites vos commentaires
sur les modèles et les
mannequins.

DONNER DES CONSEILS VESTIMENTAIRES

– Non, je ne m'aime pas vraiment … Je trouve que j'ai l'air d'un pot de yaourt !

– Écoutez, moi, quand je vous regarde, je vois avant tout une jeune femme avec un très joli visage, avec des yeux bleus ravissants mais, bien sûr, il faut les mettre en valeur avec un bon maquillage. Et puis évitez de porter des lunettes, mettez plutôt des lentilles de contact ! Soyez moderne, un peu plus tendance !

– Oui, effectivement, je peux essayer.

– Et puis, vous n'êtes pas très grande, il faut porter des chaussures à talons !

– Oui… je n'ai pas l'habitude… et je suis pas très mince non plus !

– Mais vous pouvez jouer sur les couleurs et sur les formes !

– Oui, j'ai tout essayé, rien ne me va !

– Passez donc cette petite robe noire en soie, toute simple. Vous faites un petit 40, c'est ça ?

– Oui.

– Et vous chaussez du 36, on a dit. Tenez, essayez ces escarpins aussi ! …Magnifique ! Vous voyez, il vous faut des couleurs sombres pour affiner votre silhouette, et des rayures pour allonger aussi.

– Oui c'est vrai, c'est bien.

– Je vous conseille de porter toujours des chaussures à talons, avec une jupe ou une robe assez longue.

– oui, oui…

– Et puis n'hésitez pas à porter des accessoires. Regardez la robe avec cette écharpe bleue qui rappelle la couleur de vos yeux, mais c'est sublime !

– Ah oui ?

– Et puis, vous devez couper vos cheveux, pour vous donner du style.

– Couper mes cheveux ?

– Mais bien sûr !

Conseils mode

Mary Mery
Conseillère en image personnelle

Revalorisez votre image dans le respect de votre personnalité.

- style vestimentaire et accessoires : couleurs, formes, matières.
- coiffure, maquillage, soins.

Avant   Après

Accompagnement d'achats
Tél. : 04 48 28 28 20 / Fax : 04 42 81 62 34

FICHE CLIENT(E)
Nom : KRAVSKY
Prénom : Marion
Âge : 36 ans
Sexe : F
Profession : comptable
Taille : 1.56 m
Poids : 58 kilos
Pointure : 36
Yeux : bleus
Cheveux : châtain foncé

FICHE CLIENT(E)
Nom : OUADI
Prénom : Laëtitia
Âge : 28 ans
Sexe : F
Profession : hôtesse
Taille : 1.76 m
Poids : 65 kilos
Pointure : 39
Yeux : noirs
Cheveux : bruns

12

Lisez les documents et répondez.
1. Quelle est la profession de Mary Mery ?
2. Qui sont ses client(e)s ?

13

Écoutez le dialogue et identifiez la cliente de Mary Mery : Marion ou Laëtitia ?

14

Réécoutez le dialogue et répondez.
1. Quels conseils donne Mary Mery à sa cliente pour mettre en valeur :
   - son visage ?
   - sa silhouette ?
2. Quelle est la réaction finale de la cliente ?
3. Pensez-vous qu'elle va suivre tous les conseils de Mary Mery ?

Point **Langue**

› DONNER DES CONSEILS

a) Dans la liste suivante, quelles phrases expriment un conseil ?

Mettez des lentilles.

Vous devez mettre des lentilles.

Vous voulez mettre des lentilles.

Il faut mettre des lentilles.

Je vous conseille des lentilles.

Je vous conseille de mettre des lentilles.

Vous mettez des lentilles.

Vous pouvez mettre des lentilles.

Il vous faut des lentilles.

b) Complétez les constructions.

verbe à l'impératif

Il faut + nom/verbe

Vous ... + verbe

Vous ... + verbe

Je ... + nom/verbe

c) Complétez.

Après *pouvoir/vouloir/conseiller de*, le verbe est à ... .

d) Choisissez la formule équivalente :

faites – ne faites pas.

Évitez de faire = ...

N'hésitez pas à faire = ...   **S'EXERCER n° 4**

AIDE-MÉMOIRE

Préciser la taille/la pointure

– Quelle est votre taille ?
– Quelle taille faites-vous ? } – Je fais du 40.

– Quelle est votre pointure ?
– Vous chaussez du combien ? } – Je chausse du 36.

---

15 PHONÉTIQUE

Doute ou persuasion ? Écoutez et répondez.

16 ⊖

Jouez la scène à deux.

Un(e) conseiller/conseillère en image personnelle conseille son/sa client(e) qui cherche son style.

› Les vêtements et accessoires

1. Corrigez les erreurs. (Plusieurs réponses sont possibles.)

Exemple : une paire de chaussures à col roulé → une paire de chaussures à talons/en cuir/noires...

a. une casquette à manches longues

b. un pyjama en cuir

c. des lunettes en laine

d. un pantalon à talons

e. une jupe à col roulé

f. un bijou à col en V

› Donner une appréciation positive/négative

2. À partir des éléments donnés, formez des phrases pour exprimer des appréciations positives et négatives. (Attention à l'accord de l'adjectif !)

Exemple : Ce manteau, je le trouve très élégant.

› Les pronoms personnels COD *le, la, l', les*

3. Complétez avec le pronom qui convient.

a. – Joli, ton manteau ! Tu ... as acheté où ?
   – Aux galeries Lafayette.

b. – Comment tu trouves ces lunettes ?
   – Je ... trouve sublimes !

c. – Tu aimes les blondes ?
   – Les filles blondes ? Je ... adore !

d. – Ce manteau est vraiment très élégant !
   – Moi, je ne ... aime pas du tout !

e. – Tu connais le mari d'Isabelle ?
   – Non, je ne ... ai jamais vu !

f. – Il a l'air complètement idiot !
   – Moi, je ... trouve intéressant.

g. – Super, ta veste !
   – Ah ! Tu ... trouves jolie ? Merci, elle est neuve.

› Donner des conseils

4. Reformulez les conseils ci-dessous avec les structures suivantes. Variez les formes.

Il faut... – Vous pouvez... – Vous devez... – verbe à l'impératif

Conseils pour de bonnes vacances

- sélectionner des vêtements légers
- choisir des matières naturelles comme le coton ou le lin
- prendre un pull pour les soirées fraîches
- être très prudent sur la plage : le soleil est dangereux
- mettre des lunettes pour se protéger
- avoir toujours une crème solaire dans son sac
- éviter l'exposition directe entre 13 heures et 16 heures

Bonnes vacances !

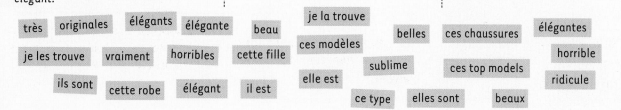

CHOISIR UN CADEAU

DOSSIER 7 C'EST MON CHOIX

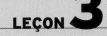

Dialogue 1

– *Tu vois, Claire, elle aime bien tout ce qui est décoration. On lui offre ce tableau ou une lampe design ? Qu'est-ce que tu en penses ?*

– *Ah non ! Écoute ! Elle va être à la retraite et elle adore bouger, on peut lui offrir un voyage plutôt.*

– *Oui, tu as raison, un voyage, c'est bien. Et puis, pas de problème, les collègues ont donné presque 1 000 euros.*

– *Clique sur « voyager », on va voir ce qu'ils proposent à ce prix-là.*

Dialogue 2

– *Qu'est-ce que tu fais ?*

– *Je regarde des idées de cadeaux pour l'anniversaire de mariage de mes parents ; on veut leur acheter quelque chose de bien, avec mes frères, dans les 150-200 euros.*

– *Alors, à ton père, offrez-lui six bouteilles de bon vin et à ta mère…*

– *Ah non, non ! On préfère faire un cadeau pour les deux !*

– *Regarde, vous pouvez leur offrir un chèque théâtre.*

– *Ah oui ! Une soirée à l'opéra, ça c'est bien ! On va voir le détail.*

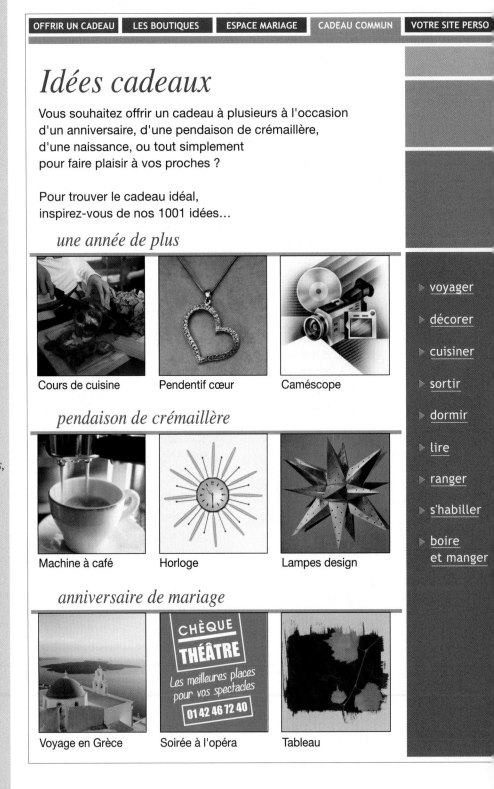

| OFFRIR UN CADEAU | LES BOUTIQUES | ESPACE MARIAGE | CADEAU COMMUN | VOTRE SITE PERSO |

Idées cadeaux

Vous souhaitez offrir un cadeau à plusieurs à l'occasion d'un anniversaire, d'une pendaison de crémaillère, d'une naissance, ou tout simplement pour faire plaisir à vos proches ?

Pour trouver le cadeau idéal, inspirez-vous de nos 1001 idées…

une année de plus

Cours de cuisine — Pendentif cœur — Caméscope

pendaison de crémaillère

Machine à café — Horloge — Lampes design

anniversaire de mariage

Voyage en Grèce — Soirée à l'opéra — Tableau

CHÈQUE **THÉÂTRE**
Les meilleures places pour vos spectacles
01 42 46 72 40

▸ voyager
▸ décorer
▸ cuisiner
▸ sortir
▸ dormir
▸ lire
▸ ranger
▸ s'habiller
▸ boire et manger

Des **cadeaux** pour tous

1 👁

Observez ce document et répondez.

1. C'est une page de :
   - ☐ catalogue de vente par correspondance.
   - ☐ publicité.
   - ☐ site Internet.
2. Les objets présentés sont :
   - ☐ des prix à gagner pour un concours.
   - ☐ des suggestions de cadeaux.
   - ☐ des pièces de musée.

2 👁

Sélectionnez trois cadeaux que vous aimeriez recevoir et justifiez votre réponse.

3 👁

Associez chacune des trois rubriques du site aux occasions suivantes.
fête pour un nouveau logement – fête d'anniversaire – fête pour célébrer plusieurs années de mariage.

4 👁

a) Classez chaque objet présenté sur le site dans une des catégories suivantes.
voyager – décorer – dormir – cuisiner – lire – boire et manger – ranger – sortir – s'habiller
b) Imaginez d'autres objets pour chaque catégorie.

5 👂

Écoutez et répondez pour chaque conversation.

1. Que font les personnes ?
2. Pour qui est le cadeau ?
3. Quelles sont les idées de cadeau ?
4. Quel est le cadeau choisi ?
5. Quel est le prix approximatif du cadeau ?

Point **Langue**

> **LES PRONOMS PERSONNELS COI* *LUI*, *LEUR*.**

a) Retrouvez dans les dialogues à qui on pense offrir ces cadeaux.
à ton père – à notre collègue Claire – à vos parents
On lui offre ce tableau.
On peut lui offrir un voyage.
Vous pouvez leur offrir un chèque théâtre.
Offrez-lui six bouteilles de bon vin.

b) Choisissez la réponse correcte.
Dans la phrase *Je lui achète un cadeau, lui* peut représenter :
- ☐ un homme.
- ☐ une femme.
- ☐ un homme ou une femme.

c) Choisissez la réponse correcte et justifiez.
Les pronoms COI se placent :
- ☐ toujours avant le verbe.
- ☐ toujours après le verbe.
- ☐ avant ou après le verbe.

* *COI* : complément d'objet indirect.

S'EXERCER n° 1 ➡

6 👄

Jouez la scène à deux.
Vous voulez faire un cadeau à une personne de la classe. Vous consultez le site www.idees-cadeaux.fr et vous choisissez ensemble un cadeau précis. Vous précisez à qui vous souhaitez faire le cadeau, l'occasion, le type de cadeau, votre budget.

POINT CULTURE

Faire des cadeaux

A. Trouvez à quelle occasion on peut faire des cadeaux et à qui.

anniversaire	aux amis
pendaison de crémaillère	aux enfants
Saint-Valentin	aux membres de la famille
Noël	aux collègues
départ en retraite	aux professeurs/instituteurs
mariage	aux employés
naissance	aux gardiens d'immeuble
fin de l'année scolaire	aux voisins
nouvel an	à son amoureux/amoureuse

B. Et chez vous ?
- Fait-on des cadeaux pour ces occasions ?
- Y a-t-il d'autres occasions de faire des cadeaux ? Lesquelles ?

CARACTÉRISER UN OBJET

Les objets malins

La tente « deux secondes »

Idéale pour les campeurs fatigués !
Imaginez une tente que vous lancez devant
vous et qui retombe parfaitement montée !
Le tout en deux secondes !
Ce modèle de tente pliable existe
en trois teintes bicolores : kaki/vert d'eau,
orange/bordeaux et bordeaux/rouge
et coûte **49,90 €**.

seulement
49,90 €

Le sac à dos solaire

inédit !

Voici un sac qui permet de charger
les appareils électroniques (téléphones
portables, appareils photo, radio, GPS,
Ipod, etc.). Il convient tout particulièrement aux personnes
qui partent plusieurs
jours dans la nature.
Ses trois panneaux
solaires produisent
4 watts qui
chargent une
batterie située
à l'intérieur
du sac.
Fabriqué
en nylon,
imperméable
et très résistant,
ce sac pèse 1,59 kg.

seulement
239 €

7 👁 👄

**a) Observez les photos de cette page de magazine,
lisez les gros titres et faites des hypothèses.**
1. Pourquoi présente-t-on ces objets ?
2. Qui peut être intéressé par ces objets ?
3. Quelles informations va-t-on trouver dans les textes ?
b) Lisez le document et vérifiez vos hypothèses.
**c) Dites quel objet vous semble intéressant et pourquoi.
Quel objet aimeriez-vous acheter ?**

8 👁

**Relisez les textes de présentation des objets et dites
quelles sont les informations données pour chaque objet.**
- la fonction
- la matière
- les couleurs
- les qualités
- le poids
- le prix
- le client potentiel

Point **Langue**

> **LES PRONOMS RELATIFS** *QUI* **ET** *QUE*
pour caractériser un objet ou une personne
**a) Relisez les présentations d'objets et de
personnes, et complétez les exemples.**
un sac qui...
une tente que... et qui...
Il convient aux personnes qui...
On peut donner une précision sur quelque chose ou
quelqu'un avec *qui* ou *que* + une proposition.
b) Choisissez les bonnes réponses.

Qui est ☐ le sujet du verbe qui suit.
☐ le COD du verbe qui suit.
Que est ☐ le sujet du verbe qui suit.
☐ le COD du verbe qui suit.

Attention !
Que devient *qu'* devant une voyelle.
Qui ne change pas.

S'EXERCER n° 2 ➡

9 PHONÉTIQUE

a) Identiques ou différents ? Écoutez et répondez.

b) Répétez ces phrases sans queue ni tête.

1. Le cadeau kaki coûte cher au campeur fatigué qui fait un chèque pour l'occasion.
2. On recrute des mannequins masculins avec masque pour la collection d'octobre.
3. Le goût de Gaëlle pour les bagues est exagéré.

Point **Langue**

> ### LES ADJECTIFS EN -*ABLE*
pour caractériser un objet

Cherchez dans l'article les adjectifs correspondant aux définitions suivantes.

Exemple :

Quelque chose qu'on peut réaliser. ➜ *réalisable*
On peut l'emporter partout. ➜ *un téléphone ...*
On peut la plier. ➜
L'eau ne peut pas pénétrer. ➜

Le suffixe -*able* exprime quelque chose qui est possible, qu'on peut faire.

S'EXERCER n° 3 ➜

10

Écoutez cet animateur de radio. Il présente le sac à dos solaire, mais il a oublié de donner des informations sur le sac. Lesquelles ?

AIDE-MÉMOIRE

Indiquer la fonction d'un objet

Cet objet **permet de** recharger les batteries.

Cet objet **est idéal pour** { le camping. / faire du camping.

On utilise cet objet **pour** { la randonnée. / partir en randonnée.

Cet objet **sert à** { tous les randonneurs. / recharger les appareils.

S'EXERCER n° 4 ➜

11

Jouez aux devinettes. À deux, choisissez un objet et écrivez un texte descriptif comme p. 124 (fonction de l'objet, propriétés, poids...). Les autres étudiants doivent trouver quel est cet objet.

12

Jouez la scène : Vous êtes présentateur à la radio et vous présentez une sélection d'objets.

> Choisir un cadeau

1. Complétez le dialogue avec les pronoms qui conviennent.

– Tu as déjà acheté tes cadeaux de Noël ?

– Oui, j'ai déjà trouvé pour mon frère : je ... ai acheté un jeu vidéo.

– Et pour ta petite sœur ?

– Je pense que je vais ... prendre une poupée mais je ne sais pas quel cadeau faire à mes parents.

– Offre-... des livres, tout simplement.

– Non, je ... offre ça chaque année, je voudrais changer un peu.

– Eh bien, un chèque-cadeau, je suis sûr que ça ... fera plaisir !

CHÈQUE
CADEAU
🎁 10 €

> Caractériser un objet

2. Complétez les définitions suivantes avec le pronom relatif *qui* ou *que* puis dites de quel objet on parle.

a. C'est un objet ... les coiffeurs utilisent souvent et ... sert à couper.

b. C'est un objet ... se trouve dans la maison et ... sert à éclairer une pièce.

c. C'est un vêtement ... on met quand il pleut et ... permet de se protéger.

d. C'est un objet ... on utilise pour boire.

e. C'est un meuble ... on trouve dans une maison ou dans un jardin et ... permet de s'asseoir.

3. Parmi les objets suivants, dites lesquels peuvent être *lavables, portables, pliables, jetables, imperméables*. Puis trouvez d'autres objets pour chaque caractéristique.

un appareil photo – un sac en plastique – un téléphone – une chaise – un téléviseur – un parapluie – une table – une valise en cuir – un sac à dos – des mouchoirs

> Indiquer la fonction d'un objet

4. Pour chaque objet, faites des phrases pour expliquer sa fonction, comme dans l'exemple.

Exemple : un téléphone ➜ *Il permet de communiquer./Il sert à communiquer./ On l'utilise pour communiquer.*

un téléviseur
un ordinateur
un appareil photo
un caméscope
un lecteur MP3
une valise
des lunettes
une montre

Carnet de voyage...

Philippe Starck, grand nom du design

Juicy Salif
1990-1991
Alessi.

STARCK (Philippe), designer et architecte d'intérieur français (Paris, 1949). Créateur de séries de meubles et d'objets d'une structure simple mais inventive, il est attaché à l'expression symbolique de formes comme de l'espace.

3.
a) Regardez deux autres créations de Philippe Starck et dites quel usage vous imaginez pour chaque objet.
b) Lisez les textes descriptifs et associez-les aux objets concernés.

1.
a) Observez la photo. Connaissez-vous le nom de ce créateur? Avez-vous déjà vu certaines de ses réalisations?
b) Lisez l'extrait de dictionnaire qui le présente.

Poaa 1999
XO.

Objets de collection, objets de rêve pour muscler les sportifs et les amoureux de design. Nous avons eu un véritable coup de cœur pour ces sculptures ultramodernes à la forme ergonomique.

Perché sur ses longues pattes, il ne fera qu'une bouchée de vos citrons. Mystérieux, on ne saurait dire s'il est gentleman ou vampire. Mais vous serez séduit et étonné par sa présence et son physique.

2.
Observez cette création de Philippe Starck et son titre et répondez.
Pourquoi ce titre? À quoi ressemble cet objet?
De quel objet s'agit-il en réalité? Quel est son usage?
L'inspiration du créateur: *Ceci n'est pas une pipe* de René Magritte, célèbre peintre surréaliste.

4.
Observez ci-dessus la version classique des deux objets signés Starck.
a) Quelle version de ces objets préférez-vous?
b) Le design est-il populaire dans votre pays? Connaissez-vous des noms de designers? Des marques d'objets design?

Ceci n'est pas une brouette 1996
XO.

5.
Y a-t-il un designer en vous?
En petits groupes, créez des objets design à partir d'objets du quotidien.

Les couleurs

9.

Associez l'expression et le sentiment.

voir rouge	l'optimisme
avoir des idées noires	la jalousie
voir la vie en rose	la gêne, l'embarras
être vert	le pessimisme
rire jaune	la colère

10.

Lisez ce poème et proposez un autre titre.

Sept couleurs magiques

Rouge comme un fruit du Mexique
Orangé comme le sable d'Afrique
Jaune comme les girafes chic
Vert comme un sorbet de Jamaïque
Bleu comme les vagues du Pacifique
Indigo comme un papillon des tropiques
Violet comme les volcans de Martinique
Qui donc est aussi fantastique ?
Est-ce un rêve ou est-ce véridique ?
C'est dans le ciel magnifique
L'arc aux sept couleurs magiques.

Mymi Doinet

6.

a) Retrouvez le nom des couleurs représentées dans les photos et complétez la liste des couleurs.
b) Avec votre voisin(e), dites à quoi vous associez chaque couleur.

7.

On a interrogé plusieurs personnes à propos des couleurs suivantes : blanc, bleu, rouge, noir. Regardez les réponses et imaginez de quelle couleur il s'agit.

Ça représente la passion !

Le bleu du ciel, le bleu de la mer !

Pour moi, ça évoque la paix !

La mort ! Le pessimisme !
On dit bien « voir tout en noir »...

À mon avis, ça symbolise la colère ou la vitesse ! Mais aussi le danger !

Au Japon, c'est la couleur du deuil, de la mort !

En Chine, c'est la couleur du bonheur !

Pour moi, c'est une couleur calme, apaisante.

Je trouve que pour les vêtements, c'est très chic !

Ah ! Ça évoque le mariage, la pureté !

11.

Relisez le poème et dites quelles couleurs sont associées à :
- un animal ;
- un aliment ;
- un élément de la nature.

12.

Un poème en couleurs !
Sur le même modèle, choisissez vos couleurs et faites un petit poème.

... comme...
... comme...
... comme...
... comme...
... comme...
Qui/Que...?
Est-ce...?
C'est...
Le/La...

8.

a) En petits groupes, échangez. Associez une couleur à un des mots de la liste ci-dessous (ou à un autre qui n'est pas dans la liste).
l'élégance - la paix - l'amour - l'automne -
la jalousie - la chance - la tristesse -
la nature - le mystère - l'été - le froid -
la colère - la gaieté - la lumière - le feu -
la malchance - la pureté - la modernité
b) Dites quelle est votre couleur préférée.

Votre travail dans le dossier 7

1 Qu'est-ce que vous avez appris à faire dans ce dossier ? Cochez les propositions exactes.

- ☑ décrire un objet
- ☐ indiquer les ingrédients d'un plat
- ☐ décrire un magasin d'alimentation
- ☐ comprendre des habitudes alimentaires
- ☐ donner une appréciation sur un plat
- ☐ rédiger une lettre d'invitation
- ☐ donner une appréciation positive ou négative sur quelqu'un
- ☐ comprendre une critique de spectacle
- ☐ conseiller
- ☐ organiser une sortie

2 Quelles activités vous ont aidé(e) à apprendre ? Voici une liste de savoir-faire de communication. Notez en face de chaque savoir-faire le numéro de la leçon et de l'activité qui correspondent.

- comprendre un prospectus alimentaire   *L1, 1*
- parler de produits alimentaires   ....
- décrire un vêtement   ....
- exprimer une appréciation sur une personne   ....
- comprendre une page de catalogue   ....
- s'exprimer sur ses goûts alimentaires   ....
- conseiller quelqu'un sur son apparence   ....
- composer un menu   ....
- parler de ses habitudes alimentaires   ....
- caractériser un objet   ....

Votre autoévaluation

1 Cochez d'abord les cases qui correspondent aux savoir-faire que vous êtes capable de réaliser maintenant et faites le test donné par votre professeur pour vérifier vos réponses.
Puis, reprenez votre fiche d'autoévaluation, confirmez vos réponses et notez la date de votre réussite. Cette date vous permet de voir votre progression au cours du livre.

JE PEUX	ACQUIS	PRESQUE ACQUIS	DATE DE LA RÉUSSITE
comprendre des témoignages à la radio	☐	☐	....
comprendre quelqu'un qui parle de cadeaux	☐	☐	....
comprendre le commentaire de quelqu'un sur l'alimentation	☐	☐	....
donner des indications sur un lieu	☐	☐	....
conseiller	☐	☐	....
décrire un objet, un vêtement	☐	☐	....
parler de mes habitudes alimentaires	☐	☐	....
parler de mes goûts alimentaires	☐	☐	....

2 Après le test, demandez à votre professeur ce que vous pouvez faire pour améliorer les activités pas encore acquises.

- ☐ exercices de compréhension orale
- ☐ exercices de compréhension écrite
- ☐ exercices de production orale
- ☐ exercices de production écrite

- ☐ exercices de grammaire
- ☐ exercices de vocabulaire
- ☐ exercices de phonétique
- ☐ autres (vidéo…)

DOSSIER **8**

Pour le plaisir

A1/A2

Pour
FAIRE DES ACHATS

LIBRAIRIE	2e étage
MUSIQUE ET DVD	1er étage
PHOTO	rez-de-chaussée
AGENCE DE VOYAGES	
BILLETTERIE SPECTACLES	
TÉLÉ AUDIO VIDÉO	sous-sol
MICRO-INFORMATIQUE	
TÉLÉPHONIE ·	
LOGICIELS ET ACCESSOIRES	

fnac

Bienvenue
dans notre magasin

clé USB   34,00 €
CD Camille,
Le Fil   12,18 €
_____
TOTAL
2 articles 46,18 €

1

a) Observez la photo du magasin et le panneau d'affichage et dites de quel type de magasin il s'agit.

b) Échangez :

1. Est-ce que la Fnac existe dans votre pays ?
2. Est-ce qu'il y a des magasins regroupant tous ces rayons dans votre pays ?
3. Est-ce que vous fréquentez ce type de magasin ? Si oui, quels rayons visitez-vous le plus souvent ?

c) Faites une liste des articles que vous aimeriez y acheter.

2

Écoutez les dialogues et dites dans quels rayons va le client.

3

Écoutez le dialogue 1 et répondez.

1. Quels livres le client veut-il acheter ?
2. Finalement, achète-t-il un livre ? Pourquoi ?

4

Réécoutez les trois dialogues et dites si le ticket de caisse correspond aux achats effectués par le client. Justifiez votre réponse.

quelques **euros** de plus

Point **Langue**

❯ FAIRE DES ACHATS

Trouvez la place de ces répliques dans le tableau.

Je voudrais le dernier CD de Camille. – Combien coûte le disque ? – Ce sera tout ? – Il coûte combien ? – Je cherche le *Da Vinci Code*. – Je vous dois combien ? – Quel est le prix du roman ? – Par chèque. – Il coûte 7 euros. – Vous payez comment ? – On s'occupe de vous ? – Ça fait 36,78 €. – Par carte.

Vendeur	Client
Établir le contact avec le client/ Demander au client ce qu'il veut – *Vous désirez ?* – ... – ...	Demander un produit – ... – ...
Dire le prix d'un produit – ...	Demander le prix d'un produit – ... – ... – ...
Indiquer le total à payer – ...	Demander le total à payer – *Ça fait combien ?* – ...
Demander le mode de paiement – ...	Dire le mode de paiement – *En espèces.* – ... – ...

S'EXERCER n° 1

POINT CULTURE

Comment paient les Français

A. Répondez.

• D'après les dialogues, quels sont les différents modes de paiement dans les magasins ?

• Comment réglez-vous en général vos achats ?

B. Observez le schéma suivant et répondez.

70 % des Français préfèrent payer avec la carte bancaire

13 % des Français préfèrent payer en espèces

17 % des Français préfèrent payer par chèque

• Quels sont les deux principaux modes de paiement des Français ?

• Comparez avec votre pays.

5

Jouez la scène à deux.
Avec votre liste d'achats (activité 1c), vous allez à la FNAC. Vous demandez des informations aux vendeurs et vous achetez les articles.

6

Observez les enseignes des magasins, écoutez et associez.

a. à la crémerie

b. chez le boucher

c. chez le fleuriste

d. au bureau de tabac

e. à la boulangerie

f. chez le pharmacien

g. chez le cordonnier

Point **Langue**

❯ LES COMMERCES ET LES COMMERÇANTS

Complétez en observant la liste des magasins.

chez le pâtissier — à la pâtisserie.
chez le poissonnier — à la poissonnerie.
chez le boulanger — ...
chez le crémier — ...
... — à la cordonnerie.
... — à la phamarcie.
... — à la boucherie.

Attention !

On dit seulement : *chez le fleuriste, chez le marchand de fruits et légumes.*

S'EXERCER n° 2

FAIRE DES COURSES ALIMENTAIRES

7 👁

M. et Mme Neves ont des invités ce soir. Lisez le menu et la liste de courses et répondez.
a) Trouvez dans la liste les produits nécessaires pour préparer ce dîner.
b) Dites chez quels commerçants ils vont aller.

8 👄✐

En petits groupes, choisissez une des situations suivantes et imaginez le menu. Rédigez ensuite la liste de courses en précisant la quantité pour chaque produit.
- un pique-nique en famille pour quatre personnes
- un dîner en amoureux
- une grande fête d'anniversaire entre copains pour vingt à trente personnes
- un dîner de célibataire

– 2 avocats
– 2 citrons
– 6 bananes
– 1 kilo d'oranges
– 1 kilo de pommes
– 1 livre de poires
– 1 barquette de fraises
– 1 botte de radis
– 1 salade
– 2 kilos de pommes de terre
– 250 grammes de crevettes
– 4 filets de saumon
– 1 pot de crème fraîche
– 1 camembert
– 1 morceau de tomme
– 1 litre de lait entier
– 500 gr. de tagliatelles fraîches
– 4 tranches de jambon
– 1 bouquet d'aneth

Menu dîner
Avocats aux crevettes
Saumon à l'aneth en papillotes
Tagliatelles
Salade
Fromages
Salade de fruits

9 👂

a) Écoutez les dialogues et repérez chez quels marchands Mme Neves fait ses courses.
b) Réécoutez et notez les produits que Mme Neves achète.
c) Comparez avec sa liste de courses.

10 👂

Réécoutez les dialogues et notez les précisions données sur les produits suivants.
les bananes – les oranges – les poires – les avocats – le melon – le poisson

Point **Langue**

› PRÉCISER LA QUANTITÉ

a) Regardez la liste de courses, observez les quantités et complétez.

M. et Mme Neves vont acheter

du jambon ..... *jambon*
de l'aneth ..... *aneth*
de la crème fraîche ..... *crème fraîche*
des oranges ..... *oranges*
des poires ..... *poires*
des bananes ..... *bananes*

b) Complétez.

expression de quantité/
mesure + ... + nom

nombre + nom

c) Associez.
Exemple : un paquet de biscuits.

Quantité
un pot – une boîte – une bouteille – un kilo – une livre (= 500 grammes) – un paquet – une tablette – un tube – un litre – une part – un morceau – une botte – une tranche

Produits
biscuits – beurre – chocolat – lait – huile – vin – mayonnaise – moutarde – petits pois – bonbons – spaghettis – pain – gâteau – radis – jambon – fromage – tomates

S'EXERCER n° 3 ⮕

AIDE-MÉMOIRE

- **Les caractéristiques des produits alimentaires**
  un fruit mûr/sucré/parfumé
  du poisson frais/surgelé/sans arêtes

- **Préciser le degré**

+ Un fruit :	+ Une baguette :
très mûr	bien cuite
bien mûr	pas trop cuite
assez/plutôt mûr	
– pas du tout mûr	–

Point **Langue**

> LE PRONOM *EN*

a) Lisez ces phrases et dites de quels produits les marchands ou la cliente parlent.

J'en ai, mais pas pour ce soir.

Prenez-en.

J'en prends deux.

Je n'en vois pas.

b) Observez et choisissez la bonne réponse.

– Je voudrais du poisson, vous en avez ?

– Vous avez des melons ?

– Vous en voulez combien ?

– J'en voudrais deux.

– Vous n'avez pas de salade ?

– Non, je n'en ai pas.

Le pronom *en* est associé à une idée de :

☐ qualité.   ☐ quantité.

– Le pronom *en* est placé en général :

☐ après le verbe.   ☐ avant le verbe.

– Avec l'impératif affirmatif, le pronom *en* est placé :

☐ avant le verbe.   ☐ après le verbe.

S'EXERCER n° 4 ➜

---

11 PHONÉTIQUE

a) Dans quelle syllabe entendez-vous le son [ɑ̃] : la première, la deuxième ou la troisième ? Écoutez et répondez.

b) Combien de fois entendez-vous le son [ɑ̃] ? Écoutez et répondez.

c) Réécoutez et répétez.

d) [õ] ou [ɑ̃] ? Écoutez et répondez.

e) Lisez le menu à voix haute.

du melon au jambon – du thon à l'orange – du saumon au beurre blanc – du flan au potiron – du vin blanc

12 ⊝

Jouez la scène.

Reprenez la liste de courses de l'activité 8 et faites vos courses au marché. Choisissez entre les situations suivantes :

– fin du marché, choix limité ;

– marchands dynamiques, beaucoup de promotions.

S'EXERCER

Leçon 1 — DOSSIER 8

> Faire des achats

1. Remettez le dialogue dans l'ordre.

a. Faites-moi un bouquet de roses rouges, s'il vous plaît.

b. 7 roses à 1,10 €, ça fait donc 7,70 €.

c. Je voudrais un bouquet de roses.

d. Quel est le prix de ces roses rouges ?

e. Vous désirez ?

f. Très bien, c'est pour offrir ?

g. Oui. Je vous dois combien ?

h. Alors, j'ai des roses rouges, des blanches et des jaunes.

i. Elles sont à 1,10 € pièce.

> Les commerces et les commerçants

2. Dites où cela se passe.

Exemple : Je peux écrire « Joyeux anniversaire » sur le gâteau, si vous voulez.

➜ *à la pâtisserie/chez le pâtissier*

a. Deux barquettes, ça ira ?

b. Et voilà ! Il est très tendre, ce steak !

c. Une tarte aux pommes, s'il vous plaît !

d. J'en voudrais un sans arêtes, s'il vous plaît.

e. Goûtez ce fromage, il est super !

f. Je voudrais quelque chose de joli, faites-moi un beau bouquet.

> Exprimer la quantité

3. Vous voulez préparer le menu suivant pour six personnes. Faites la liste des courses en précisant les quantités.

Exemple : avocats aux crevettes

➜ *3 avocats et 300 grammes de crevettes*

Menu	Boissons
Avocats aux crevettes	Eau minérale plate et gazeuse
Escalopes de veau à la crème	
Riz aux champignons	Café
Plateau de fromages	
Salade de fruits frais	

> Le pronom *en*

4 a) Lisez les répliques suivantes et dites qui parle : le commerçant ou le client ?

a. Il me faut trois <u>avocats</u>.

b. Prenez six <u>avocats</u>.

c. J'ai <u>des mangues</u>, aujourd'hui.

d. Vous avez <u>des citrons</u> ?

e. Vous désirez combien de barquettes <u>de fraises</u> ?

f. Vous avez <u>de la sauce bolognaise</u> ?

g. Mettez trois <u>melons</u>.

b) Remplacez les mots soulignés par le pronom *en*, comme dans l'exemple.

Exemple : Il me faut trois <u>avocats</u>.

➜ *Il m'en faut trois.*

POUR LE PLAISIR

DOSSIER 8

Toulouscope

À L'AFFICHE AUJOURD'HUI

Musiques

Festival Bourbaki rouge, samedi 12 juin, de 19 heures à 2 heures, avec Kahfila (oriental), Stéréotypes (hip-hop), Skan-D (rap-reggae-salsa), Undergang (jungle-breakbeat-oriental). Gratuit.
Renseignements au tél. : 05 61 13 86 39.

Lila Downs (Mexique), dans le cadre du festival Rio Garonne, samedi 12 juin à 20 h 30 au Havana Café, à Ramonville (2, place des Crêtes). 10 €.
Tél. : 05 62 88 34 34.

New Gospel Family, samedi 12 juin à 20 h 30 au Zénith.
Tarifs : 28 € et 33 €.
Informations au tél. : 05 62 62 57 27.

In jazz quartet, samedi 12 juin à 22 heures au Mandala (23, rue des Amidonniers).
Tél. : 05 61 21 10 05.

Festival de La Gesse, 5e festival d'été, organisé par la fondation américaine La Gesse. Samedi 12 juin

à 20 h 30, concert avec le pianiste Soyoung Kim et le violoncelliste Si-Yan Darren Li. Dans la salle de musique de l'hôtel d'Assézat (rue de Metz).
Tarif : 18 €. Tél. : 05 61 12 06 89.

Théâtre

Le Songe d'une nuit d'été, par les élèves de seconde année de l'école du Passage à niveau.
Samedi 12 juin, et jusqu'au 26 juin à 21 heures au Grenier Théâtre (14, impasse Gramont, métro Argoulet). Tarif : 6 €.
Informations et réservations : 05 61 48 21 00.

Merci pour les fleurs, l'amour au cœur de ce spectacle d'Alexandre Trijoulet, plein d'humour. Jusqu'au samedi 19 juin à 21 h 30, du mardi au samedi (71, rue de Taurd).
Tarifs : 8 € et 12 €.
Tél. : 05 61 23 62 00.

A-mor, cabaret macabre réalisé par Bilbo avec plusieurs musiciens et

chanteurs. Jusqu'au samedi 19 juin à 21 heures, du mardi au samedi, au théâtre du Grand-Rond (23, rue des Potiers).
Tarifs : 6 € et 11 €.

Humour

Jambon beurre, avec Nordine et Cédric, jusqu'au samedi 3 juillet à 20 heures au café-théâtre des 3T (40, rue de la Chaîne).
Tarifs : 11 € et 15 €.
Tél. : 05 62 30 99 77.

Cirque

Cirque à la une, jusqu'au 13 juin à Balma ; *Scacco* par Circo fantasma, samedi 12 juin à 21 heures (sous le chapiteau, place des Fêtes).
Tarifs : 8 € et 6 €. La soirée se prolonge avec le groupe BB's.
Tél : 05 61 24 33 91.

D'après La Dépêche du midi.

1

Échangez en petits groupes :
1. Quelle catégorie de spectacles aimez-vous ?
   - ☐ le théâtre   ☐ le cinéma   ☐ les concerts   ☐ l'humour
   - ☐ l'opéra   ☐ la danse   ☐ le cirque
2. Précisez vos choix à l'aide des mots suivants.
   classique – moderne – contemporain(e) – folklorique – d'avant-garde – dramatique – comique – d'action
3. Comment sélectionnez-vous un spectacle ?
   - ☐ sur le conseil d'amis   ☐ d'après les critiques de la presse
   - ☐ d'après le nom des artistes ou la compagnie   ☐ par hasard
   - ☐ autre

2

Lisez le « Toulouscope » et répondez.
1. À quelle rubrique du journal *La Dépêche du midi* correspond le « Toulouscope » ?
2. Quelles sont les différentes parties du « Toulouscope » ?

Les feux de la **rampe**

3 🎧 👁

Écoutez les extraits de quatre spectacles. Lesquels sont annoncés dans le « Toulouscope » ?

4 🎧 👁

Écoutez le dialogue et dites quels spectacles Pierre propose à Marion. Retrouvez-les dans le « Toulouscope ».

5 🎧

Réécoutez le dialogue et relevez les réactions et les commentaires de Marion sur ces différents spectacles.

6 PHONÉTIQUE

a) Enthousiaste, négative ou hésitante ? Écoutez ces réactions à des propositions de sorties et répondez.

b) Quelle phrase exprime l'enthousiasme : la première ou la deuxième ? Écoutez et répondez.

c) Répondez à ces invitations de manière enthousiaste, négative ou hésitante.

1. Tu ne voudrais pas aller au cinéma ?
2. On peut aller voir ce film ?
3. Alors, pourquoi pas ce spectacle de cirque ?
4. Ça te dit d'écouter ce groupe ?
5. C'est ce qu'il te faut : un concert de salsa !
6. Allez, ça te tente, une boîte de jazz ?

Point **Langue**

> PROPOSER DE SORTIR, RÉAGIR

À l'aide du dialogue, complétez avec les expressions suivantes.

Ça te dit ? – On peut aller voir – Je n'ai pas envie de théâtre classique. – Ils sont très marrants ces deux-là. – J'aime bien leur humour. – Alors pourquoi pas – Ça te tente ? – Ça ne doit pas être terrible !

Proposer de sortir	Réactions positives	Réactions négatives
– Tu ne veux pas aller au ciné pour te changer les idées ?		– Ah non, le ciné ça ne me dit rien.
– Le Songe d'une nuit d'été, …	– J'aime bien ce qu'ils font	– mais …
– … A-mor.		– …
– … Jambon beurre, avec Nordine et Cédric ? …	– …	

S'EXERCER n° 1 ➡

Point **Langue**

> LE REGISTRE FAMILIER

a) Réécoutez le dialogue entre Marion et Pierre et repérez les phrases de sens équivalent aux phrases suivantes.
J'ai trop de travail en ce moment.
Je suis très fatiguée.
Ça ne doit pas être bien !
Ils sont très drôles, ces deux-là.

b) Quelles sont les spécificités de l'oral familier, dans ce dialogue ?

S'EXERCER n° 2 ➡

7 🔄

Jouez la scène par petits groupes. Choisissez ensemble une sortie à partir des propositions du « Toulouscope ». Les uns proposent un spectacle, les autres réagissent et font des commentaires positifs ou négatifs. Puis vous décidez d'une sortie commune.

QUEL FILM ALLEZ-VOUS VOIR AUJOURD'HUI ?

FAIRE UNE RÉSERVATION DE SPECTACLE

8 👁

Observez les trois affiches et dites quel type de spectacle est proposé.

9 👂👁

a) Écoutez les trois dialogues et répondez.
1. À qui les personnes téléphonent-elles ?
2. Pourquoi ?
b) Associez chaque dialogue à une affiche.

10 👂

Réécoutez et précisez pour chaque dialogue :
– le nom de la pièce ;
– le nombre de places désirées ;
– la date et l'heure de la représentation.

11 👂

a) Indiquez à quel dialogue correspond chaque situation.
– Des places sont disponibles. Il n'y a pas de problème.
– Il n'y a pas assez de places pour le/la client(e).
– La réservation n'est pas possible, c'est complet.
b) Réécoutez et repérez comment l'employé(e) informe chaque personne de la situation.
c) Réécoutez et relevez les réactions de chaque client.
*Exemple : dialogue 1 → Il n'y en a plus !
Oh ! Ce n'est pas possible !*

Point **Langue**

› RÉSERVER UNE PLACE DE THÉÂTRE

a) Associez.

Le spectacle commence à 15 heures.   La représentation est en soirée.
Réserver une place.   Une place en bas.
Une place au balcon.   Faire une réservation.
Le spectacle commence à 21 heures.   Une place en haut.
Une place à l'orchestre.   La représentation est en matinée.

b) Associez chaque phrase à la situation correspondante.

– Il n'y a plus de place.   Il n'y a pas assez de places.
– Il y a encore des places.   C'est complet.
– Vous voulez six places, mais je   La réservation est possible.
  n'ai que quatre places.

Ne + verbe + *que* exprime la restriction.

S'EXERCER n° 3 🔜

Point **Langue**

> ### LE PRONOM *EN*

Transformez les phrases avec le pronom *en*.

Il n'y a plus de places. → *Il n'y en a plus.*

Je n'ai que quatre places. ...

Il y a encore des places. ...

S'EXERCER n° 4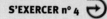

12 ☺

Jouez la scène à deux.

Vous avez décidé de voir un spectacle et vous téléphonez pour réserver des places.

Vous avez le choix entre trois scénarios :

- Il n'y a plus de places disponibles.
- Il reste des places.
- Il reste des places mais pas assez.

Dans la conversation, vous devez demander/ donner des informations sur :

- le nombre de places désiré ;
- le titre du spectacle ;
- le jour et l'heure de la séance ;
- le prix ;
- comment retirer les billets.

136 THEATRE LES ENFANTS TERRIBLES
157, rue Pelleport (20ᵉ). Mᵒ Télégraphe. 01.46.36.19.66.

A 21h du Mar au Sam. A 15h30 Dim. Pl. : 12 €. T.R. : 8 €. **Du 6 au 18 déc.** :

L'éloge de la bêtise
Collage de textes de Flaubert, Gary, Kundera, Willis, Kerouac. Mise en scène Bertrand Rickebusch. Avec Joëlle Saminnadin et Stéfanie Reynaud.

Comment deux personnes totalement opposées qui refusent de se comprendre peuvent rester une heure dans le même endroit et finalement s'accepter ? **(Durée 1h30).**

137 THEATRE DE L'EPOUVANTAIL
(50 places) 6, rue de la Folie Méricourt (11ᵉ). Mᵒ St-Ambroise. 01.43.55.14.80. Salle climatisée. La station de métro St-Ambroise est fermée jusqu'au 3 déc. descendre à Voltaire ou Oberkampf.

A 20h30 Jeu, Ven, Sam. A 15h Dim. Pl. : 13 €. T.R. : 10 €. **Du 1ᵉʳ au 18 déc.** :

Courteline
Mise en scène Dominique Giovannoni. Par la Cie Les colonnes de Circé.

Quatre courtes pièces, «Les Boulingrins», «La paix chez soi», «La peur des coups», «Monsieur Badin».

A 17h30 Dim. Pl. : 13 €. T.R. : 9 €. **Jusqu'au 18 déc.** :

Monument hystérique
De et par Patricia Cartier.

Marie-Constance, l'aristocrate a de la constance, supporte tout avec élégance. Mais depuis Panama et l'affaire de l'emprunt russe, trois générations n'ont pas réussi à colmater les brèches du château de famille. N'en pouvant plus, elle décide d'en appeler au peuple…

Pariscope • semaine du 30 novembre au 6 décembre

> Choisir un spectacle

1. Écrivez des minidialogues.

Une personne propose une sortie (cinéma, théâtre, spectacle comique, concert, cirque, opéra). L'autre personne réagit positivement ou négativement.

Exemple : Tu veux aller au concert ?
→ *Oui, le concert, j'adore !/Non, le concert, ça ne me dit rien !*

> Le registre familier

2. Associez les phrases de même sens.
Registre standard

Oui, très bien !
Cette fille est vraiment belle.
Je suis très fatigué !
Ce n'est pas extraordinaire.
Elle est très drôle.

Registre familier

Elle est vraiment marrante.
Je suis crevé !
C'est pas terrible.
Elle est canon, cette fille !
Ouais, sympa.

> Exprimer la restriction

3. Reformulez comme dans l'exemple avec *ne... que*.

Exemple : Il reste seulement quelques places au dernier rang.
→ *Il ne reste que quelques places au dernier rang.*

a. Il y a seulement deux acteurs sur scène pendant toute la représentation.

b. Le théâtre ferme seulement le mardi.

c. La pièce dure seulement une heure.

d. Comme décor, il y a seulement une table et une chaise.

e. Les acteurs ont eu seulement quinze jours pour apprendre leur rôle.

f. On joue cette pièce seulement à Paris.

> Le pronom *en*

4. Répondez aux demandes de réservation, comme dans l'exemple.

Exemple : — Je voudrais trois places.
(places disponibles : 15)
→ *— Oui, pas de problème. Il en reste 15./Il y en a encore 15.*

a. — Il reste quatre places ?
(places disponibles : 0)

b. — Pouvez-vous me réserver huit places ? (places disponibles : 5)

c. — Vous avez encore six places ? (places disponibles : 6)

d. — Je voudrais réserver deux places. (places disponibles : 1)

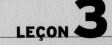
CHOISIR UN RESTAURANT

▶ *POUR LES GOURMANDS*

Le jardin de Nicolas

64, rue Trion – Lyon 5ᵉ
Tél. : 04 28 42 55 18

Au Jardin de Nicolas, vous entrez par la cuisine, c'est à la fois original et rassurant (ici, rien à cacher !). Assis dans la très belle cave voûtée, découvrez la nouvelle carte avec au choix plus de 40 salades (20 nouvelles créations). Elles sont toutes géniales, délicieuses et copieuses.

Également trois menus à base de cuisine classique lyonnaise à 12 €, 14 € et 17 €, pour passer un moment agréable sans se ruiner.

Réservation conseillée.

Exposition *Photographies du siècle dernier*

Ouvert du lundi au samedi, midi et soir. Fermé le dimanche soir.

Le marché d'Alice

13, rue Plat – Lyon 2ᵉ
Tél. : 04 81 63 42 14

Le tout nouveau restaurant du 6ᵉ, à deux pas de la place Maréchal-Lyautey.

Alice Rivet en cuisine et sa sœur Carole en salle vous proposent une cuisine du marché simple et savoureuse, variée, en fonction des saisons. La décoration, sur le thème du marché, est une réussite totale. Accueil chaleureux et sympathique.

À midi, petit prix pour la formule du marché à 14 € (choix de deux entrées, deux plats et deux desserts) qui change tous les jours. Menu à 25 € (entrée, plat et dessert).

Repas de groupe sur réservation.

Ouvert du lundi au samedi, midi et soir.

1 👁

a) Lisez ces textes et répondez.
Ce sont des :
☐ publicités pour des restaurants.
☐ critiques gastronomiques.
☐ annonces pour l'inauguration de restaurants.
b) Repérez si les éléments suivants apparaissent.
localisation du restaurant – précisions sur les vins – indications sur le décor ou l'ambiance – informations sur les menus et les prix – indications sur le type de cuisine – indications sur les jours et horaires d'ouverture – nombre de tables disponibles – nom et coordonnées du restaurant
c) Pour chaque texte, classez ces éléments par ordre d'apparition.

DOSSIER 8

2

a) Pour chacune des situations suivantes, choisissez le restaurant où vous allez dîner et justifiez votre choix avec des expressions du texte.

1. Vous avez envie de manger des produits frais, de saison.
2. Vous cherchez un restaurant pas trop cher pour fêter un événement avec un groupe d'amis.
3. Vous voulez dîner avec un ami végétarien.
4. Vous cherchez un restaurant original pour inviter un ami artiste.

b) Faites la liste des points forts de chaque restaurant : nourriture, décor/ambiance, prix.

c) Relevez tous les éléments de description positive.

Point **Langue**

› CARACTÉRISER UN RESTAURANT

a) Relisez les critiques et faites correspondre chaque appréciation positive ci-dessous aux critères suivants : la cuisine – le décor – l'ambiance – le personnel – les prix.

original – varié – petit – sympathique – savoureux – rassurant – beau – copieux – délicieux – simple – chaleureux – agréable – génial

b) Faites correspondre ces appréciations négatives aux mêmes critères.

désagréable – froid – antipathique – élevé – banal – sans saveur – sans originalité

Point **Langue**

› LA PLACE DE L'ADJECTIF

a) Observez la place de l'adjectif.

une cuisine simple – une cuisine variée – une cuisine classique lyonnaise – une réussite totale – la très belle cave voûtée – le nouveau restaurant – la nouvelle carte – les nouvelles créations – un petit prix – de la bonne cuisine – un moment agréable

b) Répondez.

En général, les adjectifs qualificatifs se placent :
□ avant le nom.   □ après le nom.

Les adjectifs *beau*, *nouveau*, *petit* et *bon* se placent en général :
□ avant le nom.   □ après le nom.

Attention !

un nouvel/bel endroit

S'EXERCER n° 1 ➜

---

3 PHONÉTIQUE

a) Choisissez tous ensemble un geste pour représenter la position des lèvres quand on prononce [ɛ̃], un autre pour [ɑ̃] et un autre pour [ɔ̃].

b) [ɛ̃], [ɑ̃] ou [ɔ̃] ? Écoutez et répondez par un geste.

c) Écoutez et répondez.

1. Combien de fois entendez-vous le son [ɔ̃] ?
2. Combien de fois entendez-vous le son [ɛ̃] ?
3. Combien de fois entendez-vous le son [ɑ̃] ?

d) Réécoutez les phrases et répétez-les.

4

a) Échangez : En petits groupes, choisissez un restaurant de la ville pour proposer à la classe d'y dîner. Chaque étudiant(e) présente aux autres un restaurant de la ville qu'il apprécie tout particulièrement, en donnant des informations sur le lieu, le décor, l'ambiance, la nourriture, le personnel, le prix. Puis le groupe en choisit un.

b) Écrivez la critique de ce restaurant.

COMMANDER AU RESTAURANT

Dialogue 1

– *Vous avez choisi ?*

– *Oui, nous allons prendre deux formules : entrée, plat et dessert.*

– *Très bien, je vous écoute.*

– *Comme entrée, deux melons au jambon de pays.*

– *Deux melons… et comme plat ?*

– *Qu'est-ce que c'est, l'osso-buco ?*

– *Alors, c'est du veau cuit avec des tomates et des herbes. C'est très bon, je vous le recommande.*

– *Bien, alors, un osso-buco pour moi.*

– *Moi, je vais prendre une côte de bœuf grillée.*

– *Quelle cuisson ?*

– *À point.*

– *Vous désirez boire du vin ?*

– *Une bouteille de saumur-champigny.*

– *Et de l'eau ?*

– *Oui, une bouteille d'eau minérale.*

– *Plate ? Gazeuse ?*

– *Gazeuse.*

Dialogue 2

– *Ça vous a plu ?*

– *Oui, c'était très bien, délicieux.*

– *Vous avez choisi les desserts ?*

– *Je voudrais une crème caramel.*

– *Ah ! Il n'y a pas de crème caramel dans la formule, aujourd'hui.*

– *Ah oui, c'est vrai. Alors… une salade de fruits.*

– *Ah ! Désolé, il n'y a plus de salade de fruits. Prenez la tarte normande, elle est excellente. Spécialité du chef !*

– *Ah… La tarte normande, alors. Toi aussi ?*

– *Oui, pareil pour moi.*

– *Très bien. Je vous apporte ça tout de suite.*

Dialogue 3

– *Vous désirez des cafés ?*

– *Oui, deux cafés, s'il vous plaît.*

– *Et l'addition.*

– *Très bien.*

5 🎧

Écoutez les dialogues et répondez.
1. Où cela se passe-t-il ?
2. Qui parle ?
3. Repérez les étapes de la commande.

6 🎧

a) **Réécoutez et dites quelle addition correspond au repas. Justifiez votre réponse.**

b) **Réécoutez et dites quel est le problème avec les desserts.**

LE BISTROT DES TERROIRS	
2 formules à 23,50 €	
2 melons jambon de pays	
1 osso-buco	
1 côte de bœuf	
2 tartes normandes	
1 Saumur-Champigny 75 cl – 20 €	
1 eau minérale – 4 €	
2 cafés – 2 x 2 €	
TOTAL À PAYER :	75,00 €

a.

LE BISTROT DES TERROIRS	
2 formules à 23,50 €	
2 melons jambon de pays	
1 osso-buco	
1 côte de bœuf	
1 tarte normande	
1 salade de fruits	
1 Saumur-Champigny 75 cl – 20 €	
2 cafés – 2 x 2 €	
TOTAL À PAYER :	71 €

b.

Point **Langue**

> COMMANDER AU RESTAURANT

Repérez dans les dialogues les formules utilisées par le serveur et les clients.

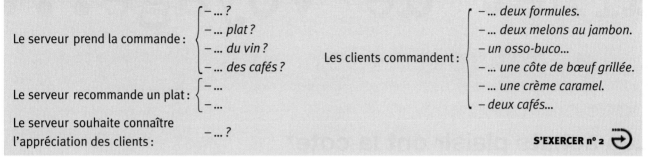

Le serveur prend la commande :
- ... ?
- ... *plat ?*
- ... *du vin ?*
- ... *des cafés ?*

Le serveur recommande un plat :
- ...
- ...

Le serveur souhaite connaître l'appréciation des clients :
- ... ?

Les clients commandent :
- ... *deux formules.*
- ... *deux melons au jambon.*
- *un osso-buco...*
- ... *une côte de bœuf grillée.*
- ... *une crème caramel.*
- *deux cafés...*

S'EXERCER nº 2

FAIRE UNE APPRÉCIATION AU RESTAURANT

7

Écoutez les commentaires et complétez le tableau.

	Le lieu		La nourriture		Le service	
	☺	☹	☺	☹	☺	☹
1.						✔
...						

S'EXERCER nº 3

8 PHONÉTIQUE

Écoutez et dites si l'appréciation est positive ou négative.

9

Jouez la scène à trois.

Deux personnes commandent au restaurant. Les clients consultent le menu, le serveur fait des recommandations et prend la commande. À la fin du repas, les clients font des commentaires.

> Caractériser un restaurant

1. a) Caractérisez l'élément souligné avec un des adjectifs suivants. (Plusieurs choix sont possibles.) Attention à la place des adjectifs !

excellent – petit – antipathique – nouveau – banal – bon – copieux – agréable – original – sans saveur – modeste – ordinaire – raisonnable – beau – mauvais – désagréable
Exemple : On y vient pour l'ambiance.
→ *Il y a une bonne ambiance/une ambiance agréable.*

a. Il y a beaucoup à manger dans les assiettes. Ce sont des...
b. La cuisine mérite trois étoiles. C'est une...
c. On apprécie ce restaurant pour ses prix. Ce sont des...
d. La cuisine n'a rien d'extraordinaire. C'est une...
e. Le personnel ne sourit jamais. C'est un...
f. Ce restaurant vient d'ouvrir. C'est un...
g. Bravo pour l'originalité de la cuisine ! C'est une...

b) Transformez vos phrases pour dire le contraire.
Exemple : Il y a une bonne ambiance.
→ *Il y a une mauvaise ambiance/ une ambiance désagréable.*

> Commander au restaurant

2. Reconstituez le dialogue entre le serveur et les clients.
Serveur
– Désolé, mais je n'ai plus qu'une part de tarte.
– Et comme dessert ?
– Vous avez choisi ?
– Quelle cuisson ?
– Vous désirez boire quelque chose ?
– Vous prenez une entrée ?

Clients
– Non, directement le plat principal.
– Une bouteille d'eau minérale.
– Deux tartes aux pommes.
– Oui, deux plats du jour et un steak-frites.
– À point.
– Bon, alors, une tarte aux pommes et une glace à la vanille.

> Faire une appréciation au restaurant

3. a) Dites sur quoi portent les appréciations suivantes : le lieu, la nourriture ou le service ?

a. Une demi-heure qu'on attend ! Tout le monde est servi, sauf nous. C'est incroyable !
b. C'est bon, mais c'est peu. Tu as vu les portions ?
c. On se sent vraiment bien, ici.
d. Hum, succulent, ce dessert !
e. Il y a trop de monde et trop de bruit ici ! Je ne reviendrai pas !
f. Très professionnel, le garçon !
g. La présentation, la qualité, tout est parfait, vraiment !
h. Tu as goûté la viande ? Je la trouve immangeable.

b) Dites si les appréciations sont positives ou négatives.

Carnet de voyage...

La consommation des Français

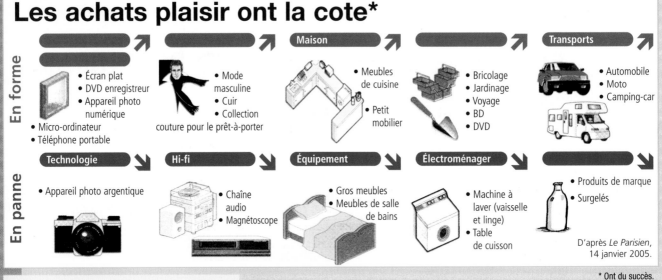

CONSOMMATION

Les achats plaisir ont la cote*

En forme

Technologie / Audiovisuel
- Écran plat
- DVD enregistreur
- Appareil photo numérique
- Micro-ordinateur
- Téléphone portable

Mode
- Mode masculine
- Cuir
- Collection couture pour le prêt-à-porter

Maison
- Meubles de cuisine
- Petit mobilier

Loisirs
- Bricolage
- Jardinage
- Voyage
- BD
- DVD

Transports
- Automobile
- Moto
- Camping-car

En panne

Technologie
- Appareil photo argentique

Hi-fi
- Chaîne audio
- Magnétoscope

Équipement
- Gros meubles
- Meubles de salle de bains

Électroménager
- Machine à laver (vaisselle et linge)
- Table de cuisson

Alimentation
- Produits de marque
- Surgelés

D'après *Le Parisien*, 14 janvier 2005.

* Ont du succès.

1.

Observez cette page du journal *Le Parisien* et répondez.

1. Le thème de la page est :
   - ☐ l'évolution des achats des Français.
   - ☐ l'évolution de la production industrielle en France.
   - ☐ l'évolution des exportations françaises.

2. La couleur rouge indique :
   - ☐ une augmentation.
   - ☐ une diminution.
   - ☐ une stabilité.

3. Retrouvez dans la liste ci-dessous les secteurs qui manquent dans le schéma.
   - ☐ nouvelles technologies
   - ☐ alimentation
   - ☐ vêtements
   - ☐ loisirs

2.

Lisez les témoignages suivants et trouvez les secteurs évoqués par chaque personne.

VOIX EXPRESS : Comment gérez-vous votre budget consommation ?

Daniel Kuzma – « Je fais attention à ce que j'achète, par exemple pour la nourriture. Je fréquente de plus en plus les supermarchés discount*. Grâce à ces petits efforts, j'économise environ 100 euros par mois. Sur l'année, cela fait 1 200 euros et je peux m'offrir des vacances. L'année dernière, j'ai par exemple réussi à partir dans les pays de l'Est. »

Michel Ouadjer – « Je surveille mes dépenses surtout pour l'alimentation. Ancien responsable des ventes, je négocie les prix. Je réduis ainsi de 10 % mes dépenses mensuelles. Je peux alors me faire plaisir. J'adore l'informatique et les produits high-tech. »

* À prix très bas.

3.

Relisez les témoignages et trouvez les éléments qui correspondent aux tendances décrites dans le schéma *Consommation : Les achats plaisir ont la cote.*

4.

Vous voulez faire des économies. Comment gérez-vous votre budget consommation?

a) Réfléchissez à votre consommation et répondez.

Est-ce que vous dépensez dans tous les secteurs du schéma p.142? Quels sont les secteurs prioritaires dans vos dépenses?

b) Avec votre voisin(e), comparez votre budget consommation.
Est-ce que vous faites attention à vos dépenses? Lesquelles? Si vous avez soudain beaucoup d'argent, comment est-ce que vous le dépensez? Est-ce que vous «craquez» souvent? Sur quoi?

Les sorties culturelles des Français

5.

Échangez sur les sorties culturelles que vous aimez ou n'aimez pas.
Faites individuellement un classement par ordre de préférence (de 1 à 6) de vos sorties culturelles préférées. Puis, en petits groupes, faites un classement commun. Quelle(s) sortie(s) culturelle(s) pouvez-vous envisager avec votre groupe?

6.

Découvrez le classement des Français ci-dessous et répondez.
Est-ce que ce classement est une surprise pour vous? Imaginez-vous le même classement si on interroge les personnes de votre pays? Comparez avec votre classement.

7.

a) Vrai ou faux? Lisez le paragraphe sur la télévision et répondez.
Les gens qui regardent peu la télévision font peu de sorties culturelles.
b) Et pour vous, quelle est la priorité: télévision ou sorties culturelles?

Sorties et visites culturelles	Ensemble en %	Femmes en %	Moins de 30 ans en %	60 ans ou plus en %
Cinéma	52	52	38	10
Monument historique	46	52	24	19
Exposition	37	55	23	19
Musée	29	54	23	19
Concert	25	53	34	14
Théâtre	16	58	25	21
Spectacle comique	13	56	28	13
Spectacle de danse	12	58	24	17
Son et lumière	9	54	19	17
Cirque	9	60	19	11
Opéra	4	55	15	27

Cinéma et monuments historiques remportent la palme
En 2003, 52 % des personnes interrogées de 15 ans ou plus sont allées au cinéma au moins une fois dans l'année. Les visites de monuments historiques comme les châteaux, les édifices religieux, par exemple, ont attiré 46 % des personnes de 15 ans ou plus en 2003. Les Français s'intéressent également aux expositions (37 %) et aux musées (29 %). Une personne sur quatre est allée à un concert en 2003.

La télévision
La télévision occupe une place importante dans la vie quotidienne des Français. En 2003, la quasi-totalité des personnes de 15 ans ou plus ont regardé la télévision au moins une fois. 5 % la regardent seulement une à deux fois par semaine. La durée moyenne d'écoute va de 2 heures par jour chez les 15-19 ans à 3 h 40 chez les plus de 75 ans. C'est la seule pratique de loisir qui diminue quand les autres augmentent: les personnes qui font très souvent du sport ou des activités culturelles regardent la télévision 2 h 15 par jour, contre 3 h 30 en moyenne pour les personnes qui n'ont pas d'activité culturelle de type spectacles, visites culturelles ou pratique artistique.

D'après l'étude Insee «Pratique sportive et activités culturelles vont souvent de pair», mars 2005.

Votre travail dans le dossier 8

1 Qu'est-ce que vous avez appris à faire dans ce dossier ? Cochez les propositions exactes.

- ☑ comprendre une annonce de spectacle
- ☐ décrire un logement
- ☐ comprendre un récit de vacances
- ☐ organiser une sortie
- ☐ décrire un repas au restaurant
- ☐ exprimer ses goûts sur les loisirs
- ☐ faire une réservation
- ☐ conseiller une adresse gastronomique
- ☐ parler de sa ville

2 Quelles activités vous ont aidé(e) à apprendre ? Voici une liste de savoir-faire de communication. Notez en face de chaque savoir-faire le numéro de la leçon et de l'activité qui correspondent.

- donner une appréciation sur un spectacle   *L2, 5*
- comprendre une personne qui fait des courses alimentaires   ....
- exprimer une appréciation sur un restaurant ....
- réserver une place de spectacle ....
- identifier et nommer des commerces ....
- comprendre quelqu'un qui demande des informations dans un magasin ....
- caractériser des produits alimentaires ....
- comprendre une personne qui fait une réservation ....
- comprendre une personne qui commande un repas ....
- rédiger une critique de restaurant simple ....

Votre autoévaluation

1 Cochez d'abord les cases qui correspondent aux savoir-faire que vous êtes capable de réaliser maintenant et faites le test donné par votre professeur pour vérifier vos réponses.
Puis, reprenez votre fiche d'autoévaluation, confirmez vos réponses et notez la date de votre réussite. Cette date vous permet de voir votre progression au cours du livre.

JE PEUX	ACQUIS	PRESQUE ACQUIS	DATE DE LA RÉUSSITE
comprendre ce que quelqu'un commande	☐	☐	....
comprendre une situation de satisfaction ou mécontentement	☐	☐	....
comprendre des annonces de spectacles	☐	☐	....
comprendre un commentaire de spectacle	☐	☐	....
indiquer une adresse	☐	☐	....
donner des informations sur des menus, des plats	☐	☐	....
conseiller une adresse	☐	☐	....
donner mon appréciation sur un spectacle/un livre	☐	☐	....
faire un récit au présent	☐	☐	....

2 Après le test, demandez à votre professeur ce que vous pouvez faire pour améliorer les activités pas encore acquises.

- ☐ exercices de compréhension orale
- ☐ exercices de compréhension écrite
- ☐ exercices de production orale
- ☐ exercices de production écrite

- ☐ exercices de grammaire
- ☐ exercices de vocabulaire
- ☐ exercices de phonétique
- ☐ autres (vidéo…)

DOSSIER 9
Lieux de vie

DELF

A1/A2

ÉVOQUER DES SOUVENIRS

LIEUX DE VIE

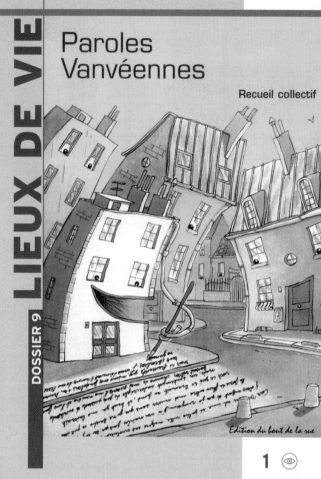

Paroles
Vanvéennes

Recueil collectif

Édition du bout de la rue

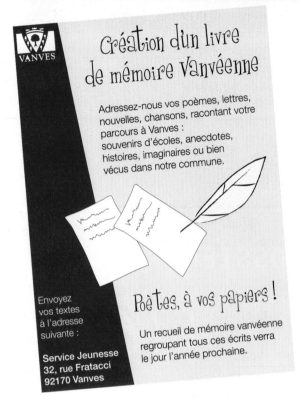

VANVES

Création d'un livre
de mémoire vanvéenne

Adressez-nous vos poèmes, lettres,
nouvelles, chansons, racontant votre
parcours à Vanves :
souvenirs d'écoles, anecdotes,
histoires, imaginaires ou bien
vécus dans notre commune.

Envoyez
vos textes
à l'adresse
suivante :

**Service Jeunesse
32, rue Fratacci
92170 Vanves**

Poètes, à vos papiers !

Un recueil de mémoire vanvéenne
regroupant tous ces écrits verra
le jour l'année prochaine.

1 👁

Observez la couverture du livre
et l'annonce. Expliquez le titre
Paroles vanvéennes, le type
de livre et son historique.

2 👁

Lisez le texte ci-contre, extrait de *Paroles
vanvéennes*, et répondez. Justifiez vos
réponses avec des éléments du texte.

1. Mme Branciard est :
   ☐ jeune. ☐ d'âge moyen. ☐ très âgée.
2. Elle écrit sur :
   ☐ sa ville actuelle.
   ☐ des événements récents dans sa ville.
   ☐ sa ville dans le passé.
3. Elle parle :
   ☐ de la première partie de sa vie.
   ☐ du milieu de sa vie.
   ☐ de la fin de sa vie.

3 👁

Relisez le texte et répondez.
1. Où se situe Vanves ?
2. À votre avis, quels éléments ont disparu
   de la ville de Vanves aujourd'hui ?

Au temps de mon enfance

Vanves, au temps de mon enfance, était un
gros village avec de petites maisons entourées
de jardins fleuris, de potagers où l'on cultivait
des légumes et cueillait des cerises.

Il y avait trois fermes et le laitier passait,
le soir, vendre son lait dans une voiture à
cheval, rue Danton.

Vers la fin des années vingt, un employé
de la ville passait encore à la tombée de la
nuit, pour allumer les réverbères à gaz.

Sur la zone qui séparait Vanves de Paris,
un berger venait garder ses chèvres et nous
vendait ses fromages.

Mme BRANCIARD

Changement de **décor**

4 👁

Lisez les deux autres extraits du livre et relevez dans les trois textes :
1. les expressions qui montrent que les personnes parlent de leur enfance ;
2. les souvenirs personnels ;
3. les souvenirs sur la ville.

Point **Langue**

› L'IMPARFAIT
pour évoquer des souvenirs

a) Relisez les trois extraits et complétez avec d'autres souvenirs.

*J'**av**ais dix ans.*
*Je **fais**ais du football.*
*Le laitier **pass**ait le soir.*
*On **cultiv**ait des légumes.*
*Nous **habit**ions dans le bas de Vanves.*
*Mes parents ne **voul**aient pas que je traîne.*

b) Observez les verbes et complétez avec les terminaisons.

je -...	nous -...
tu -ais	vous -iez
il/elle/on -...	ils/elles -...

c) Réobservez les verbes et répondez.
Pour former l'imparfait, on utilise :
☐ la base de *nous* au présent.
☐ la base de *vous* au présent.
☐ la base de *ils* au présent.
Attention ! Pour le verbe *être*, la base est *ét-* : *Vanves **ét**ait un gros village.*

S'EXERCER n° 1 🔁

Une vie au-dessus du panier

Quand j'avais dix ans, je faisais du football mais je n'étais pas très doué pour ce sport. Il faut dire que taper dans le ballon rond et sous la pluie ne me motivait pas. Mes parents (surtout ma mère) ne voulaient pas que je traîne le week-end. Je devais donc trouver une autre activité sportive de loisirs.

À mon entrée en 6e, au collège Saint-Exupéry, j'ai coché au hasard une activité sportive, là où il restait de la place : c'était le basket-ball.

Sylvain MOUSSEAU, ancien entraîneur
de l'équipe de Vanves de basket-ball

Vanves a le parfum de mon village du delta du Nil : El Barratine

Je me souviens que, quand j'étais petite, j'allais beaucoup jouer au parc Pic après l'école et pendant les vacances. Nous habitions dans le bas de Vanves[1], rue Louis-Blanc et j'allais à l'école du centre. Aujourd'hui, nous vivons au Plateau. L'appartement est plus grand, les commerces sont en bas de chez nous, mais le parc, avec ses grands arbres et ses fleurs, me manque un peu.

Maroua MOHAMAD-HAMIDA

1. Vanves est en deux parties : une partie haute appelée *le Plateau* et une partie basse, *le bas de Vanves.*

5 👂

Un des auteurs lit son texte à la soirée de présentation du livre. Écoutez et répondez.
1. Quels sont les points communs avec les souvenirs des autres auteurs ?
2. Quel est le lieu de la ville évoqué ?

6 PHONÉTIQUE

a) Identiques ou différents ?
Écoutez et répondez.
b) Lisez à voix haute.
Pépé paie peu mais mémé m'aime.
Mémé me fait un thé au lait.
Pépé se tait, le thé se fait.

7 🗣

Échangez à deux sur la ville de votre enfance.
Où habitiez-vous pendant votre enfance : Dans une grande ville ? Dans un village ? Fermez les yeux pour vous souvenir des lieux et décrivez-les à votre voisin(e). Dites s'il y a un lieu particulier dans votre mémoire et expliquez pourquoi.

8

Dans la ville de votre enfance, on lance une initiative similaire à *Paroles vanvéennes.* Vous écrivez votre témoignage pour le livre collectif sur la ville.
Vous faites une description de la ville à l'époque. Vous vous souvenez de lieux, de personnes, d'activités spécifiques.

COMPARER AVANT ET MAINTENANT

– Bonjour, Florence Bernazzi, bonjour, François Cosprec. La première chose peut-être à expliquer à nos auditeurs, c'est pourquoi vous avez quitté la ville. Florence ?

– Eh bien, d'abord : le temps perdu dans les transports. En semaine, c'était difficile de profiter de la vie culturelle parisienne. Le week-end, on passait le temps à faire les courses, avec des files d'attente partout ! On a proposé à mon mari un poste en province et, moi, j'ai eu la possibilité de le suivre et de continuer à travailler chez France Télécom.

– Et vous, François ?

– Alors, moi, j'en avais assez du stress parisien, des embouteillages, de la pollution, du rythme d'enfer… Je voulais un cadre de vie plus sympathique pour ma famille. Je ne voulais pas voir mes futurs enfants grandir dans le stress et la pollution !

– Vision bien négative de la capitale ! Et dites-nous, quels sont les avantages de votre nouvelle vie ?

– Première chose, l'espace. Avant nous avions un appartement de 55 m², maintenant nous habitons une maison de 200 m² ! La campagne est à dix minutes, moins peuplée que les parcs parisiens. Nous organisons mieux le temps, on peut faire plus de choses en une seule matinée. Impossible à Paris ! Et les trajets sont plus courts !

– Moi, je suis bien plus efficace quand je travaille à la maison, je suis mieux organisé dans mon travail et plus cool quand je vais au bureau.
En plus, j'ai un appartement beaucoup plus grand et nous avons plus d'activités le week-end.

– Alors, pour vous, il n'y a que des avantages ! Mais il n'y a pas d'inconvénients ? François ?

– Si, bien sûr, deux nuits par semaine à Paris, cela coûte cher et je suis loin de ma famille, mais ce n'est pas trop grave !

– Et pour vous, Florence, tout est positif ?

– Des inconvénients, il y en a très peu. Il y a moins d'activités culturelles, mais tout le reste est positif, c'est vrai ! Et Lyon n'est pas très loin…

– Eh bien, merci à vous deux. Nous allons prendre une question de nos auditeurs…

Programme Radio

▶ ▶ ▶ **10 h 00 :** Paroles urbaines
Thème : les néoruraux

Se mettre au vert : Les citadins qui fuient la vie urbaine ont un nom : ils s'appellent les néoruraux. Selon une enquête récente publiée par Ipsos, 2 millions de Français ont déserté les espaces urbains ces cinq dernières années pour s'installer dans des communes de moins de 2 000 habitants. Dans les cinq prochaines années, il y aura 2,4 millions de néoruraux supplémentaires. Pour comprendre ce phénomène, nous avons invité deux personnes qui ont choisi de quitter la ville. Ils témoigneront et répondront aux questions des auditeurs.

Florence Bernazzi, 36 ans, mariée, un enfant
chef de produit chez France Télécom
Florence Bernazzi est partie de Paris pour s'installer à Troyes (Aube). Elle travaille deux jours par semaine en télétravail.

François Cosprec, 32 ans, marié, bientôt papa
responsable des ventes
François Cosprec est parti de la région parisienne pour s'installer à Tours (Indre-et-Loire). Il travaille deux jours par semaine à Évry (région parisienne), au siège de son entreprise, et trois jours chez lui, à Tours.

Vous entendrez également plusieurs reportages sur la question.

▶ ▶ ▶ **11 h 00 :** Le journal des comiques

9 ⊚

a) Vrai ou faux ? Lisez le texte ci-dessus et répondez.
1. On annonce le programme d'une émission de télévision.
2. Le thème de l'émission de 10 heures est le départ des grandes villes.
3. Ce phénomène concerne très peu de personnes.
4. Deux personnes spécialistes de ce phénomène vont parler dans l'émission.

b) Donnez une définition des termes suivants.
néoruraux – se mettre au vert

c) Relisez le texte et relevez les expressions équivalentes à *quitter la ville*.

10 ⊚

Relisez la présentation de Florence et de François et répondez.
1. Où habitaient-ils ?
2. Où habitent-ils maintenant ?
3. Quelle est la nouvelle organisation de leur travail ?

11 ⊚

Florence et François sont interviewés. Écoutez et repérez les questions du journaliste.

12 🎧

Réécoutez l'interview et sélectionnez dans la liste suivante les raisons pour lesquelles Florence et François ont quitté la ville.
- ☐ manque de temps
- ☐ opportunité professionnelle
- ☐ manque d'espace
- ☐ difficulté à vivre dans une grande ville avec un enfant
- ☐ raisons financières
- ☐ stress de la grande ville

13 🎧

Réécoutez.
a) Pour Florence et François, le changement de vie est-il globalement positif ou négatif ?
b) Réécoutez leurs commentaires sur leur vie actuelle et leur vie d'avant et relevez les avantages cités par chacun.

14 PHONÉTIQUE

[plys], [ply] ou [plyz] ? Écoutez et

Point **Langue**

› COMPARER

a) Observez et complétez avec d'autres exemples du dialogue.

On compare une qualité.	On compare une quantité.
Les trajets sont plus courts (qu'à Paris).	*Nous avons plus d'activités (qu'à Paris).*
La campagne est moins peuplée que les parcs parisiens.	*Il y a moins de sorties culturelles (qu'à Paris).*

b) Complétez la règle.

plus + adjectif *(+ que)*	*plus de* + nom *(+ que)*
... + ... *(+ que)*	... + ... *(+ que)*

Attention !

| Bon(ne) + ➜ meilleur(e) *(que)* | *Nous avons un meilleur logement.* |
| Bien + ➜ mieux *(que)* | *Nous organisons mieux notre temps.* |

S'EXERCER n°s 2 et 3 ➜

répondez.

15 ✏️

Imaginez ! Différentes personnes témoignent dans un magazine. Choisissez une des situations suivantes et comparez la situation actuelle avec l'ancienne.
- Vie de célibataire/vie en couple.
- Vie étudiante/vie professionnelle.
- Vie « normale »/vie de millionnaire.
- Vie à la campagne/vie dans la capitale.

› Évoquer des souvenirs

1. Complétez les phrases avec les verbes suivants à la forme qui convient.

aimer – compter – habiter – donner – partir – raconter – aller – crier – vouloir – être – jouer – trouver – avoir – s'appeler – faire

a. Quand je ... petit, je ... dans une école près d'un grand parc. À la sortie de l'école, avec ma maman et mes amis, on ... dans le parc. Je ... beaucoup les balançoires et le lac avec les canards !

b. Je me souviens que quand je ... en vacances, je ... toujours le voyage trop long ; alors mes parents ... des histoires pour me faire patienter. Avec mon frère, nous ... les voitures sur l'autoroute.

c. Quand je ... douze ans, nous ... dans une grande maison avec mes parents et mes grands-parents. On ... un chien qui ... Léo. Je me souviens du voisin qui me ... toujours des bonbons.

d. Quand je ... à l'école primaire, je ne ... pas y aller. Je ... toujours beaucoup de fautes dans les dictées. Les maîtres ... trop sévères, ils ... beaucoup et me ... des punitions.

› Comparer avant et maintenant

2. Imaginez les paroles de néoruraux qui parlent de leur situation passée et leur situation actuelle.

Exemple : Avant : appartement de 60 m². Maintenant : grande maison avec jardin.
➜ *Avant, nous avions un appartement de 60 m² mais maintenant nous habitons une grande maison avec jardin.*

a. Avant : stressé.
Maintenant : le temps de vivre.
Avant, je... mais maintenant...

b. Avant : enfants devant la télé après l'école.
Maintenant : jeux dans le jardin.
Avant... mais maintenant...

c. Avant : pas de contact avec les voisins.
Maintenant : invitations entre voisins.
Avant, on... mais maintenant...

d. Avant : beaucoup de bruit.
Maintenant : silence total.
Avant, il y... mais maintenant...

e. Avant : pas d'animaux.
Maintenant : deux chats et un chien.
Avant, on... mais maintenant...

f. Avant : pas beaucoup d'activités le dimanche.
Maintenant : promenades, jardinage.
Avant, je... mais maintenant...

3. Complétez ces propos de propriétaires (ou locataires) satisfaits avec *plus (de)*, *moins (de)*, *meilleur(e)s*, *mieux*.

a. Si je compare avec mon ancien logement, ici j'ai vraiment de ... conditions de vie : il y a ... espace, c'est ... calme et c'est ... cher !

b. C'est beaucoup ... maintenant ! J'ai ... temps, ... problèmes. Alors, naturellement, je suis ... heureux !

c. Maintenant que je vis à la campagne, tout va ... ! On a ... distractions, on fait ... sport, ... promenades et on a ... d'amis.

d. Dans mon travail, maintenant, je suis ... efficace et j'ai de ... résultats parce que je suis ... stressé qu'avant.

LIEUX DE VIE

La maison de vos rêves

Dans quelle maison les Français ont-ils envie de vivre? Dans une maison à eux, d'abord. Une double nécessité est observée: se retrouver en famille mais aussi garantir à chacun son intimité. C'est le constat d'une étude publiée ce matin par G. Erner, professeur de sociologie à Sciences-Po Paris.

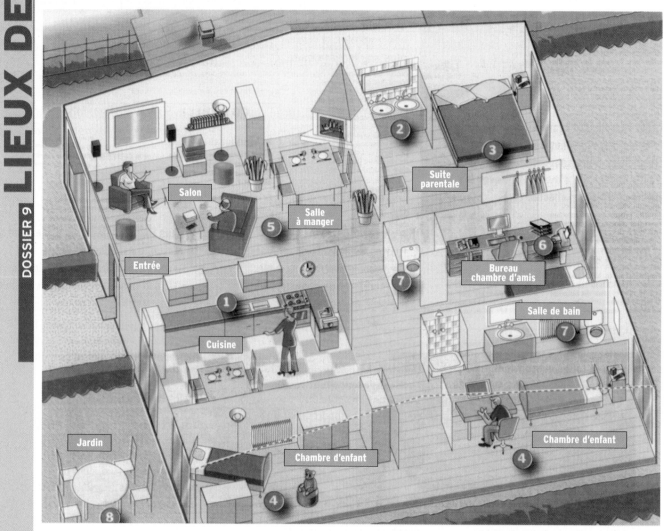

1 LA CUISINE PIÈCE N° 1
Pour les Français, la cuisine est devenue la pièce majeure. 87% préfèrent une grande cuisine à une vaste salle de bains.

2 LE DOUBLE LAVABO OBLIGATOIRE DANS LA SALLE DE BAINS
59% des Français préfèrent deux petites salles de bains plutôt qu'une grande; les parents veulent deux lavabos.

3 DORMIR LOIN DES ENFANTS
C'est le nouveau souhait des couples: une chambre éloignée de celle des enfants. Avec l'augmentation des familles recomposées, près de 15% des enfants cohabitent avec un adulte qui n'est pas leur père ou leur mère. La suite parentale apparaît comme la solution: avec une chambre de 9 à 12 m², un lit plus grand, un minisalon avec un fauteuil ou une table basse. On y installe aussi le dressing et une salle de bains.

4 LES PETITS CHEZ EUX
Séparées de l'espace réservé aux parents, les chambres des enfants sont plus petites: 8 à 10 m², mais souvent avec une salle de bains.

5 LA SALLE À MANGER SANS TÉLÉ
Fini le temps où le salon-salle à manger formait une seule pièce. De plus en plus, on sépare la partie repas du côté télé. 94% des ménages ont la télé, 86% ont un magnétoscope et 28% un lecteur DVD; voilà pourquoi on n'aime plus la pièce unique qui empêche une autre activité quand la télé fonctionne.

6 LE BUREAU SUR PLACE
La pièce ou le coin bureau est très demandé. Les parents ramènent plus souvent des dossiers à la maison et la plupart des foyers sont équipés d'un ordinateur. La famille partage souvent un seul ordinateur. Le bureau doit aussi pouvoir servir de chambre d'amis.

7 DEUX WC
Il en faut un pour le jour, un pour la nuit. Le lave-mains dans les WC devient la règle.

8 LE JARDIN, LA PIÈCE EN PLUS
De petite taille, il ne représente pas la nature mais devient la pièce en plus. Il sert aux jeux pour les enfants, on y fait la sieste, et le jardinage reste, avec le bricolage, la grande passion des Français.

D'après *Aujourd'hui en France*, 15 mars 2005.

maison a une âme

1 👁

Vrai ou faux ? Observez le plan et répondez. Justifiez vos réponses.

1. C'est le plan d'un appartement.
2. C'est un logement pour une famille.
3. Il y a deux chambres.
4. Il y a deux salles de bains.
5. Il y a un seul WC.
6. On ne peut pas manger dans la cuisine.
7. Le salon et la salle à manger sont des espaces séparés.

2 🗣

Échangez : Comptez le nombre de pièces et regardez leur fonction. Est-ce que cette maison ressemble aux maisons de votre pays ? Quelles sont les principales différences ?

3 👁

Lisez le titre et le chapeau du texte et répondez.

Ce plan représente :
☐ une maison traditionnelle en France.
☐ la maison idéale pour les Français.
☐ la maison de la majorité des Français.
☐ la maison du futur en France.

4 👁

Lisez la suite du texte et dites, pour chaque pièce, quelles sont les préférences des Français et pourquoi.

AIDE-MÉMOIRE

Indiquer la fonction
Le bureau **sert de** chambre d'amis.
Le jardin **sert aux** jeux des enfants.
Le jardin **sert à** faire la sieste.

Point **Langue**

> ### PARLER DU LOGEMENT

a) Associez les pièces de la maison et les activités.

Exemple : On travaille dans le bureau.

jouer — bricoler — préparer les repas — dîner — dormir — travailler — se laver — recevoir des amis

la chambre — la cuisine — le salon — la salle de bains — le bureau — le garage — la salle à manger — le jardin

b) Trouvez sur le plan de la maison p. 150 les meubles ou équipements de la liste suivante et dites dans quelle pièce ils peuvent se trouver.

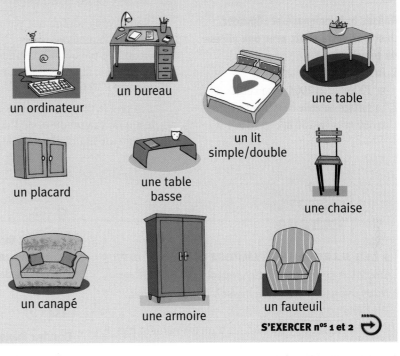

un ordinateur — un bureau — un lit simple/double — une table — un placard — une table basse — une chaise — un canapé — une armoire — un fauteuil

S'EXERCER n°s 1 et 2 ➡

---

5 🗣

Faites dessiner votre maison.
Dessinez le plan de votre logement. Sans montrer votre plan à votre voisin(e), décrivez le logement : la disposition des pièces, et des principaux meubles (ou équipements) dans les pièces. Votre voisin(e) dessine le plan de votre logement. Comparez vos dessins.

6 🗣✏

Imaginez ! En petits groupes, vous imaginez la maison idéale pour votre groupe.
Discutez pour vous mettre d'accord sur le nombre de pièces, la disposition des pièces, la fonction des pièces, les meubles ou équipements nécessaires dans les différentes pièces.
Faites le plan de votre maison idéale, puis écrivez un commentaire pour expliquer vos choix.

PARLER DE SA MAISON, DÉCRIRE DES TRANSFORMATIONS

7

Lisez cette page de magazine et répondez.

Paola montre cette maison parce que :
☐ elle est décoratrice et veut faire de la publicité.
☐ elle veut vendre sa maison.
☐ elle raconte la transformation de sa maison.
☐ elle propose sa maison à louer, meublée et décorée.

8

Relisez le témoignage et répondez. Justifiez votre choix avec une phrase du témoignage.

1. Paola a acheté la maison en :
☐ 2006. ☐ 2004. ☐ 2003.
2. La surface actuelle de la maison est de :
☐ 160 m². ☐ 230 m². ☐ 70 m².

Dossier déco

La maison de...
Paola

Je m'appelle Paola, j'ai trente-huit ans. Je suis mariée et j'ai trois enfants de huit, dix et onze ans. Je suis directrice de la communication dans une société d'informatique.

Quand nous avons acheté notre maison il y a deux ans, elle n'avait pas de charme particulier.

Nous avons commencé par refaire toutes les pièces puis nous avons agrandi la maison, surtout l'ensemble salon-salle à manger, qui était étroit. De plus, il fallait une chambre supplémentaire pour notre fille. Au départ, la maison faisait 170 m². Depuis l'agrandissement, elle mesure 230 m².

J'ai pris le temps de penser l'architecture intérieure de ma maison avant de l'agrandir et de l'aménager à mon goût. Depuis six mois, j'apprécie ma maison, vaste et claire.

Janvier 2006

Point **Langue**

> **LES MARQUEURS TEMPORELS** *IL Y A* ET *DEPUIS*

Observez ces phrases et choisissez la bonne réponse.
*Nous avons acheté notre maison **il y a deux ans**.*
On parle :
☐ d'une situation actuelle. ☐ d'un événement passé.

*La maison mesure 230 m² **depuis l'agrandissement**.*
***Depuis six mois**, j'apprécie ma maison, vaste et claire.*
On parle :
☐ d'une situation actuelle. ☐ d'un événement passé.

Avec *il y a* + durée, on indique :
☐ l'origine dans le passé d'une situation actuelle.
☐ le temps écoulé entre un événement passé et le moment présent.

Avec *depuis* + événement/durée, on indique :
☐ l'origine dans le passé d'une situation actuelle.
☐ le temps écoulé entre un événement passé et le moment présent.

S'EXERCER n° 3

9

Échangez : Où habitez-vous ? Est-ce que vous avez toujours habité dans ce logement ? Avec votre voisin(e), faites l'historique de votre situation.

10

Écoutez Paola. Dites quelles pièces elle commente et dans quel ordre.

11 🔊

Réécoutez Paola et dites pour chaque pièce, quel(s) aspect(s) elle commente.
- le style
- la couleur des murs/de la décoration
- les transformations faites
- les meubles
- la situation de la pièce dans la maison.

12 🔊

Dans la présentation de la maison p. 152, Paola parle des transformations de la maison. Réécoutez l'enregistrement et relevez la situation de départ, les transformations et la situation actuelle.

Exemple :
Situation de départ : la maison n'avait pas de charme particulier. Il fallait une chambre supplémentaire pour notre fille.
Transformations : nous avons commencé par refaire toutes les pièces. Nous avons agrandi la maison.
Situation actuelle : elle mesure 230 m².
- La cuisine : ...
- Le couloir : ...
- La salle de bains des enfants : ...

AIDE-MÉMOIRE

Les transformations de la maison
Poser de la moquette/du parquet/du carrelage/du papier peint
Agrandir la maison/une pièce
Refaire une pièce/l'électricité
Tapisser/peindre les murs

S'EXERCER nᵒˢ 4 et 5 ➡

13 👁 🔊

Relisez l'étude sur les préférences des Français pour leur maison p. 150. Dites quels éléments vous retrouvez dans l'aménagement de la maison de Paola.

14 PHONÉTIQUE

Passé composé ou imparfait ? Écoutez et répondez.

15 🔊

Le jeu des transformations.
Un(e) étudiant(e) va au tableau et, d'après les indications du groupe-classe, construit un dessin représentant l'état d'un logement (maison ou appartement) avant rénovation. En petits groupes, vous listez les transformations que vous avez décidé de faire et vous les représentez dans un nouveau dessin. Chaque petit groupe explique à la classe les transformations.

Leçon 2 · DOSSIER 9

S'EXERCER

> Parler du logement

1. Dites de quelle pièce on parle.
Exemple : Ma voiture y dort.
➜ *le garage*
a. J'y dors.
b. J'y reçois mes amis.
c. J'y prépare les repas.
d. J'y fais ma toilette.
e. J'y ai installé mon ordinateur.
f. J'aime y planter quelques fleurs.

2. Complétez avec un nom de meuble ou d'équipement.
fauteuil – ordinateur – placard – bureau – chaise – canapé – table basse – table – armoire – lit
a. Pour déjeuner sur la terrasse, j'ai acheté une ... ronde et six ... assorties.
b. J'ai besoin d'un ... pour regarder la télé confortablement et de deux petits ... de même style.
c. J'ai vu une superbe ..., idéale pour mettre devant le canapé.
d. J'ai un ... de 140 cm mais j'aimerais en avoir un plus large.

e. Quand j'ai mon ..., mes livres et mes documents sur mon ..., je n'ai plus de place pour travailler !
f. Où est mon aspirateur ? Ah oui ! Je l'ai rangé dans le ... .
g. Cette belle ... appartenait à ma grand-mère ; elle y mettait tout son linge de maison.

> Les marqueurs temporels *il y a* et *depuis*

3. Complétez avec *il y a* ou *depuis*.
a. Je ne peux plus habiter chez moi ... le début des travaux !
b. J'ai vendu mon appartement ... six mois.
c. Les Martin n'habitent plus ici : ils ont déménagé ... trois mois pour Marseille.
d. Mon fils est en bien meilleure santé ... notre départ de la ville.
e. Nous avons acheté ce canapé aux galeries Lafayette ... quinze jours au moment des soldes.
f. Notre loyer augmente en moyenne de 3 % chaque année ... dix ans.

> Décrire des transformations/ aménagements

4. Complétez ce mél. Utilisez les verbes suivants.
remplacer – poser – supprimer – refaire – repeindre

Sylvie,
Ça y est, je suis installé mais quels travaux ! J'... le mur entre le salon et la salle à manger pour avoir un grand séjour, j'... l'électricité, j'... du carrelage dans la salle de bains et j'... toutes les pièces ! Pour finir, j'... le vilain parquet de ma chambre par une superbe moquette ! Tu viens voir ça ?
Jérémy

5. Indiquez l'état de l'appartement avant sa rénovation.
Avant les travaux, il y avait un mur qui séparait le salon et la salle à manger...

LIEUX DE VIE

CHERCHER UN LOGEMENT

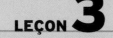

– *Allô ! Oui ?*

– *Bonsoir, madame.*
Je vous appelle au sujet de l'annonce dans Marseille immo. *L'appartement est toujours à louer ?*

– *Oui, oui. Vous êtes étudiante ?*

– *Oui, mais j'ai une caution de mes parents !*

– *Oui, je demande aussi trois mois de caution, à la signature.*

– *Bien sûr, mais… est-ce que je peux avoir quelques précisions sur l'appartement ?*

– *Oui, qu'est-ce que vous voulez savoir ?*

– *L'appartement est disponible tout de suite ?*

– *Oui.*

– *C'est un studio avec WC et douche séparés ?*

– *C'est bien ça.*

– *Et le séjour est comment ?*

– *Il est très clair, c'est au dernier étage. Et il y a une belle terrasse. La vue est très dégagée.*

– *Et c'est en bon état ?*

– *Ah ! Il faut le rafraîchir ! Un coup de peinture me semble nécessaire, il n'est pas très propre. Mais le studio est bien, hein !… Vous avez visité beaucoup d'appartements ?*

– *Non, en fait, j'appelle de Lyon, je n'habite pas à Marseille, je ne connais personne.*

– *Ah ! Très bien ! Parce que je ne veux pas d'ennuis avec les voisins !*

– *Bon… Je peux le visiter ?*

– *Oui, demain à 19 heures.*

– *Demain, je ne peux pas. Je serai à Marseille mercredi seulement.*

– *Alors, tant pis ! J'ai beaucoup de personnes intéressées, vous savez !*

– *Tant mieux ! Vous n'êtes vraiment pas aimable !*

1

Lisez le sommaire du journal *Marseille immo* et repérez les rubriques où figurent les annonces suivantes.

1. Particulier loue F3 62 m², ds petite résidence. 9e arrdt. Sdb, WC, cuis., park., cave. Rdc sur cour, calme. À rafraîchir. Libre immédiatement. Prix : 678 € CC.
Tél. 06 59 97 54 33 le soir.

2. Propriétaire loue F2 45 m² à la Timone. Lumineux, bon état, chauff. électr. Sérieuses références demandées. Loy. : 550 € CC.
Tél. : 04 87 35 69 41 de 18 h à 20 h.

3. À louer rue Camille-Pelletan, 3e arrdt, studio 25 m², WC, dche, coin cuisine. Dernier ét., vue dégagée. Caution parentale indispensable. Loyer 300 € + 20 € charges.
Tél. propriétaire : 04 91 57 16 16 de 20 h à 22 h.

4. 3 colocataires dans beau F5 100 m² recherchent une 4e personne, non fumeur. 2 sdb, 2 WC, 4e ét. avec asc. Parking ext. Loyer : 400 € CC.
Tél. aux locataires 04 91 33 07 81.

5. Prox. Parc Bagatelle (8e) ds quart. très agréable, F3 70 m² ref. neuf, prqt, sdb, WC, cuis. équipée, park. 820 € CC.
ALTO 04 91 85 31 24.

6. À louer colline St-Joseph (9e), F4 neuf 85 m², plein sud, vue mer, séj. 40 m², 2 WC, sdb, balcon, 1 000 € + ch.
Immo CPL 04 91 87 32 29.

Cherchons **colocataires**

2 👁

Lisez les annonces et classez les appartements :
1. du plus petit au plus grand ;
2. du loyer le plus cher au loyer le moins cher.

3 👁

Relisez les annonces. Associez les abréviations aux mots complets puis trouvez pour chaque annonce quel type de précision est donné (type de logement, situation géographique, surface, éléments de confort...).

1. dernier/4ᵉ ét.
2. WC
3. F3
4. ds quart. agréable
5. sdb
6. cuis. équipée
7. rdc sur cour
8. prqt
9. ch.
10. loy. 550 € CC
11. asc.
12. séj.
13. park.
14. chauff. électr.
15. rf. neuf
16. dche

a. refait neuf
b. charges
c. salle de bains
d. dans un quartier agréable
e. parquet
f. parking
g. chauffage électrique
h. 3 pièces
i. douche
j. rez-de-chaussée sur cour
k. water-closet (toilettes)
l. dernier/4ᵉ étage
m. séjour
n. loyer 550 € charges comprises
o. ascenseur
p. cuisine équipée

S'EXERCER n° 1 ➜

4 👂👁

a) Écoutez l'enregistrement et repérez la petite annonce concernée.

b) Relisez la petite annonce et repérez les informations données pour les aspects suivants.
- le type de logement (le nombre de pièces)
- la situation géographique (ville, quartier, étage, orientation)
- la surface
- les caractéristiques/éléments de confort particuliers
- l'état du logement
- le loyer

5 👂

Réécoutez l'échange téléphonique et répondez.
1. Quelles informations complémentaires sont données par la propriétaire ?
2. Quelles questions pose l'étudiante pour avoir des précisions ?
3. À votre avis, l'étudiante va-t-elle louer l'appartement ? Justifiez votre réponse.

6 👄

Jouez la scène à deux.
Vous avez sélectionné une petite annonce dans la rubrique « Appartements locations » du journal *Marseille immo*. Vous téléphonez au propriétaire pour avoir plus d'informations. Pendant la conversation, vous découvrez qu'un aspect vous pose problème (situation géographique, éléments de confort, loyer...).

Point **Langue**

> S'INFORMER SUR UN LOGEMENT

a) Associez les questions et les réponses.

– Quelle est la surface ?

– Il est disponible à partir de quand ?

– Il y a combien de pièces ?

– C'est à quel étage ?

– Quel est le loyer ?

– Est-ce que c'est à proximité des transports ?

– Deux pièces.

– 500 € par mois, charges comprises.

– Au 4ᵉ étage sans ascenseur.

– L'appartement fait 52 m² exactement.

– Oui, il y a une station de métro à 100 m et deux arrêts de bus au bout de la rue.

– À partir de la semaine prochaine.

b) Associez, comme dans l'exemple.

Exemple : calme ≠ bruyant.

calme – donne sur la rue – au rez-de-chaussée – clair/lumineux – en mauvais état – meublé – orienté au nord – spacieux – au dernier étage – petit – donne sur la cour – en bon état – sombre – vide – orienté au sud – bruyant

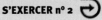

S'EXERCER n° 2 ➜

CHERCHER UN COLOCATAIRE

7

Écoutez et répondez.

1. La jeune femme a lu quelle annonce de la page 154 ?
2. À votre avis, est-ce que la jeune femme va venir habiter dans l'appartement ? Justifiez votre réponse.

8

a) Réécoutez et dites qui parle pour chacune des phrases suivantes.

1. On te donnera la réponse après-demain.
2. Je te propose de revenir et tu nous verras ensemble.
3. Je vous fais visiter l'appartement ?
4. Je peux te demander quelle musique tu écoutes ?
5. Je vous ai téléphoné ce matin.
6. J'imagine que vous voulez me poser des questions ?
7. Ils veulent te rencontrer.
8. On t'offrira l'apéro.

b) Classez les phrases par ordre d'apparition dans le dialogue.

PARLER DE SES RELATIONS

9

Lisez ces témoignages et choisissez la réponse correcte.

1. Les personnes qui témoignent :
   □ cherchent une colocation.
   □ proposent une colocation.
   □ sont en colocation.
2. Elles s'expriment sur :
   □ l'organisation dans l'appartement.
   □ la recherche de nouveaux colocataires.
   □ les relations avec les colocataires.

10

a) Relisez les témoignages et dites s'ils sont positifs ou négatifs.
b) Relevez des exemples qui montrent quelles sont les relations de Romain et de Chloé avec leurs colocataires.

---

http://www.coloc.com

coloc.com
le spécialiste de la colocation

Accueil | Annonces | Partenaires immobiliers | Contact | Newsletter [____] ok

TÉMOIGNAGES | **COLOCATAIRES : DES RELATIONS VARIABLES**
Ils ont l'expérience de la colocation, ils racontent.

Romain, 26 ans

Trois expériences de colocation : une coloc à six personnes, une à trois et l'actuelle coloc à quatre.

Avec mes colocataires, on est très bien organisés : il y en a un qui fait les courses, un autre qui fait le ménage, et moi je leur fais la cuisine – je les régale même avec des petits plats ! En fait, on s'entend super bien, ce sont des amis pour moi, on sort tout le temps ensemble.

L'agence de colocation n°1 sur Internet — 24 h / 24 — 7 jours / 7

Chloé, 32 ans

Deux expériences de colocation : une à trois personnes pendant deux ans et l'actuelle à quatre personnes.

Côté ambiance, ce n'est pas toujours génial. On ne peut pas dire que j'ai beaucoup de contacts avec mes colocataires. Je les vois cinq minutes le matin : « bonjour », « au revoir », « bonne journée », c'est à peu près tout pour les échanges. En fait, quand je leur parle, c'est surtout pour leur signaler quelque chose qui ne va pas, avec le frigo, le ménage… Hier, par exemple, j'ai eu un problème avec une de mes colocataires : je lui ai dit pour l'énième fois de ne pas prendre mes yaourts dans le frigo ! Au début, ça allait à peu près mais, maintenant, je ne la supporte plus ! Et ça, c'est pénible à vivre.

Point **Langue**

› LES PRONOMS COD ET COI

a) Placez les quatre phrases suivantes dans le tableau ci-dessous.

Tu m'invites demain.   *Je l'invite.*   *Vous voulez me poser des questions ?*
Il nous parle.   *Je le connais.*

b) Comparez les pronoms COD et COI et répondez : quels pronoms sont identiques ? Quels pronoms sont différents ? À quelles personnes ?

rencontrer/supporter/appeler **quelqu'un**	proposer/dire/téléphoner **à quelqu'un**
*Ils veulent **te** rencontrer.*	*Je **te** propose de revenir.*
*Je ne **la** supporte plus.*	*Je **lui** ai dit de ne pas prendre...*
*Je **vous** appelle demain.*	*Je **vous** ai téléphoné ce matin.*
*Je **les** vois cinq minutes le matin.*	*Je **leur** parle.*

S'EXERCER n° 3

11 PHONÉTIQUE

a) Écoutez et dites si l'appréciation est positive ou négative.
b) Réécoutez et répétez les phrases.

12 ⊖

Échangez sur la colocation.
La colocation est-elle un mode de logement très fréquent dans votre pays ? Avez-vous déjà vécu ou vivez-vous en colocation ? Est-ce une expérience positive ou négative ?

13 ⊖

Jouez la scène.
Trois colocataires recherchent un quatrième colocataire. Vous préparez l'entretien, puis posez les questions au candidat. Vous discutez ensuite pour prendre une décision.

14 ⊘

Vous écrivez sur le site coloc.com et expliquez comment vous procédez pour choisir un(e) colocataire.

15 ⊘

Vous rédigez une annonce sur le site pour trouver un(e) colocataire.

S'EXERCER (sidebar)

Leçon 3
DOSSIER 9

› Comprendre une petite annonce immobilière

1. Reformulez les deux petites annonces suivantes dans une forme développée.
Exemple : Annonce n° 1
→ *L'appartement se trouve à proximité du centre, il fait 80 m², il...*

> À LOUER F3 – MARSEILLE
> Prox. centre, bel appt 80 m²,
> rf neuf, 3e ét. asc., sdb,
> cuis. équip., libre déb. sept.,
> 900 € CC.

> Ds quart. agréable, F2,
> rdc sur rue, gde sdb, prqt,
> chauff. électr., loy. 620 €
> + ch.

› S'informer sur un logement

2. Complétez le dialogue avec les questions manquantes.
– ... ?
– Trois pièces.
– ... ?
– 800 € charges comprises.
– ... ?
– Au 6e étage avec ascenseur.
– ... ?
– Il fait 75 m².
– ... ?
– Oui, il y a une station de métro tout près.
– ... ?
– À partir de mardi prochain.

› Les pronoms COD et COI

3. Complétez avec les pronoms personnels *le, la, l', lui* ou *leur*.

Êtes-vous un bon colocataire ?

a) Votre colocataire n'a pas payé sa part de loyer depuis deux mois.
○ Vous ... prêtez de l'argent.
○ Vous ... conseillez d'emprunter de l'argent à la banque.
○ Vous ... mettez dehors.

b) Votre colocataire s'est cassé la jambe.
○ Vous ... aidez, vous ... apportez à manger.
○ Vous ... conseillez d'aller chez ses parents.
○ Vous ... laissez seul et vous allez habiter un moment chez des amis.

c) Votre colocataire vit avec sa petite amie dans votre appartement commun depuis deux mois.
○ Vous acceptez la situation : vous ne ... dites rien.
○ Vous parlez à sa petite amie et vous ... dites de payer sa part de loyer.
○ Vous ... demandez de partir tous les deux.

Carnet de voyage...

Une maison dans mon cœur

1.

Observez les photos et faites des hypothèses.
- Où se trouve cette maison?
- Qui habite cette maison (combien de personnes, origine sociale)?
- En quelle saison ces photos ont-elles été prises?

2.

Comment trouvez-vous, personnellement, cette maison? Avez-vous envie d'y séjourner et de connaître ses occupants?

3.

Lisez un extrait des mémoires de Marguerite Roux où elle évoque le souvenir de la maison représentée sur les photos.
a) Vérifiez vos hypothèses sur cette maison.
b) Sélectionnez les photos qui illustrent précisément le texte. Justifiez votre choix.

UNE MAISON DANS MON CŒUR

On devait d'abord, nous, les enfants, descendre de voiture pour aller ouvrir la lourde grille qui nous séparait encore du bonheur retrouvé… Des cousins nous attendaient déjà dans la cour et oncles et tantes nous accueillaient chaleureusement : « On est tellement heureux de vous voir ! » « Ah ! Les voilà enfin ! » « Oh ! Comme vous avez grandi, les petits ! »

Alors, commençait la traditionnelle visite des lieux, pour vérifier que tout était comme la dernière fois…

Vite, on entrait dans le grand hall sombre, avec ses portraits d'ancêtres, et immédiatement à droite, la lourde porte de la cuisine que nous poussions avec force (ah, ce délicieux grincement[1] !). « Bonjour Simone ! » « Bonjour, les enfants ! Alors ? C'est les vacances ? » Simone était bien là, fidèle à sa cuisine, fidèle à notre famille.

On l'aimait bien, Simone, mais on aimait aussi et surtout les bons gâteaux qu'elle nous faisait !

Vite le premier étage : là, il y avait les chambres des adultes, les grands-parents, les oncles et les tantes… Et, bien sûr, la chambre de nos parents. Tout doucement, un peu intimidés, mes frères et moi poussions la porte pour découvrir le silence et l'odeur d'une pièce longtemps endormie: nous venions la réveiller. Mais sans attendre, maman arrivait : « Non, non, allez, sortez de là ! »

Vite le deuxième étage, on arrivait alors dans l'univers magique d'une enfance partagée : ici, pas d'adultes, seulement une bande de cousins bien décidés à s'amuser. On dormait à trois ou quatre dans de petites chambres sans confort, les lits et les matelas étaient hors d'usage depuis longtemps… Mais c'est dans ce décor que nous nous sentions totalement libres…

« Jérémy ! Mathias ! Faustine ! Gaspard ! On va faire une partie ! ». On entendait les rires de la joyeuse bande qui se dirigeait vers le tennis au fond du parc. Spectateurs ou joueurs, tous savouraient le début des vacances dans la lumière dorée d'une fin d'après-midi.

Marguerite Roux.

1. *Un grincement :* bruit particulier que font certaines portes anciennes, quand on les ouvre.

4.

Relisez le texte et relevez :
- les différents personnages évoqués ;
- les lieux évoqués (à l'intérieur et à l'extérieur de la maison) ;
- les expressions qui parlent de la lumière, des bruits, des odeurs ;
- les expressions qui indiquent qu'il s'agit d'une évocation positive.

5.

Vous êtes candidat(e) à un concours littéraire. Vous rédigez un texte dans lequel vous évoquez le souvenir d'une maison qui vous a marqué(e).

Votre travail dans le dossier 9

1 Qu'est-ce que vous avez appris à faire dans ce dossier ? Cochez les propositions exactes.

- ☑ chercher un logement
- ☐ comprendre un contrat de location
- ☐ décrire un logement
- ☐ comparer des situations
- ☐ rédiger une petite annonce pour un emploi
- ☐ rédiger une lettre de plainte adressée à un propriétaire
- ☐ exprimer son opinion sur un lieu de vie
- ☐ parler de colocation
- ☐ écrire à son propriétaire

2 Quelles activités vous ont aidé(e) à apprendre ? Voici une liste de savoir-faire de communication. Notez en face de chaque savoir-faire le numéro de la leçon et de l'activité qui correspondent.

- comprendre une description au passé   *L1, 3*
- comprendre un souvenir   ....
- comprendre quelqu'un qui décrit des changements   ....
- raconter un changement de vie   ....
- comprendre quelqu'un qui demande des informations sur un logement   ....
- parler de ses relations avec des personnes ....
- comprendre une petite annonce immobilière ....
- situer un événement dans le temps   ....
- parler d'un souvenir d'enfance   ....
- témoigner de son expérience   ....

Votre autoévaluation

1 Cochez d'abord les cases qui correspondent aux savoir-faire que vous êtes capable de réaliser maintenant et faites le test donné par votre professeur pour vérifier vos réponses.
Puis, reprenez votre fiche d'autoévaluation, confirmez vos réponses et notez la date de votre réussite. Cette date vous permet de voir votre progression au cours du livre.

JE PEUX	ACQUIS	PRESQUE ACQUIS	DATE DE LA RÉUSSITE
comprendre une conversation concernant un déménagement	☐	☐	....
comprendre la description d'un logement	☐	☐	....
comprendre un message formel (son auteur, son destinataire, sa fonction)	☐	☐	....
donner des informations sur mon habitation	☐	☐	....
parler de projets d'aménagement d'un lieu	☐	☐	....
comparer les qualités et défauts d'un logement	☐	☐	....
demander de l'aide à un(e) ami(e)	☐	☐	....
comparer une situation passée et une situation présente	☐	☐	....

2 Après le test, demandez à votre professeur ce que vous pouvez faire pour améliorer les activités pas encore acquises.

- ☐ exercices de compréhension orale
- ☐ exercices de compréhension écrite
- ☐ exercices de production orale
- ☐ exercices de production écrite
- ☐ exercices de grammaire
- ☐ exercices de vocabulaire
- ☐ exercices de phonétique
- ☐ autres (vidéo…)

Horizons

> Vacances en France

> Savoir vivre

> Savoirs

A 1/A 2

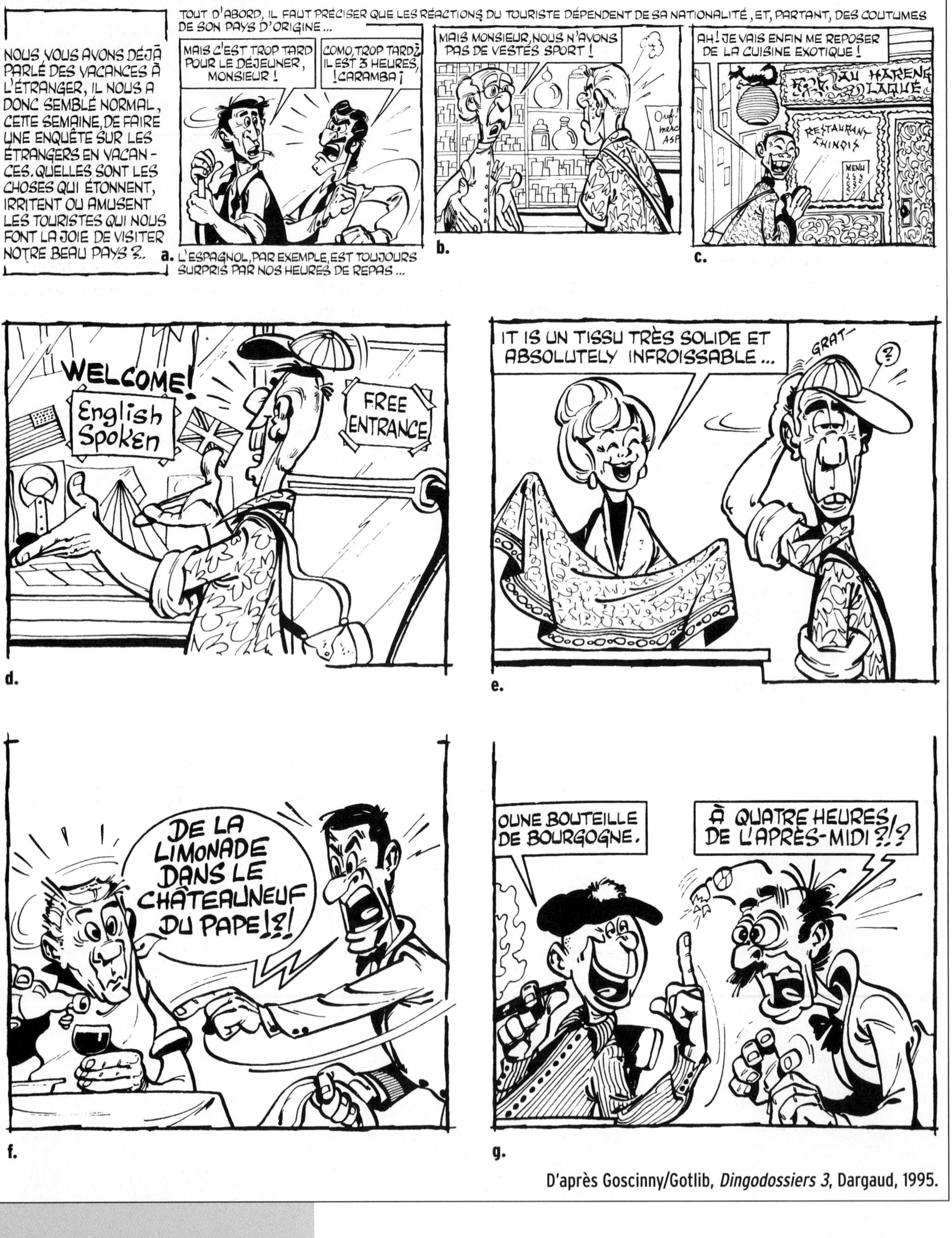

D'après Goscinny/Gotlib, *Dingodossiers 3*, Dargaud, 1995.

1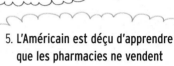

Lisez ces extraits de bande dessinée et choisissez un titre.

☐ Les commerces et l'accueil
☐ Les Français en vacances
☐ Les étrangers en vacances
☐ Vacances en ville

2

Relisez la BD et dites à quelles vignettes correspondent les intitulés suivants.

1. Efforts des Français pour faciliter la communication avec les touristes étrangers
2. Réactions des touristes étrangers face au mode de vie des Français
3. Réactions des Français face aux comportements des touristes étrangers

3

Associez les vignettes et les commentaires.
Exemple : a2.

> 1. La langue bien sûr pose problèmes. Mais on fait des efforts pour faciliter les relations avec les touristes.

> 2. L'Espagnol, par exemple, est toujours surpris par nos heures de repas.

> 3. Mais ce n'est pas encore parfait...

> 4. Le touriste comprendra bien vite que la nourriture et la boisson sont à l'origine des problèmes avec l'habitant.

> 5. L'Américain est déçu d'apprendre que les pharmacies ne vendent que des produits pharmaceutiques.

> 6. Le touriste apprendra aussi qu'on ne peut pas commander n'importe quoi à n'importe quelle heure.

> 7. L'Asiatique, lui, a la bonne surprise de se sentir chez lui.

AIDE-MÉMOIRE

Exprimer une réaction psychologique
L'Espagnol **est surpris/déçu/indigné par** nos heures de repas.
L'Américain **est surpris/déçu/indigné d'**apprendre que les pharmacies ne vendent que des médicaments.
Le Chinois **est content/ravi de** trouver des restaurants chinois en France.

S'EXERCER n° 1 →

4

**Échangez en petits groupes :
Quels comportements vous étonnent, vous amusent, vous choquent ?**

5

À la manière du texte de la BD, imaginez quels peuvent être :

1. les comportements des étrangers dans votre pays, leurs réactions et interprétations, et les problèmes qu'ils peuvent rencontrer ;
2. les réactions de vos compatriotes face aux comportements des touristes étrangers.

a.

b.

c.

d.

e.

f.

6 🗨

Observez les dessins ci-contre. Décrivez la situation et dites si ces comportements vous surprennent et pourquoi.

7 👁 🗨

a) Lisez les pancartes suivantes et dites quel est leur point commun.
Ce sont des :
☐ recommandations.
☐ instructions.
☐ interdictions.
b) Associez dessins et pancartes.
Que remarquez-vous ?
c) Quelle conclusion pouvez-vous tirer du comportement des personnes sur les dessins ? Choisissez dans la liste suivante un ou deux qualificatifs pour caractériser ces comportements.
fantaisiste – courageux – indiscipliné – amusant – irresponsable – égoïste

> Les chiens
> ne sont pas admis

Il est interdit de stationner

Pelouse interdite

Défense de fumer

Ne pas traverser au feu vert

Interdiction de faire du bruit après 22 h

8 🎧

Écoutez les six dialogues. Faites correspondre les dialogues et les inscriptions précédentes.

Point **Langue**

› EXPRIMER DES INTERDICTIONS

Faites correspondre les formules de sens équivalent.
Observez les différences de structures.

À l'écrit	À l'oral
Ne pas traverser au feu vert. *Pelouse interdite.* *Interdiction de faire du bruit après 22 heures.* *Il est interdit de stationner.* *Défense de fumer.* *Les chiens ne sont pas admis.*	*Il ne faut pas fumer.* *C'est défendu de faire du bruit après 22 heures !* *Vous ne pouvez pas entrer avec votre chien.* *Ne marchez pas sur la pelouse.* *On ne doit pas traverser au feu vert.* *Vous ne devez pas stationner.*

S'EXERCER n° 2 ➡

Horizons

9

Observez le comportement de ces visiteurs dans un musée.

1. Exprimez-leur oralement des interdictions.
2. Rédigez les interdictions sur un panneau.

Invité chez des hôtes européens

Les Britanniques et les Danois dînent vers 19 heures, alors que, chez les Espagnols, le repas n'est pas servi avant 21 heures.

Invité à dîner, l'Allemand arrive à l'heure juste, par politesse. L'Italien et le Danois arrivent systématiquement avec un quart d'heure de retard. Et le Hollandais, lui, sonne à la porte avec quelques minutes d'avance…

Par hygiène, les Anglais ne se serrent pas la main ; les Espagnols et les Italiens se donnent volontiers de grandes accolades.

Dans tous les pays, pour remercier la maîtresse de maison de son invitation, il est de bon ton de lui offrir des fleurs. En Allemagne ou en Autriche, on retire les fleurs de leur emballage avant de les offrir.

En Angleterre, la politesse exige que les convives gardent les mains sous la table. De son côté, le Suisse, maniaque de la propreté, n'apprécie pas de voir une serviette usagée sur la table…

Point **Langue**

> FAIRE DES RECOMMANDATIONS

Réécoutez l'enregistrement et trouvez des exemples pour chaque forme.

Il est recommandé de + infinitif
Impératif
Il faut + infinitif
Éviter de + infinitif

S'EXERCER n° 3 →

10

a) Lisez le texte ci-dessus et répondez.
Le texte donne :
☐ des instructions pour bien se comporter à table.
☐ des informations sur quelques coutumes en Europe.
☐ des conseils de savoir-vivre pour les étrangers en France.

b) Associez les intitulés aux paragraphes du texte.
L'heure du dîner – La manière de se comporter à table – La manière de saluer – Le cadeau – L'heure d'arrivée

11

a) Écoutez l'enregistrement et répondez.
1. La personne s'adresse à des stagiaires :
   ☐ français à l'étranger.   ☐ étrangers en France.   ☐ français en France.
2. La personne fait des recommandations sur la manière de :
   ☐ travailler.   ☐ se comporter en société.   ☐ apprendre la langue.

b) Réécoutez et repérez les différentes recommandations faites.

12 PHONÉTIQUE

Recommandation, obligation ou interdiction ? Écoutez et répondez.

13

Échangez : Comparez les coutumes de votre pays avec les coutumes françaises évoquées.

14

Imaginez ! Un ami étranger va séjourner dans votre pays : Quelles recommandations faites-vous sur la manière de se comporter en société ?

15

Rédigez une page pour le *Petit Guide du savoir-vivre* dans votre pays, destiné aux étrangers.

Formez des équipes. Choisissez un secrétaire qui notera les réponses du groupe. Vous disposez de 90 secondes par question pour donner un maximum de réponses. Un point est accordé pour chaque question à l'équipe qui a donné le plus grand nombre de réponses exactes.

40 QUESTIONS POUR LE CHAMPION DE LA CLASSE

CULTURE

1. Noms de pays francophones
2. Monuments parisiens
3. Noms de célébrités françaises
4. Noms de villes françaises
5. Fêtes célébrées en France
6. Prénoms typiquement français (masculins et féminins)
7. Villes européennes situées à moins de 1000 km de Paris
8. Noms de plats français

VOCABULAIRE

1. Professions du commerce
2. Produits qui entrent dans la composition d'un sandwich
3. Noms qui précisent le lien de parenté
4. Choses identifiables à l'odeur
5. Lieux où on peut rencontrer l'homme ou la femme de sa vie
6. Noms d'animaux de compagnie
7. Cadeaux qu'on peut offrir à sa mère
8. Quelque chose qu'on peut ouvrir

COMMUNICATION

1. Ordres qu'on peut donner à son chien
2. Formules pour terminer une lettre amicale
3. Paroles d'un serveur dans un restaurant
4. Formules pour demander une personne au téléphone
5. Questions qu'on pose pour avoir des informations sur l'identité d'une personne
6. Formules pour conseiller une personne sur son look
7. Formules pour proposer une sortie
8. Commentaires d'un spectateur à la sortie d'un spectacle

40 QUESTIONS POUR LE CHAMPION DE LA CLASSE

GRAMMAIRE

1. Verbes pronominaux
2. Pronoms (toutes catégories)
3. Noms de pays masculins
4. Adjectifs qualificatifs identiques au masculin et au féminin
5. Verbe *aller* à la 3e personne du singulier à différents temps
6. Mots invariables
7. Verbes qui utilisent l'auxiliaire *être* pour former le passé composé
8. Futurs irréguliers, à la 2e personne du singulier

PHONÉTIQUE ET ORTHOGRAPHE

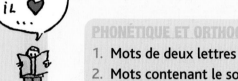

1. Mots de deux lettres
2. Mots contenant le son [ɛ̃] comme *pain*
3. Mots qui s'écrivent avec ç
4. Mots d'au moins quatre syllabes
5. Mots contenant le son [ɑ̃], comme *cent*
6. Mots qui se terminent par la lettre *r*
7. Mots contenant le son [ɔ̃] comme *on*
8. Mots qui commencent par la lettre *i*

S'EXERCER Horizons

> Exprimer une réaction

1. Associez pour faire des phrases.

Je suis déçu(e)
Je suis surpris(e)
Je suis ravi(e)
Je suis indigné(e)

par
de

leur accent
ce climat
les prix très élevés
devoir donner des pourboires
rentrer si vite
l'importance de ces personnes

> Exprimer des interdictions

2. Formulez ces interdictions à l'écrit en utilisant différentes formules. Formulez-les ensuite à l'oral.

a.

b.

c. SILENCE

d.

> Faire des recommandations

3. À partir des éléments donnés, formulez des recommandations.

Pour être un bon élève :
- assister régulièrement aux cours ;
- écouter attentivement les consignes du professeur ;
- s'aider mutuellement pendant le travail ;
- ne pas utiliser systématiquement le dictionnaire ;
- poser des questions aux professeurs en cas de problème.

La France administrative : les départements

Calendrier

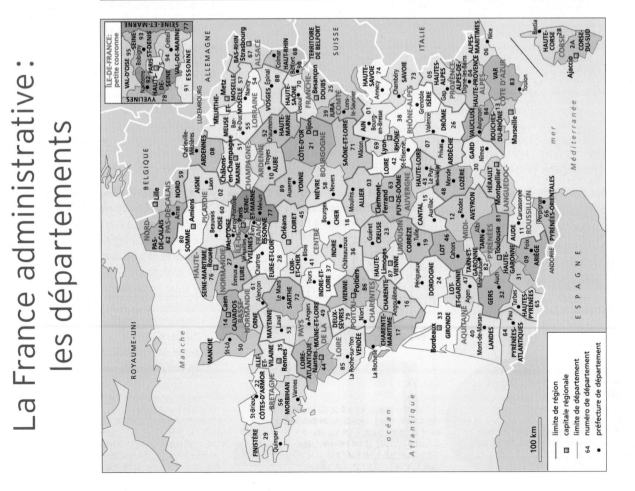

Transcriptions des enregistrements

dont les textes ne figurent pas dans les leçons

FENÊTRE SUR...

4 p. 11
A comme Alice. B comme Béatrice. C comme Clémentine. D comme Daniel. E comme Eugénia. F comme Florent. G comme Gérard. H comme Hugo. I comme Ivan. J comme Jeanne. K comme Karine. L comme Laure. M comme Monique. N comme Noémie. O comme Olivia. P comme Paul. Q comme Quentin. R comme Renaud. S comme Sophie. T comme Thierry. U comme Ursule. V comme Véronique. W comme William. X comme Xavier. Y comme Yves. Z comme Zoé.

5 p. 11
1. – Je m'appelle Nenad.
– Comment ?
– Nenad.
– Menad ?
– Non, Nenad, avec un N.
– N comme Noémie ?
– Oui, N-E-N-A-D.
2. – Je m'appelle Schin.
– Vous pouvez épeler ?
– S-C-H-I-N.
3. – Je m'appelle Yamamoto.
– Comment ça s'écrit ?
– Y-A-M-A-M-O-T-O.

9 p. 12
1. – Bonjour, je m'appelle Franz Müller. Je suis autrichien. Et vous ?
– Fatima Chaïbi, je suis tunisienne. Enchantée !
2. – Ah ! Vous vous appelez Sofia ! Moi aussi ! Vous êtes russe ?
– Ah non ! Moi, je suis américaine !
3. – Bonjour ! Je me présente : je m'appelle Michal Kieslowski, je suis polonais. Et vous, vous êtes... ?
– Moi, je suis chinois. Je m'appelle Qiu Yong. Et voici ma collègue, Pierrette Legrand. Elle est française.
4. – Qui est-ce ?
– C'est le responsable de la communication. Il s'appelle Mathias Lorenz.
– Il est allemand ?
– Oui, et sa femme est française.

Point langue : les adjectifs de nationalité p. 13
Je suis français. Je suis française.
Je suis polonais. Je suis polonaise.
Je suis chinois. Je suis chinoise.
Je suis américain. Je suis américaine.
Je suis mexicain. Je suis mexicaine.
Je suis autrichien. Je suis autrichienne.
Je suis tunisien. Je suis tunisienne.
Je suis allemand. Je suis allemande.
Je suis espagnol. Je suis espagnole.
Je suis russe. Je suis russe.

12 p. 13
a) 1. Clara, Yoko, Ivan, Alessandro, Nenad et Yamamoto. 2. Je parle français, espagnol, vietnamien, italien et arabe. 3. Clara ? Clara Wilson ? Yoko ? Yoko Taketomi ? Ivan ? Ivan Legoff ? Stefano ? Stefano Giacomi ?

14 p. 14
Mesdames, messieurs, le film commence ! Il y a seize places ! Seize places seulement ! Monsieur, alors... 1, 2, 3, 4, 5... 6, 7, oui... 8, 9, 10... allez-y, madame... 11, 12, 13, 14, oui... 15, 16, stop ! C'est complet ! Désolé, prochaine séance à 18 heures !

15 p. 15
c) 1. vingt et un. 2. vingt-deux. 3. trente et un. 4. cinquante-neuf. 5. trente-quatre. 6. quarante et un. 7. soixante et un.

16 p. 15
L'Italie, stand numéro 16. Le Brésil, stand numéro 9. L'Allemagne, stand numéro 14. L'Espagne, stand numéro 5. Les États-Unis, stand numéro 7. L'Inde, stand numéro 13. Le Mexique, stand numéro 28. La Chine, stand numéro 12.

DOSSIER 1

LEÇON 1

4 p. 18
a) 1. nous – nu. 2. mur – mur. 3. rue – roue. 4. sourd – sur. 5. pour – pour. 6. vu – vous. 7. dessous – dessus. 8. tu – tout. 9. remue – remue. 10. sous – sous.
b) 1. Vous allez au musée du Louvre. 2. Tu salues Louise et Luce.

5 p. 19
a) 1. Ça va ? 2. Ça va.
b) 1. Elle s'appelle Sandrine ? 2. Elle est française. 3. Il parle russe. 4. Il est mexicain. 5. Vous allez bien ? 6. Il est russe ?

LEÇON 2

4 p. 23
– Mademoiselle ?
– Bonjour, monsieur. C'est pour une inscription. Voilà mon passeport, une photo et mon formulaire d'inscription.
– Bien, merci... Oh ! mon café ! Je suis désolé ! Euh... votre nom... Martinez ; prénom... Diane... Euh... quelle est votre date de naissance ? Le 3 ou le 9 ?
– Le 9 ! C'est le 9 février 1980.
– Bien, nationalité... française.
– Oui...
– Euh... quelle est votre adresse ? Le numéro... 30 ?
– Oui, j'habite 30, rue du Théâtre.
– Et quel est votre numéro de téléphone ?
– C'est le 01 40 35 29 18.
– Merci.

9 p. 24
a) 1. 70 – 71 – 72 – 73 – bip – bip – bip – bip – 78 – 79. 2. 80 – 81 – 82 – bip – bip – 85 – 86 – bip – bip bip. 3. 91 – 92 – 93 – 94 – bip – bip – bip – 98 – 99

10 p. 24
vingt et un – trente et un – quarante et un – cinquante et un – soixante et un – soixante et onze – quatre-vingt-un – quatre-vingt-onze

11 p. 24
1. 01 42 84 12 96. 2. 06 18 73 58 43. 3. 05 88 64 80 00. 4. 01 30 71 15 15. 5. 05 61 75 02 12. 6. 02 40 68 76 94.

12 p. 25
Exemple : 01 45 50 55 05
1. 01 67 76 33 13. 2. 06 34 40 44 74. 3. 02 75 56 35 15. 4. 05 66 76 67 17. 5. 04 22 72 62 12.

LEÇON 3

8 p. 29
Mesdames, mesdemoiselles et messieurs, le grand moment est venu : le tirage au sort ! Qui va à Paris ? Et voilà... Elle est jeune, elle a 22 ans. Elle vit au Canada. Elle étudie l'architecture. Elle désire aller à Paris le 14 juillet, elle rêve de voir le feu d'artifice de la tour Eiffel ! Bravo, vous avez gagné !

9 p. 29
b) 1. Elles sont trois. 2. Elles adorent la peinture. 3. Ils s'appellent Martin et Antoine. 4. Nous avons trois candidats. 5. Ils s'adorent. 6. Ils ont un rêve.

DOSSIER 2

LEÇON 1

4 p. 35
b) 1. un marché. 2. un office de tourisme. 3. un restaurant. 4. un hôpital. 5. un quartier. 6. un institut de langues. 7. un square. 8. un immeuble.
d) 1. une banque. 2. une université. 3. une rue. 4. une avenue. 5. une mairie. 6. une école. 7. une ville. 8. une architecture moderne.

LEÇON 2

2 p. 38
– Auberge de jeunesse de Carcassonne, bonjour.
– Bonjour, madame. Je téléphone pour une réservation. Est-ce que vous avez de la place pour samedi prochain ? Nous sommes trois.
– Samedi... samedi 14... je regarde... Ah ! Vous avez de la chance, il y a encore une chambre à trois lits. Vous voulez rester combien de temps ?
– Deux nuits.
– Deux nuits... oui, oui, c'est possible.
– Quel est le prix par personne ?
– 15,80 € par jour et par personne.
– Très bien. Est-ce que le petit déjeuner est inclus dans le prix ?
– Oui, petit déjeuner et draps inclus.
– Et est-ce qu'il y a une salle de bains dans la chambre ?
– Ah non ! Les douches et les W.-C. sont à l'étage.
– Bon, c'est d'accord. Je voudrais réserver la chambre.
– Vous avez la carte d'adhérent ?
– Ah ! Oui, bien sûr.
– Votre nom ?
– Amada, Philippe Amada.
– Philippe Amada... c'est bon ! Réservation pour samedi prochain, le 14, une chambre à trois lits.
– Merci beaucoup.
– Je vous en prie, à bientôt.

5 p. 39
1. – Est-ce que vous avez des chambres doubles ?
– Non, seulement des chambres à trois, quatre ou cinq lits.
2. – La suite présidentielle est libre pour le week-end ?
– Oui, elle est toujours libre pour vous, monsieur.
3. – C'est possible de faire la cuisine ?
– Oui, il y a une cuisine collective à chaque étage.
4. – Vous acceptez les animaux ?
– Nous acceptons les chiens, monsieur.
5. – Est-ce que les chambres sont mixtes ?
– Non ! Mais nous avons deux chambres pour des familles.
6. – Quelle est la différence entre les chambres à 300 € et les chambres à 400 € ?
– Les chambres à 400 € ont la vue sur la mer.

6 p. 39
1. Vous avez des chambres doubles ? 2. Est-ce que vous acceptez les animaux ? 3. C'est possible de faire la cuisine ? 4. Il y a une douche dans la chambre ? 5. Est-ce que les chambres sont mixtes ? 6. Est-ce que la suite présidentielle est libre ? 7. Vous restez le week-end ? 8. Vous avez de la place ? 9. Est-ce que le petit déjeuner est inclus ? 10. Vous avez la carte d'adhérent ?

10 p. 40
– Auberge de jeunesse de Carcassonne, bonjour.
– Bonjour, madame. Je vous téléphone parce que je veux aller à l'auberge, mais, là, je suis perdu...
– Mais vous êtes où ?
– Je suis rue du Pont-Vieux.
– Rue du Pont-Vieux... Bien. Vous traversez le pont Vieux...
– Alors, je traverse le pont...
– Et vous allez tout droit, rue Trivalle.
– Tout droit, rue Trivalle...
– Et vous tournez à gauche, rue Nadaud.
– Tourner à gauche, rue Nadaud...
– Vous arrivez à la porte Narbonnaise, c'est l'entrée principale de la Cité.
– Ah ! Super... Porte Narbonnaise...

– L'auberge se trouve dans la rue Trencavel, en haut à gauche de la rue principale, la rue Cros-Mayrevieille.
– Rue Cros-Mayrevieille... en haut, à gauche... rue Trencavel... Oh! là, là! Mon sac à dos est lourd!

11 p. 41
1. – Où est la place Saint-Jean, s'il te plaît?
– Tu vas tout droit, tu traverses la place du château, tu continues rue Viollet-le-Duc et tu prends la première à gauche. C'est en face!
– Je prends la rue Viollet-le-Duc puis la première à gauche, OK. Merci. À jeudi!
2. – Excusez-moi, je cherche la porte Narbonnaise...
– C'est simple, vous tournez à droite, vous descendez la rue Cros-Mayrevieille.
– Je tourne à droite et je descends la rue Cros-Mayrevieille...
3. – Pardon, pour aller à la rue du Grand-Puits?
– Vous prenez la rue Cros-Mayrevieille, vous descendez 100 mètres et vous tournez à gauche.

Leçon 3

6 p. 44
1. Elles viennent de Chine ou d'Inde? 2. De Pologne ou d'Espagne? 3. De Tunisie ou d'Australie? 4. Du Maroc ou d'Iran? 5. Du Portugal ou d'Équateur?

7 p. 44
b) 1. Chers amis... 2. En Italie? 3. Des vacances inoubliables! 4. Mon adresse? 5. 12, rue du Théâtre.

8 p. 45
1. Bonjour Paul! Je suis de retour! Le Canada, c'est ma-gni-fique! Appelle-moi... 2. Salut!... Je veux retourner à Dakar! Il fait froid, ici! Je suis triste... Tu viens chez moi pour regarder les photos? 3. Coucou, c'est moi. Huit jours sur le Nil... les pyramides... Le rêve! Appelle-moi pour que je te raconte... 4. Salut, Charlotte. L'Italie c'est super, mais le retour c'est dur... Tu m'appelles? J'ai pas le moral.

DOSSIER 3

Leçon 1

4 p. 51
a) 1. J'adore mon métier, j'aime diriger les acteurs. 2. Bien sûr, je vends du pain, mais les croissants, c'est ma spécialité! 3. Ma profession est intéressante parce que je voyage beaucoup, je rencontre beaucoup de personnes pour des interviews. 4. Imaginer des coiffures nouvelles, coiffer les femmes pour les fêtes, c'est ma passion! 5. Je fais des reportages, mais j'aime faire aussi des photos pour la mode, pour les magazines féminins. 6. Aujourd'hui, vendre des lunettes, c'est comme travailler dans la mode, il y a beaucoup de styles, de couleurs... 7. J'aime mon métier parce que j'utilise mon imagination pour créer des vêtements, pour habiller les gens. 8. Vendre des médicaments, c'est important! J'aide les personnes qui sont malades!

6 p. 51
1. J'aime cette actrice. 2. Je vais chez cet opticien. 3. J'écoute cet animateur. 4. Je connais cet étudiant. 5. J'appelle cet informaticien. 6. Je lis cette historienne. 7. J'écoute cette journaliste. 8. Je lis cet écrivain. 9. Je vais chez cette psychologue. 10. J'aime cet infirmier. 11. Je connais cette dentiste. 12. Je vais chez cet assistant.

Leçon 2

Point langue: le masculin/féminin des adjectifs qualificatifs p. 55
1. Il est intelligent. Elle est intelligente. 2. Il est grand. Elle est grande. 3. Il est sportif. Elle est sportive. 4. Il est généreux. Elle est généreuse. 5. Il est cultivé. Elle est cultivée. 6. Il est libre. Elle est libre. 7. Il est romantique. Elle est romantique.

5 p. 55
1. Claude est intelligente et décontractée. 2. Dominique est cultivé et sportif. 3. Frédéric est grand et optimiste. 4. Andrée est dynamique et indépendante. 5. Joëlle est un peu ronde et très cultivée. 6. Michèle est douce et romantique. 7. Axel est autoritaire mais généreux. 8. Renée est élégante et calme.

6 p. 55
1. – Alors, vous êtes Sagittaire, eh bien, moi je suis Lion.
– Lion? C'est formidable! Alors, vous aimez l'art, les spectacles.
– Oui, j'adore le cinéma.
– Moi aussi! Je vais au cinéma trois ou quatre fois par semaine!
2. – Alors... vous... tu... on se dit tu?
– Oui, bien sûr.
– Tu es dessinateur... Alors, toi aussi, tu es un peu artiste comme moi. Moi, je fais de la sculpture.
– Oui... c'est intéressant.
– Et... et tu vas dans les musées?
– Oh! Tu sais, moi, les musées...

11 p. 56
1. Bonjour... Je m'appelle Léa, j'ai dix-sept ans, j'habite à Auxerre. Alors, moi, les garçons, pour moi, ils sont forts physiquement, intelligents aussi, mais souvent un peu prétentieux!
2. Salut, c'est Julien. J'ai seize ans et demi, je vis à La Rochelle. Alors, les filles... elles sont très individualistes, elles s'intéressent surtout à leur physique, les vêtements, le maquillage et tout... Elles sont vraiment superficielles, et puis elles sont pas très gentilles entre elles!
3. Mathieu, dix-huit ans, j'habite à Sèvres. Bonjour. Pour moi, les filles, c'est un mystère... Elles sont compliquées, elles font toujours des histoires... C'est pas simple avec elles! Moi, je les comprends pas, les filles!... mais je les aime!
4. Salut, c'est Coralie, de Rennes. J'ai dix-neuf ans. Alors, les garçons... les garçons... pour moi, ils sont actifs, plutôt sérieux dans leurs études, mais souvent, ils sont pas du tout naturels avec les filles! Ils sont p't-être timides!

Leçon 3

4 p. 59
a) 1. C'est son chat. 2. Ils vont bien. 3. Est-ce qu'ils sont là? 4. Ils ont seize ans. 5. La réponse. 6. La réunion. 7. La conversation. 8. Confirmer.
b) 1. Complétez les trois colonnes. 2. C'est bon. C'est une bonne idée. 3. On est où? Nous sommes là. 4. Nous entendons la sonnerie. 5. Quand on veut, on peut!

DOSSIER 4

Leçon 1

5 p. 67
Quelle heure est-il?
1. midi et demi. 2. Il est huit heures et quart. 3. sept heures vingt. 4. onze heures moins dix. 5. deux heures moins le quart. 6. minuit dix. 7. cinq heures moins vingt-cinq. 8. onze heures moins vingt.

6 p. 67
a) 1. trois – trois jours – trois heures. 2. neuf – neuf jours – neuf heures. 3. onze – onze jours – onze heures. 4. sept – sept jours – sept heures. 5. huit – huit jours – huit heures. 6. six – six jours – six heures.
b) 1. onze – onze jours – onze heures. 2. quinze – quinze jours – quinze heures. 3. sept – sept jours – sept heures. 4. neuf – neuf jours – neuf heures. 5. trois – trois jours – trois heures. 6. deux – deux

jours – deux heures. 7. dix-huit – dix-huit jours – dix-huit heures. 8. vingt-cinq – vingt-cinq jours – vingt-cinq heures. 9. vingt et un – vingt et un jours – vingt et une heures. 10. six – six jours – six heures.
c) 1. Il est deux heures. 2. Il est sept heures. 3. Il est treize heures. 4. Il est cinq heures. 5. Il est seize heures. 6. Il est six heures.

10 p. 69
Une journée./J'me lève./J'prends mon p'tit déj./J'me lave./J'me douche./J'me rase./J'me r'couche./J'me réveille./J'm'habille./J'travaille./Après j'déjeune./J'fais des courses./J'reviens chez moi./J'prépare le r'pas./J'fais la vaisselle./Et puis j'm'endors.

Leçon 2

10 p. 73
a) 1. les – les. 2. mes – me. 3. deux – des. 4. bœufs – bœufs. 5. nez – nœud. 6. gai – gai. 7. ceux – ces. 8. eux – eh! 9. j'ai – jeu. 10. peu – peu. 11. je veux – je vais. 12. quai – queue.
b) 1. Je fais les courses. 2. J'ai visité les musées. 3. J'ai décidé seule. 4. Je ris toute seule. 5. J'ai fini le travail. 6. Je dis oui. 7. J'aime ça. 8. J'ai écrit une carte.

Leçon 3

3 p. 74
1. – Pardon, monsieur, je fais une enquête pour l'INSEE sur les Français et les fêtes, vous voulez bien répondre à quelques questions?
– Oui, pas de problème.
– Merci. Alors, d'abord, quelle est votre fête préférée?
– Ah! Moi, c'est Pâques.
– Bien, et qu'est-ce que vous faites à cette occasion? Est-ce qu'il y a un rituel spécial ce jour-là? Vous passez cette fête où et avec qui?
– Alors, ce jour-là, on est tous réunis en famille à la maison pour le traditionnel déjeuner: du gigot avec des flageolets. Et puis, pour mes petits-enfants, on cache des œufs en chocolat dans le jardin.
– Et pourquoi est-ce que vous aimez cette fête?
– Pourquoi? D'abord, parce que c'est une fête de famille, comme Noël. Mais surtout, j'aime bien Pâques, moi, parce que je suis pâtissier-chocolatier. Je vends beaucoup d'œufs en chocolat et de gâteaux ce jour-là!
2. – Et vous, mademoiselle, vous avez un moment pour répondre à l'enquête?
– Oui, si c'est pas trop long.
– Non, juste deux ou trois questions. La première: quelle est votre fête préférée?
– Oh, je dirais, Noël, non, la Saint-Valentin, plutôt, oui, la Saint-Valentin!
– Vous faites quoi à cette occasion? Il y a un rituel spécial? Où et avec qui est-ce que vous passez cette fête?
– La Saint-Valentin, évidemment, c'est avec l'homme de ma vie! Le soir, on va dîner au restaurant et on s'offre des petits cadeaux, et puis on se dit « je t'aime », voilà!
– Mais pourquoi vous aimez spécialement cette fête?
– Ah! Quelle question! Parce que je suis amoureuse, tout simplement!

5 p. 75
1. Qu'est-ce que vous faites à cette occasion? 2. Vous passez cette fête avec qui? 3. Quelle est votre fête préférée? 4. Où est-ce que vous passez cette fête? 5. Il y a un rituel spécial? 6. Est-ce que vous avez deux minutes? 7. Pourquoi est-ce que vous aimez cette fête? 8. Vous offrez quoi? 9. Vous êtes toujours en famille? 10. Où est-ce que vous allez?

DOSSIER 5

LEÇON 1

4 p. 83

a) mon amie – mon âme – mon esprit – mon épouse – mon arc-en-ciel – mon hirondelle – mon habitude – mon arbre – mon artiste – mon amour
b) 1. leur immeuble. 2. leur appartement. 3. leur escalier. 4. leurs oncles. 5. leurs enfants. 6. leurs arrière-grands-pères. 7. leur appareil photo. 8. leur ascenseur. 9. leurs amis. 10. leur annonce. 11. leur accident. 12. leurs histoires.

5 p. 83

a) – Allô! Oui?
– ...
– Ah! C'est pas possible, déjà?
– ...
– Et... Marie, comment elle va?
– ...
– Oh! Marc! Ta femme accouche et toi, tu as mal! Bon, mais parle-moi un peu de lui, il est comment? Il est gros?
– ...

8 p. 84

– Qu'est-ce que c'est, cette photo?
– C'est le jour du mariage de mes parents. Regarde, c'est mon cousin Alex, là, juste devant eux.
– Il a quel âge sur la photo?
– Six ans!
– Mais la jeune femme juste derrière ton père, avec un chapeau rose, c'est pas ta tante?
– Oui, exactement, c'est mon oncle... et leurs deux filles, elles sont là, au premier rang.
– Ah! Ce sont tes cousines, les deux petites?
– Oui.
– Et tes grands-parents?
– La mère de maman, c'est la dame à gauche au premier rang.
– Avec le chapeau rouge?
– Oui c'est ça. Et son mari, mon grand-père donc, il est à droite, juste à côté de maman.
– Et... les parents de ton père, ce sont les deux ici, j'imagine?
– Oui, oui, le militaire, c'est mon autre grand-père, paternel; et la dame au grand chapeau, c'est ma grand-mère paternelle.

LEÇON 2

1 p. 86

1. – Allô! Tante Claudia?
– Oui, c'est moi. C'est toi, Amélie? Tu es où? Je ne t'entends pas bien.
– Je suis dans la rue. Tu sais quoi? Je vais quitter Bordeaux!
– Comment ça?
– Eh bien, Éric, il vient de trouver un travail à Nice et maman va partir avec lui là-bas!
– Ah bon? et... Christophe et toi aussi?
– Oui! On va habiter avec eux!
– Et ses enfants à lui?
– Ils vont vivre avec nous aussi!
– Et tu es contente?
– Oui, c'est super, je m'entends très bien avec sa fille.
– Allô! Allô!
2. – Société Lamar, j'écoute.
– Bonjour, madame. Je voudrais parler à Mme Claudia Martin, s'il vous plaît.
– C'est de la part de qui?
– De Mme Gillet, sa mère.
– Ne quittez pas, je vous la passe. Ah, je suis désolée, elle vient de partir! Vous voulez laisser un message?
– Non, non, je vais appeler chez elle, alors. Merci!

3. – Allô!
– Ingrid? Ma fille est là?
– Oui, madame. Ne quittez pas, je vous la passe. Madame, votre mère au téléphone.
– Ah! Maman, bonsoir.
– Bonsoir, Claudia! Tu sais la nouvelle pour ta sœur?
– Oui, Florence m'a tout expliqué et...
– Ta sœur est folle, complètement folle!
– Mais maman, ils sont heureux, c'est le principal et puis c'est bien pour les quatre enfants...
– C'est ça, continue! Tu es toujours d'accord avec ta sœur! Eh bien, moi, je ne suis pas d'accord! Je vais l'appeler, Florence!
4. – Allô!
– C'est toi, Florence?
– Pardon, quel numéro demandez-vous?
– Le 05 56 89 78 50.
– Je regrette, vous faites erreur. Ici c'est le 05 56 69 78 50.
– Ah! Excusez-moi, je me suis trompée.

5 p. 87

a) 1. pain – paix. 2. baie – bain. 3. craie – craie. 4. sein – sait. 5. bien – bien. 6. rien – rien. 7. lin – lait. 8. quai – quai. 9. messe – mince. 10. rein – raie. 11. viens – viens. 12. vais – vin.
b) 1. Il tient bien. 2. Il vient bientôt. 3. Ils se souviennent de tout. 4. Elles reviennent tard.

LEÇON 3

4 p. 91

– Bon, coco, tu me prépares une petite biographie de Clotilde Courau pour le prochain numéro, OK? Alors, tu peux noter?
– D'accord, je t'écoute.
– Elle est née le 3 avril 1969 dans la région parisienne. L'année suivante, elle est partie avec sa famille en Afrique.
– Afrique... OK.
– Elle est revenue en France à l'âge de neuf ans. Ensuite... à seize ans, elle s'est inscrite au cours Florent, et elle a fait ses débuts au théâtre dans *Lorenzaccio*, en 89.
– *Lorenzaccio*... en 89... OK.
– Ensuite... en 90, elle a obtenu un prix à Berlin, pour son premier rôle au cinéma, dans *Le Petit Criminel*.
– De Jacques Doillon, non?
– Oui c'est ça... dans les années 90, elle a tourné aux États-Unis, où elle est devenue célèbre.
– D'accord, j'ai compris. Et, en mai 2003, place à l'amour... tatata... rencontre, mariage etc.
– Voilà! Bon, je compte sur toi!

8 p. 91

– J'me suis réveillée à 6 heures, mais j'me suis rendormie.
– Et tu t'es l'vée à quelle heure?
– J'me suis l'vée à 9 heures.
– Oh! là, là!
– Ensuite, j'me suis douchée et j'me suis habillée en cinq minutes!
– Tu t'es maquillée?
– Non, j'n'ai pas eu l'temps.
– Ah bon! Mais tu t'es coiffée?
– Oui, dans la voiture, au feu rouge!
– Et alors, ton rendez-vous?
– C'est demain! J'me suis trompée!

13 p. 93

À l'âge de dix-neuf ans, Catherine Deneuve a eu un premier fils avec Roger Vadim, réalisateur disparu en 1992. Jane Birkin a eu une longue histoire d'amour avec Serge Gainsbourg, mais elle a aussi eu une fille avec le réalisateur Jacques Doillon. Plusieurs années après son divorce avec Sylvie Vartan, Johnny Hallyday a vécu avec l'actrice Nathalie Baye et ils ont eu une fille.

DOSSIER 6

LEÇON 2

4 p. 103

– Mesdames et messieurs, voici à présent la finale de *Questions pour un voyage*... Sylvie, Emmanuel, attention, nous allons tester vos connaissances en géographie... les DOM-TOM, précisément! Connaissez-vous les départements et les territoires d'outre-mer? Voici une première question: cette région est située au nord-est de l'Amérique du Sud, entre le Surinam et le Brésil. Cette région, c'est... c'est...
– La Guyane française!
– Bonne réponse, Sylvie! Bravo! Question suivante... Comme la Guadeloupe, c'est une île volcanique située dans les petites Antilles. Sa capitale est Fort-de-France.
– La Martinique!
– Bien, Emmanuel! Bonne réponse! Je passe à la troisième question... C'est un archipel situé près de la côte de Terre-Neuve, au Canada.
– Saint-Pierre-et-Miquelon?
– Bravo, Sylvie! La quatrième question...

5 p. 103

a) En métropole,/on prend le métro./Dans les DOM-TOM,/on parle créole,/Et sur la côte/on fait du sport./L'eau est très bonne,/Oh! Quel cadeau!/ C'est vraiment beau,/il fait très chaud. En métropole,/on prend le métro./Dans l'Hexagone,/on a la Corse,/L'île de beauté,/ quelle belle photo!/En métropole,/on prend le métro,/Métro, bureau, restau/Dodo.

10 p. 105

– Regardez, ce paysage magnifique... Là, au loin, vous voyez?
– Oh! Regarde!
– Quoi, quoi? Qu'est-ce que c'est?
– Le volcan, tu ne vois pas?
– Oui, le volcan, le piton de la Fournaise.
– Oh! Mais il est en activité?
– Oui, le volcan est en activité, mais il n'y a pas de danger.
– C'est extraordinaire!

LEÇON 3

11 p. 109

a) 1. Le pot. 2. Le bon. 3. Le son. 4. Le dos. 5. Le rond. 6. L'eau. 7. Ils font. 8. Le mot. 9. Il faut. 10. Ils vont. 11. La maison. 12. Le réseau. 13. On aime. 14. Le pont.
b) 1. On prend le métro ou on attend? 2. Pardon? On s'arrête à quelle station? 3. À la gare de Lyon, il y a une location de vélos. 4. Nous allons au Grand Trianon.

DOSSIER 7

LEÇON 1

2 p. 114

– Alors, qu'est-ce que vous aimez comme légumes?
– Les pommes de terre! J'adore la purée surtout!
– Moi, les carottes!
– Moi, le riz!
– Moi, ma mère, quand elle fait des courgettes, je déteste ça!
– Et les fruits, vous aimez?
– Ouais!
– Et quoi?
– Les bananes!
– Moi, j'aime les cerises et les fraises.
– Et toi, tu aimes les fruits?
– J'aime bien les yaourts aux fruits.

Leçon 2

7 p. 119

– Oh! Tu as vu la veste! Je trouve ce col en fourrure très élégant et avec des gants clairs, c'est sublime!

– Oui, la veste, je la trouve très bien aussi, mais les gants, je ne les aime pas du tout!

– Enfin, la fille est belle, ça c'est sûr!

– Oui, pas mal...

– Oh! Oh! C'est pas possible! Un costume rayé avec des chaussures de sport vertes! Je trouve le type franchement ridicule avec ça!

– Ah non! Je ne suis pas de ton avis, je le trouve très distingué au contraire.

– Non, non! Du gris, du vert et du beige! Et en plus avec une cravate bleue! Il a l'air d'un clown.

– Quoi, la cravate? Je l'aime beaucoup, moi, sa cravate. Elle est originale, au moins!

9 p. 119

1. C'est beau, mais... non, pas pour moi! 2. Ah! c'est sublime! 3. Ah, ça, c'est très bien! 4. Oh, non, c'est pas possible! 5. Oh! non, pas du tout! 6. Je trouve ça pas mal! 7. Sympa, hein! 8. Ouais..., non!

15 p. 121

1. Ah oui...! 2. Un peu plus court...! 3. Des chaussures à talons! 4. C'est mieux comme ça...! 5. Ah oui! 6. Se couper les cheveux...?! 7. Un peu plus court! 8. Des chaussures à talons...?! 9. C'est mieux comme ça! 10. Se couper les cheveux!

Leçon 3

9 p. 125

a) 1. crin – grain. 2. clique – clique. 3. égoutte – écoute. 4. quelque – quelque. 5. bac – bague. 6. groupe – croupe. 7. il coûte – il goûte. 8. masque – masque. 9. gare – car. 10. qui – Guy. 11. sac – sac.

10 p. 125

– Patrick, bonjour! Alors, qu'est-ce que vous nous présentez aujourd'hui?

– Eh bien, c'est nouveau, ça vient de sortir. Regardez ce sac, Stéphane!

– Oui, c'est un simple sac à dos!

– Erreur, Stéphane, erreur! Et là, je m'adresse tout particulièrement aux randonneurs: ce sac est tout simplement extraordinaire! Pourquoi? Regardez sur le devant: il y a trois panneaux solaires qui servent à recharger tous vos appareils électroniques.

– Et son prix?

– 239 €.

– Ah, quand même!

– Oui, mais tellement utile! Et un dernier mot pour finir: c'est un article que vous pouvez commander sur Internet.

– Merci et à demain, Patrick!

– À demain, Stéphane!

DOSSIER 8

Leçon 1

2 p. 130

1. – Bonjour, on s'occupe de vous?

– Bonjour, je cherche le *Da Vinci Code* en livre de poche.

– Ah! Désolé, on a tout vendu, ça part comme des petits pains! Mais il me reste l'édition normale.

– À 20 €, merci! Est-ce que je peux le commander, en livre de poche?

– Oui, bien sûr! Alors... titre: *Da Vinci Code*, édition de poche... il sera disponible dans 48 h, ce n'est pas nécessaire de le commander.

– Il coûte combien?

– Alors... le prix... il coûte 7 € et, avec la réduction de 5 %, 6,65 €.

– Super! Et quel est le prix du *Roman des Jardin* d'Alexandre Jardin?

– 18 euros. Avec la réduction, ça fait 17,10 €.

– C'est trop cher pour moi. Il existe en poche?

– Eh non, désolé... Ce sera tout?

– Oui, merci. À quel étage est le matériel informatique, s'il vous plaît?

– Au sous-sol, monsieur!

2. – Bonjour, vous désirez?

– Je voudrais le dernier CD de Camille, vous l'avez?

– Oui, bien sûr. Vous trouverez ça dans la variété française, là, tout de suite sur la gauche.

3. – Bonjour.

– Bonjour. Vous payez comment?

– Pardon?

– Oui, comment vous payez: espèces, chèque, carte?

– Par carte. Non... par chèque.

– Ne remplissez pas le chèque, c'est la machine qui le fait.

– Je vous dois combien?

– Ça fait 36,78 €.

– Ah bon? Mais combien coûte le disque?

– 12,78 € le disque, et 24 € la clé USB.

– OK... je peux avoir une pochette cadeau?

– Oui, bien sûr, dans le hall, à droite.

6 p. 131

1. Je voudrais un carnet de timbres, s'il vous plaît. 2. Je suis désolé, vos chaussures ne sont pas encore prêtes. 3. Vous n'avez plus de rôti de veau? 4. Je voudrais une baguette pas trop cuite et deux croissants, s'il vous plaît. 5. Il y a une promotion sur les roses aujourd'hui. 6. J'ai besoin d'une boîte d'aspirine. 7. Alors, le pot de crème fraîche et les œufs, ça vous fera 3,20 €, madame.

9 p. 132

Chez le marchand de fruits

– 2,50 € la barquette de fraises! Cadeau la fraise! Trois barquettes 5 €! À qui le tour?

– À moi!

– Bonjour! Vous désirez?

– Je vais prendre trois barquettes de fraises.

– Et avec ça?

– Je voudrais six bananes, s'il vous plaît. Pas trop mûres.

– Comme ça?

– Oui, très bien. Et 1 kilo d'oranges, pas trop grosses.

– Et avec ça?

– Un kilo de pommes, s'il vous plaît! Alors... pour ma salade de fruits, j'ai des pommes, des oranges, des bananes... des poires assez mûres, vous en avez?

– Oui, regardez.

– Très bien! Une livre, s'il vous plaît!

– Voilà... Il vous faut autre chose?

– Je vais prendre deux avocats, pour ce soir.

– Ah! J'en ai, mais pas pour ce soir, ils ne sont pas du tout mûrs.

– Ah! Alors, il faut que je trouve une autre entrée pour mon dîner...

– Les melons, à 2 € pièce, prenez-en, ils sont extra!

– C'est vrai, il est très parfumé, ce melon! J'en prends deux, pour ce soir!

– Ce sera tout?

– Je voudrais aussi des légumes, une salade, une botte de radis, deux kilos de pommes de terre...

Chez le poissonnier

– C'est à qui le tour?

– À moi! Vous n'avez pas de saumon? Je n'en vois pas.

– Ah! Désolé, je n'en ai plus. J'ai tout vendu.

– Ah, zut... Qu'est-ce que vous avez comme poisson facile à préparer?

– Il me reste du cabillaud, sans arêtes, superfrais.

– Alors, quatre filets de cabillaud.

– Voilà, et avec ceci?

– Des crevettes... Ah non! Pas de crevettes! J'ai changé mon menu, j'ai changé presque tout mon menu!

– Vous savez, à la fin du marché, on ne trouve pas tout...

– Oui... mais ce n'est pas le même prix!

11 p. 133

a) 1. des oranges. 2. deux tranches fines. 3. du jambon. 4. vous en avez? 5. différent. 6. un grand vin. 7. je vais prendre. 8. un client. 9. j'en ai un. 10. une entrée. 11. bien manger. 12. comment?
b) 1. Je vais prendre une entrée. 2. Du jambon, vous en avez? 3. Deux oranges pressées pour commencer.
d) 1. mon – m'en. 2. banc – bon. 3. don – dans. 4. font – font. 5. lent – long. 6. pont – pan. 7. quand – quand. 8. rond – rang. 9. sans – son. 10. temps – thon. 11. vent – vent. 12. les Andes – les ondes.

Leçon 2

4 p. 135

– Je suis crevée. J'ai trop de boulot en ce moment!

– Tu veux pas aller au ciné pour te changer les idées?

– Ah non, le ciné, ça ne me dit rien... Mais qu'est-ce qu'il y a comme spectacle en ce moment?

– Attends, je regarde... Alors... théâtre... *Le Songe d'une nuit d'été*, ça te dit? Par les élèves de l'école du Passage à niveau.

– J'aime bien ce qu'ils font, mais je n'ai pas envie de théâtre classique.

– On peut aller voir *A-mor*, un cabaret macabre...

– Bof... Ça ne doit pas être terrible!

– Alors pourquoi pas *Jambon beurre*, avec Nordine et Cédric? Ça te tente?

– Oh oui! Ils sont très marrants, ces deux-là. J'aime bien leur humour.

6 p. 135

a) 1. J'aime bien l'idée. 2. Bof, ça ne doit pas être terrible. 3. Oui, pourquoi pas! 4. Non, je n'ai pas envie. 5. Non, pas question! 6. Quelle idée super! 7. Ah oui, j'adore! 8. Non, ça ne me dit rien.
b) 1. J'aime bien l'idée. J'aime bien l'idée. 2. Oui, pourquoi pas! Oui, pourquoi pas! 3. Quelle idée super! Quelle idée super! 4. Ah oui! Ah oui!

9 p. 136

1. – Oui, bonjour madame! Je voudrais réserver deux places pour *Hommes d'honneur*... pour samedi prochain... En soirée, c'est à 21 heures, n'est-ce pas?

– Oui, mais je suis désolée, il n'y a plus de place!

– Oh! Il n'y en a plus! Oh! Ce n'est pas possible!

– Vous savez, monsieur, ce sont les dernières représentations, et tout est complet depuis une semaine.

– Ah! Je suis déçu! Bon, au revoir, madame.

– Au revoir, monsieur, je regrette vraiment.

2. – Allô, réservation théâtre, je vous écoute.

– Oui, bonjour, monsieur. Je voudrais réserver des places pour la pièce *Accent aigu*.

– Oui, madame, pour quel jour?

– Pour jeudi prochain.

– Oui, je regarde pour le jeudi 6 novembre donc... la représentation est à 20 heures. Vous désirez combien de places, madame?

– Quatre places, c'est possible?

– Quatre places, oui... Pas de problème, il y a encore des places.

– Ah, il y en a encore! Ah, c'est bien, j'ai de la

chance !
– Vous préférez à l'orchestre au dixième rang ou au balcon au deuxième rang ?
– À l'orchestre.
– D'accord. C'est à quel nom ?
– Descornut.
– Ça s'écrit ?
– D-E-S-C-O-R-N-U-T.
– Vous réglez comment ?
– Par carte bleue.
– Votre numéro de carte et la date de validité, s'il vous plaît ?
– Oui ! Alors... 5896 2178 2345 9201, date de validité : décembre prochain.
– Très bien, madame. Vos places seront disponibles à la caisse du théâtre une demi-heure avant la représentation. Voilà, au revoir, madame et merci.
– Au revoir, monsieur.
3. – Allô, théâtre de la Plaine ?
– Oui. Bonjour, madame. Vous désirez ?
– Bonjour, mademoiselle, c'est pour une réservation pour la pièce *État critique*.
– Pour quel jour, madame ?
– Pour dimanche, en matinée à 15 heures.
– Bien, je regarde. Vous désirez combien de places ?
– Il me faut six places.
– Six places ! Oh ! Je suis désolée, je n'ai que quatre places !
– Oh ! C'est vraiment dommage ! Quatre places seulement ?
– Oui, mais je peux vous proposer la même chôse pour la semaine prochaine...

LEÇON 3

3 p. 139
b) 1. des bonbons. 2. des melons. 3. du saumon. 4. du vin. 5. des citrons. 6. du camembert. 7. du pain. 8. des oranges. 9. du saucisson. 10. de l'estragon. 11. du poisson. 12. du dentifrice. 13. un parfum. 14. une tranche. 15. une pincée. 16. deux flacons. 17. c'est grand. 18. c'est bon. 19. c'est bien. 20. c'est la fin.
c) 1. Mangez des melons, ils sont en promotion ! 2. C'est un grand invité, il est italien et il adore le pain français. 3. Du lait entier, oui, j'en prends et aussi un camembert.

7 p. 141
1. Ça fait quinze minutes qu'on attend ! Vous pouvez prendre notre commande, s'il vous plaît ? 2. Tout est délicieux. Bravo pour le chef ! 3. La viande est très tendre, c'est un délice ! 4. J'ai demandé un steak bien cuit, regardez, il est saignant ! 5. J'adore cet endroit. C'est très agréable et la vue est magnifique ! 6. Le service est vraiment rapide, ici ! 7. Monsieur, mon plat n'est pas chaud. Et je déteste manger froid ! 8. Il est très bien, ce vin. Comment tu le trouves ? 9. Je ne peux pas manger la viande avec cette sauce. Elle est trop salée ! 10. On peut changer de table ? Il y a trop de bruit ici. 11. Il est sympa, le serveur ! Vraiment aimable. 12. Il n'y a plus de tarte, il n'y a plus de salade de fruits, il ne reste que des glaces... on n'a pas vraiment le choix, chez vous !

8 p. 141
1. a. Bravo ! b. Bravo !
2. a. Sympa ! b. Sympa !
3. a. Vraiment aimable ! b. Vraiment aimable !
4. a. Le service est rapide ici ! b. Le service est rapide ici !
5. a. Regarde ça, quelle présentation ! b. Regarde ça, quelle présentation !
6. a. Pour le prix, oui. b. Pour le prix, oui.
7. a. C'est bon. b. C'est bon.
8. a. Très bien. b. Très bien.

LEÇON 1

5 p. 147
Je me souviens, quand j'étais à l'école primaire, il y avait une boulangerie à côté. Je courais après la sortie, à quatre heures et demie, pour acheter des bonbons. Cette boulangerie, pour nous, c'était la caverne d'Ali Baba ! Je me souviens des bonbons de toutes les couleurs et, surtout, de l'odeur des pains au chocolat ! Il y avait aussi...

6 p. 147
a) 1. et – est. 2. était – été. 3. fait – fée. 4. les – lait. 5. bronzé – bronzait. 6. taie – thé. 7. mais – mais. 8. ré – raie. 9. savait – savez. 10. quai – quai. 11. naît – nez. 12. j'ai – jet.

14 p. 149
1. Je voulais un cadre de vie plus sympathique. 2. On peut faire plus de choses en une seule matinée. 3. Je suis bien plus efficace quand je travaille à la maison. 4. Les trajets sont plus courts. 5. En plus, j'ai un appartement très grand et très confortable. 6. En ville, on perd plus de temps dans les transports. 7. Nous vivons dans un espace plus grand. 8. Dans quelques années, il y aura 2,4 millions de néoruraux en plus.

LEÇON 2

10 p. 152
Lorsque nous avons acheté la maison, c'était une pièce séparée. Au moment de l'agrandissement, nous avons ouvert la cuisine sur le salon. Maintenant, c'est une cuisine américaine. Le couloir était sombre. J'ai voulu y mettre des couleurs gaies et chaleureuses. On a posé du parquet, et on a peint les murs en jaune et vert ; il est très clair maintenant. Notre chambre est située dans une extrémité de la maison, avec notre salle de bains et mon bureau. Cela nous permet de conserver intimité et indépendance. Pour ma fille de huit ans, je souhaitais une chambre aux couleurs claires. J'ai tapissé les murs en vert. Une seule salle de bains pour cinq, ça ne suffisait pas, alors on a transformé cette pièce pour les enfants. Nous avons mis du carrelage blanc et des tapis bleu turquoise pour la couleur. On a aussi installé de grands placards. Maintenant, chaque enfant a de la place pour ses serviettes et ses produits de toilette.

14 p. 153
1. J'ai tapissé les murs en vert. 2. Je souhaitais une chambre claire. 3. J'ai posé le parquet. 4. J'ai commencé par une pièce. 5. Je réparais la porte. 6. On a aménagé à notre goût. 7. Tu as installé de grands placards. 8. J'achetais ma maison.

LEÇON 3

7 p. 156
– Bonjour ! C'est bien ici pour l'annonce de colocation ? Je vous ai téléphoné ce matin...
– Je vous fais visiter l'appartement ?... Alors, qu'est-ce que vous en pensez ?
– Oh oui ! Ça me plaît beaucoup ! Mais... j'imagine que vous voulez me poser des questions ?
– Oui, bien sûr, j'ai quelques questions ! Mais asseyez-vous. Alors, première chose : est-ce que vous fumez ?
– Ah non, non ! Je déteste la cigarette !
– Bon ! La propreté, c'est important pour vous ?
– Oui, bien sûr ! Je fais le ménage régulièrement, mais c'est pas une passion !
– Oui bon, je comprends. Mais c'est important en colocation ! Et tu... vous... euh... on se tutoie, d'accord ?
– Oui, OK !

– Je peux te demander quelle musique tu écoutes ?
– Ah ! Surtout de la chanson française, en général.
– Bon ! Ça va pour la première étape ! Les autres colocataires seront là demain ; je te propose de revenir, et tu nous verras ensemble. Ils veulent te rencontrer, eux aussi. OK ?
– Oui, ça me convient, super !
– Viens à 18 heures, on t'offrira l'apéro ! Et on te donnera la réponse après-demain.

11 p. 157
1. On s'entend super bien ! 2. Bof, côté ambiance, c'est pas vraiment génial... 3. On peut pas dire que j'ai beaucoup de contacts... 4. On se régale ! 5. Je lui ai dit pour la énième fois... 6. Je les régale ! 7. On est très bien organisés ! 8. Au début ça allait à peu près... 9. C'est pénible ! 10. C'est totalement positif ! 11. Maintenant, je ne la supporte plus ! 12. C'est vraiment génial !

HORIZONS

8 p. 164
1. – Oh ! Oh là, madame ! Ne vous garez pas ici, vous ne devez pas stationner devant l'entrée de l'immeuble !
– Oui, mais je tourne depuis une heure ! Cinq minutes, seulement, monsieur l'agent !
2. – Non, non, les enfants ! Ne marchez pas sur la pelouse, il faut rester dans les allées du jardin.
3. – Non, madame, je regrette, vous ne pouvez pas entrer dans le restaurant avec votre chien.
4. – Comment ? Vous fumez ici ? Mais il ne faut pas fumer dans la station.
– Ah bon ? Mais dans les trains, c'est possible...
– Peut-être, mais pas dans le métro !
5. – Attention ! On ne doit pas traverser quand le feu est vert pour les voitures !
– Mais il n'y a personne !
– Oui, mais ce n'est pas prudent !
6. – C'est insupportable cette musique, monsieur !
– Mais il n'est pas tard, il est 11 heures seulement !
– Écoutez, c'est défendu de faire du bruit après 22 heures ! C'est le règlement, un point c'est tout !

11 p. 165
Chers amis, vous voici en France pour votre stage en entreprise. Pendant votre séjour, vous aurez de nombreux contacts avec les Français et je voudrais vous faire quelques recommandations.
Si vous êtes invités à un dîner formel, il est recommandé d'arriver un quart d'heure après l'heure prévue. Pour saluer les personnes, serrez-leur la main. Bien sûr, vous arriverez avec un bouquet de fleurs joliment emballé par le fleuriste et puis, chers amis, évitez de mettre les mains sous la table. En France, pour bien se tenir, il faut poser les mains sur la table. Encore une recommandation...

12 p. 165
1. Arrêtez-vous au feu, là. 2. Achetez des fleurs rouges. 3. Présentez-vous avec votre carte. 4. Invitez cette personne. 5. Mettez les mains sur la table. 6. N'arrivez pas avant l'heure. 7. Ne fumez pas ici. 8. Ne discutez pas avec vos collègues. 9. Arrêtez-vous au feu, là. 10. Achetez des fleurs rouges. 11. Présentez-vous avec votre carte. 12. Invitez cette personne. 13. Mettez les mains sur la table. 14. N'arrivez pas avant l'heure. 15. Ne fumez pas ici. 16. Ne discutez pas avec vos collègues.

Précis grammatical

1. LES ARTICLES

	Singulier		Pluriel	
Articles définis	le monsieur* l'enfant	la dame l'amie	les gens*	les amies*
Articles indéfinis	un monsieur un enfant	une dame une amie	des gens	des amies
Articles partitifs	du café de l'argent	de la bière de l'eau		

* Cas particuliers : les articles contractés

à + le = au   à + les = aux

de + le = du   de + les = des

2. LES ADJECTIFS DÉMONSTRATIFS

Singulier		Pluriel	
Masculin	Féminin	Masculin	Féminin
ce quartier cet endroit	cette ville	ces paysages	ces villes

3. LES ADJECTIFS POSSESSIFS

	Singulier		Pluriel
Possesseur	Masculin	Féminin	Masculin/Féminin
je	mon père	ma mère, mon amie	mes ami(e)s
tu	ton père	ta mère, ton amie	tes ami(e)s
il/elle	son père	sa mère, son amie	ses ami(e)s
nous	notre père	notre mère, notre amie	nos ami(e)s
vous	votre père	votre mère, votre amie	vos ami(e)s
ils/elles	leur père	leur mère, leur amie	leurs ami(e)s

4. LES ADJECTIFS INTERROGATIFS

	Singulier	Pluriel
Masculin	Quel est votre nom ?	Quels sont vos noms et prénoms ?
Féminin	Quelle est votre nationalité ?	Quelles fêtes aimez-vous ?

5. L'ADJECTIF INDÉFINI *TOUT*

	Singulier	Pluriel
Masculin	**Tout** le temps	**Tous** les jours
Féminin	**Toute** la journée	**Toutes** les nuits

LES NOMS

1. LES NOMS COMMUNS

• **Le genre**

Masculin	Féminin	
un enfant	une enfant	masculin = féminin
un ami	une amie	féminin = + e
un garçon	une fille	nom différent au masculin et au féminin

• **Le nombre**

Singulier	Pluriel	
un passeport	des passeports	+ s
un prix un mois	des prix des mois	singulier = pluriel
un bureau	des bureaux	-eau → -eaux
un cheveu	des cheveux	-eu → -eux
un journal	des journaux	-al → -aux

2. LES NOMS DE PROFESSION

Masculin	Féminin	
un pharmacien	une pharmacienne	-ien → -ienne
un coiffeur	une coiffeuse	-eur → -euse
un directeur	une directrice	-eur → -rice
un boulanger	une boulangère	-er → -ère
un dentiste un photographe	une dentiste une photographe	masculin = féminin

175

3. LES NOMS DE PAYS

Masculin	Le Japon L'Iran	Noms de pays se terminant par une autre lettre que *e*
Féminin	La France L'Italie	Noms de pays se terminant par *e*
Pluriel	Les Pays-Bas Les États-Unis	Noms de pays se terminant par *s*

Exceptions : le Mexique/le Mozambique

4. LES NOMS DE PERSONNES/DE VILLES

Claire habite *Paris.* → On n'utilise pas de déterminant.

LES ADJECTIFS

1. LE MASCULIN ET LE FÉMININ DES ADJECTIFS QUALIFICATIFS

Masculin	Féminin	
intelligent grand	intelligente grande	+ e
cultivé	cultivée	+ e
sportif	sportive	-if → -ive
généreux	généreuse	-eux → -euse
libre romantique	libre romantique	masculin = féminin
beau/bel* nouveau/nouvel* vieux/vieil*	belle nouvelle vieille	Formes différentes au masculin et au féminin

* devant une voyelle ou *h*

2. LE MASCULIN ET LE FÉMININ DES ADJECTIFS DE NATIONALITÉ

Masculin	Féminin	
anglais	anglaise	+ e
chinois	chinoise	+ e
américain	américaine	+ e
brésilien coréen	brésilienne coréenne	+ ne

3. LE PLURIEL DES ADJECTIFS QUALIFICATIFS

Comme pour les noms, en général on ajoute *s*.

Exceptions :

Masculin singulier	Masculin pluriel	
beau	beaux	+ x
généreux	généreux	singulier = pluriel
indécis	indécis	singulier = pluriel

LE COMPARATIF

Degré de supériorité (+)   **plus** grand(e)s (**que**)
Degré d'infériorité (-)   **moins** grand(e)s (**que**)

Attention !
bon (+) → **meilleur (que)**
    Exemple : une **meilleure** cuisine (**que**)
bien (+) → **mieux (que)**
    Exemple : vivre **mieux** (**que**)

LES PRONOMS

1. LES PRINCIPAUX PRONOMS

Pronoms toniques*	Pronoms sujets	Pronoms réfléchis	Pronoms compléments d'objet direct	Pronoms compléments d'objet indirect
Moi	Je **parle**. J'**écoute**.	Je **me** lève. Je **m'**habille.	Il **me** connaît. Il **m'**écoute.	Il **me** parle. Il **m'**écrit.
Toi	Tu **parles**. Tu **écoutes**.	Tu **te** lèves. Tu **t'**habilles.	Il **te** connaît. Il **t'**écoute.	Il **te** parle. Il **t'**écrit.
Lui/Elle	**Il/Elle/On** parle. **Il/Elle/On** écoute.	**Il/Elle se** lève. **Il/Elle s'**habille.	Il **le/la** connaît. Il **l'**écoute.	Il **lui** parle. Il **lui** écrit.
Nous	**Nous** parlons. **Nous** écoutons.	Nous **nous** levons. Nous **nous** habillons.	Il **nous** connaît. Il **nous** écoute.	Il **nous** parle. Il **nous** écrit.
Vous	**Vous** parlez. **Vous** écoutez.	Vous **vous** levez. Vous **vous** habillez.	Il **vous** connaît. Il **vous** écoute.	Il **vous** parle. Il **vous** écrit.
Ils/elles	**Ils/Elles** parlent. **Ils/Elles** écoutent.	**Ils/Elles se** lèvent. **Ils/Elles s'**habillent.	Il **les** connaît. Il **les** écoute.	Il **leur** parle. Il **leur** écrit.

* Usage des pronoms toniques :

→ pour renforcer le pronom sujet :
Exemple : **Moi**, je parle et **toi**, tu écoutes.
Attention : **Nous**, on parle.

→ après une préposition *(chez, pour, avec...)* :
Exemples : Je parle avec **eux/elles**.
Tu viens chez **moi**. Ils travaillent pour **lui/elle**.

• Construction directe ou indirecte de quelques verbes

Construction directe	Construction indirecte	Double construction
Je connais **mon/ma** voisin(e). → Je **le/la** connais.	Je parle **à** mon voisin. → Je **lui** parle.	J'explique quelque chose **à** mon/ma voisin(e). → Je **lui** explique quelque chose.
connaître écouter voir entendre attendre comprendre aider quelqu'un inviter (ou rencontrer quelque chose) remercier aimer adorer détester saluer embrasser	répondre téléphoner à quelqu'un plaire sourire	demander dire expliquer quelque chose raconter à quelqu'un souhaiter offrir conseiller proposer donner acheter falloir

2. LE PRONOM *EN* POUR EXPRIMER LA QUANTITÉ

Exemples:

Je prends **du** café. → **J'en** prends.

Je mange **de la** viande. → **J'en** mange.

Il achète **des** fruits. → Il **en** achète.

Vous voulez **un** kilo de fruits. → Vous **en** voulez un kilo.

Je voudrais **une** glace. → **J'en** voudrais **une**.

Il a **beaucoup de** travail. → Il **en** a **beaucoup**.

3. LE PRONOM *Y*

Exemples:

Je suis en France. → **J'y** suis.

Il va à Paris. → Il **y** va.

4. LA PLACE DES PRONOMS

• **Avant le verbe**

À un temps simple	Je **le** remercie. Je **lui** téléphone.	J'**en** prends. J'**y** vais.
À un temps composé	Je **l'**ai remercié. Je **lui** ai téléphoné.	J'**en** ai pris. J'**y** suis allé.
À l'infinitif	Je veux **le** remercier. Je veux **lui** téléphoner.	Je veux **en** prendre. Je veux **y** aller.
À l'impératif négatif	Ne **le** remerciez pas. Ne **lui** téléphonez pas.	N'**en** prenez pas. N'**y** allez pas.

• **Après le verbe**

À l'impératif positif	Remerciez-**le**. Téléphonez-**lui**.	Prenez-**en**. Allez-**y**.

5. LES PRONOMS RELATIFS

Sujet	qui → C'est un sac **qui** coûte 50 euros.
Complément d'objet direct	que → C'est un sac **que** j'utilise tous les jours.

LA FORME INTERROGATIVE

Registre	Questions fermées (Deux réponses possibles : oui/non)	Questions ouvertes		
		Quel(le)s + nom	Où ? Comment ? Quand ?	Quoi ? Qui ?
Familier	Tu parles français ?	Tu as **quel** âge ?	Tu vas **où** ? Tu viens **comment** ? Tu arrives **quand** ?	Tu fais **quoi** ? Tu connais **qui** ?
Standard	Est-ce que tu parles/vous parlez français ?	**Quel** âge est-ce que tu as/vous avez ?	**Où** est-ce que vous allez ? **Comment** est-ce que vous venez ? **Quand** est-ce que vous arrivez ?	**Qu'**est-ce que vous faites ? **Qui** est-ce que vous connaissez ?
Formel	Parlez-vous français ?	**Quel** âge avez-vous ?	**Où** allez-vous ? **Comment** venez-vous ? **Quand** arrivez-vous ?	**Que** faites-vous ? **Qui** connaissez-vous ?

LA FORME NÉGATIVE

1. NE... PAS, NE... PLUS, NE... JAMAIS

	Avec un temps simple	Avec un temps composé	À l'infinitif
Ne... pas	Je ne travaille **pas**. Je ne me maquille **pas**. Je ne le vois **pas**.	Je n'ai **pas** travaillé. Je ne me suis **pas** maquillé(e) Je ne l'ai **pas** vu.	**Ne pas** travailler. **Ne pas** se maquiller. **Ne pas** le voir.
Ne... plus	Je ne travaille **plus**. Je ne me maquille **plus**. Je ne le vois **plus**.	Je n'ai **plus** travaillé. Je ne me suis **plus** maquillé(e). Je ne l'ai **plus** vu.	**Ne plus** travailler. **Ne plus** se maquiller. **Ne plus** le voir.
Ne... jamais	Je ne travaille **jamais**. Je ne me maquille **jamais**. Je ne le vois **jamais**.	Je n'ai **jamais** travaillé. Je ne me suis **jamais** maquillé(e). Je ne l'ai **jamais** vu.	**Ne jamais** travailler. **Ne jamais** se maquiller. **Ne jamais** le voir.

2. LA QUANTITÉ ZÉRO

	Avec un temps simple	Avec un temps composé	À l'infinitif
Ne... pas de	Je ne prends **pas de** café. Je ne prends pas d'argent.	Je n'ai **pas** pris **de** café. Je n'ai **pas** pris d'argent.	**Ne pas** prendre **de** café. **Ne pas** prendre d'argent.
Ne... plus de	Je ne prends **plus de** café. Je ne prends **plus** d'argent.	Je n'ai **plus** pris **de** café. Je n'ai **plus** pris d'argent.	**Ne plus** prendre **de** café. **Ne plus** prendre d'argent.

LA RESTRICTION

	Avec un temps simple	Avec un temps composé	À l'infinitif
Ne... que	Je ne bois **qu'**un café. Je ne me lève **qu'**une fois. Je ne le vois **que** le matin.	Je n'ai bu **qu'**un café. Je ne me suis levé(e) **qu'**une fois. Je ne l'ai vu **que** le matin.	**Ne** boire **qu'**un café. **Ne** se lever **qu'**une fois. **Ne** le voir **que** le matin.

Phonétique

LES VOYELLES PRINCIPALES DU FRANÇAIS

Voyelles aiguës	Voyelles aiguës et labiales	Voyelles graves et labiales
[i] Isabelle	[y] Jules	[u] Douce
[e] Rémi	[ø] Mathieu	[o] Léo
[ɛ] Fred	[œ] Mayeul	[ɔ] Christophe
[ɛ̃] Martin	[ə] Denise	[ɔ̃] Simon
[a] Anne		[ã] France

LES CONSONNES PRINCIPALES DU FRANÇAIS

Consonnes aiguës	Consonnes aiguës et labiales	Consonnes graves et labiales	Consonnes neutres, graves ou aiguës (selon le contexte)
[s] Simone	[ʃ] Charles	[f] Fanny	[k] Catherine
[z] Zoé	[ʒ] Jacqueline	[v] Véronique	[g] Gustave
[t] Thierry		[p] Paul	
[d] Denise		[b] Béatrice	[r] Robert
[n] Annie		[m] Monique	
[ɲ] Charlemagne			
[l] Léo			

LES SEMI-CONSONNES DU FRANÇAIS

[j] Yolande	[ɥ] Suisse	[w] Louise

Tableau de conjugaison

INFINITIF	INDICATIF				IMPÉRATIF
	Présent	Passé composé	Imparfait	Futur	Présent
Être (auxiliaire)	je **suis** tu **es** il/elle **est** nous **sommes** vous **êtes** ils/elles **sont**	j'ai été tu as été il/elle a été nous avons été vous avez été ils/elles ont été	j'étais tu étais il/elle était nous étions vous étiez ils/elles étaient	je serai tu seras il/elle sera nous serons vous serez ils/elles seront	sois soyons soyez
Avoir (auxiliaire)	j'**ai** tu **as** il/elle **a** nous **avons** vous **avez** ils/elles **ont**	j'ai eu tu as eu il/elle a eu nous avons eu vous avez eu ils/elles ont eu	j'avais tu avais il/elle avait nous avions vous aviez ils/elles avaient	j'aurai tu auras il/elle aura nous aurons vous aurez ils/elles auront	aie ayons ayez
Aller	je **vais** tu **vas** il/elle **va** nous **allons** vous **allez** ils/elles **vont**	je suis allé(e) tu es allé(e) il/elle est allé(e) nous sommes allé(e)s vous êtes allé(e)s ils/elles sont allé(e)s	j'**allais** tu allais il/elle allait nous allions vous alliez ils/elles allaient	j'**irai** tu iras il/elle ira nous irons vous irez ils/elles iront	va allons allez
Boire	je **bois** tu bois il/elle boit nous **buvons** vous buvez ils/elles boivent	j'ai bu tu as bu il/elle a bu nous avons bu vous avez bu ils/elles ont bu	je **buvais** tu buvais il/elle buvait nous buvions vous buviez ils/elles buvaient	je **boirai** tu boiras il/elle boira nous boirons vous boirez ils/elles boiront	bois buvons buvez
Chanter	je **chante** tu chantes il/elle chante nous chantons vous chantez ils/elles chantent	j'ai chanté tu as chanté il/elle a chanté nous avons chanté vous avez chanté ils/elles ont chanté	je **chant**ais tu chantais il/elle chantait nous chantions vous chantiez ils/elles chantaient	je **chanter**ai tu chanteras il/elle chantera nous chanterons vous chanterez ils/elles chanteront	chante chantons chantez
Choisir	je **choisis** tu choisis il/elle choisit nous **choisiss**ons vous choisissez ils/elles choisissent	j'ai choisi tu as choisi il/elle a choisi nous avons choisi vous avez choisi ils/elles ont choisi	je **choisiss**ais tu choisissais il/elle choisissait nous choisissions vous choisissiez ils/elles choisissaient	je **choisir**ai tu choisiras il/elle choisira nous choisirons vous choisirez ils/elles choisiront	choisis choisissons choisissez
Connaître	je **connais** tu connais il/elle connaît nous **connaiss**ons vous connaissez ils/elles connaissent	j'ai connu tu as connu il/elle a connu nous avons connu vous avez connu ils/elles ont connu	je **connaiss**ais tu connaissais il/elle connaissait nous connaissions vous connaissiez ils/elles connaissaient	je **connaîtr**ai tu connaîtras il/elle connaîtra nous connaîtrons vous connaîtrez ils/elles connaîtront	connais connaissons connaissez
Devoir	je **dois** tu dois il/elle doit nous **devons** vous devez ils/elles **doivent**	j'ai dû tu as dû il/elle a dû nous avons dû vous avez dû ils/elles ont dû	je devais tu devais il/elle devait nous devions vous deviez ils/elles devaient	je **devrai** tu devras il/elle devra nous devrons vous devrez ils/elles devront	*n'existe pas*

INFINITIF	INDICATIF				IMPÉRATIF
	Présent	Passé composé	Imparfait	Futur	Présent
Écrire	j'**écris** tu écris il/elle écrit nous **écrivons** vous écrivez ils/elles **écrivent**	j'ai **écrit** tu as écrit il/elle a écrit nous avons écrit vous avez écrit ils/elles ont écrit	j'**écrivais** tu écrivais il/elle écrivait nous écrivions vous écriviez ils/elles écrivaient	j'**écrirai** tu écriras il/elle écrira nous écrirons vous écrirez ils/elles écriront	écris écrivons écrivez
Faire	je **fais** tu fais il/elle fait nous **faisons** vous **faites** ils/elles **font**	j'ai **fait** tu as fait il/elle a fait nous avons fait vous avez fait ils/elles ont fait	je **faisais** tu faisais il/elle faisait nous faisions vous faisiez ils/elles faisaient	je **ferai** tu feras il/elle fera nous ferons vous ferez ils/elles feront	fais faisons faites
Falloir	il **faut**	il **a fallu**	il **fallait**	il **faudra**	*n'existe pas*
Pouvoir	je **peux** tu peux il/elle peut nous **pouvons** vous pouvez ils/elles **peuvent**	j'ai **pu** tu as pu il/elle a pu nous avons pu vous avez pu ils/elles ont pu	je **pouvais** tu pouvais il/elle pouvait nous pouvions vous pouviez ils/elles pouvaient	je **pourrai** tu pourras il/elle pourra nous pourrons vous pourrez ils/elles pourront	*n'existe pas*
Prendre	je **prends** tu prends il/elle prend nous **prenons** vous prenez ils/elles **prennent**	j'ai **pris** tu as pris il/elle a pris nous avons pris vous avez pris ils/elles ont pris	je **prenais** tu prenais il/elle prenait nous prenions vous preniez ils/elles prenaient	je **prendrai** tu prendras il/elle prendra nous prendrons vous prendrez ils/elles prendront	prends prenons prenez
Savoir	je **sais** tu sais il/elle sait nous **savons** vous savez ils/elles **savent**	j'ai **su** tu as su il/elle a su nous avons su vous avez su ils/elles ont su	je **savais** tu savais il/elle savait nous savions vous saviez ils/elles savaient	je **saurai** tu sauras il/elle saura nous saurons vous saurez ils/elles sauront	sache sachons sachez
Venir	je **viens** tu viens il/elle vient nous **venons** vous venez ils/elles **viennent**	je suis **venu**(e) tu es venu(e) il/elle est venu(e) nous sommes venu(e)s vous êtes venu(e)s ils/elles sont venu(e)s	je **venais** tu venais il/elle venait nous venions vous veniez ils/elles venaient	je **viendrai** tu viendras il/elle viendra nous viendrons vous viendrez ils/elles viendront	viens venons venez
Voir	je **vois** tu vois il/elle voit nous **voyons** vous voyez ils/elles **voient**	j'ai **vu** tu as vu il/elle a vu nous avons vu vous avez vu ils/elles ont vu	je **voyais** tu voyais il/elle voyait nous voyions vous voyiez ils/elles voyaient	je **verrai** tu verras il/elle verra nous verrons vous verrez ils/elles verront	vois voyons voyez
Vouloir	je **veux** tu veux il/elle veut nous **voulons** vous voulez ils/elles **veulent**	j'ai **voulu** tu as voulu il/elle a voulu nous avons voulu vous avez voulu ils/elles ont voulu	je **voulais** tu voulais il/elle voulait nous voulions vous vouliez ils/elles voulaient	je **voudrai** tu voudras il/elle voudra nous voudrons vous voudrez ils/elles voudront	veuillez

Lexique multilingue

Français	Anglais	Espagnol	Allemand	Portugais	Grec
Accepter, *v.*	to accept	aceptar	akzeptieren	aceitar	δέχομαι
accident, *n. m.*	accident	accidente	Unfall	acidente	ατύχημα
accord (être d'), *loc.*	to agree	estar de acuerdo	einverstanden sein	estar de acordo	συμφωνώ
achat, *n. m.*	purchase	compra	Einkauf	compra	αγορά
acheter, *v.*	to buy	comprar	kaufen	comprar	αγοράζω
acteur, actrice, *n.*	actor	actor	Schauspieler	actor	ηθοποιός
activité, *n. f.*	activity	actividad	Aktivität	actividade	δραστηριότητα
addition, *n. f.*	bill	cuenta	Rechnung	conta (de restaurante)	λογαριασμός
adorer, *v.*	to adore	adorar	anbeten	adorar	λατρεύω
adresse, *n. f.*	address	dirección	Adresse	morada, endereço	διεύθυνση
âge, *n. m.*	age	edad	Alter	idade	ηλικία
agréable, *adj.*	pleasant	agradable	angenehm	agradável	ευχάριστος
aide, *n. f.*	help	ayuda	Hilfe	ajuda	βοήθεια
aider, *v.*	to help	ayudar	helfen	ajudar	βοηθώ
aimer, *v.*	to love	amar, querer	lieben	amar	αγαπώ
air (avoir l'), *loc.*	to seem	parecer	aussehen	ar (ter o)	μοιάζψ
allumer, *v.*	to light	encender	entzünden	acender	ανάβω
ami(e), *n.* et *adj.*	friend	amigo(a)	Freund, Freundin	amigo(a)	φίλος(η)
amitié, *n. f.*	friendship	amistad	Freundschaft	amizade	φιλία
amour, *n. m.*	love	amor	Liebe	amor	έρωτας
amoureux, *adj.*	in love	enamorado(a)	verliebt	apaixonado	ερωτευμένος
amusant(e), *adj.*	funny	divertido(a)	lustig	divertido(a)	διασκεδαστικός (η)
an, *n. m.*	year	año	Jahr	ano	έτος
ancien(ne), *adj.*	old	viejo(a), antiguo(a)	alt	antigo(a)	αρχαίος(α)
animal, *n. m.*, animaux, *plur.*	animal(s)	animal	Tier, Tiere	animal	ζώο
animateur, animatrice, *n.*	presenter	presentador(a)	Animateur, Animateurin	animado	παρουσιαστής(στρια)
année, *n. f.*	year	año	Jahr	ano	χρονιά
annoncer, *v.*	to announce	anunciar	ankündigen	anunciar	ανακοινώνω
août, *n. m.*	August	agosto	August	agosto	Αύγουστος
apparaître, *v.*	to appear	aparecer	erscheinen	aparecer	εμφανίζομαι, φαίνομαι
appareil photo, *n. m.*	camera	cámara fotográfica	Fotoapparat	aparelho fotográfico	φωτογραφική μηχανή
appartement, *n. m.*	flat	piso	Wohnung	apartamento	διαμέρισμα
appeler, *v.*	to call	llamar	rufen	chamar	ονομάζω
appeler (s'), *v. pron.*	to be called	llamarse	heißen	chamada(s)	ονομάζομαι
après, *prép.* et *adv.*	after	después	nach	depois de	μετά
après-midi, *n. m.* et *f. inv.*	afternoon	tarde	Nachmittag	tarde	απόγευμα
arbre, *n. m.*	tree	árbol	Baum	árvore	δέντρο
architecte, *n. m.*	architect	arquitecto	Architekt	arquitecto	αρχιτέκτονας
argent, *n. m.*	money	dinero	Geld	dinheiro	χρήματα
armoire, *n. f.*	wardrobe	armario	Schrank	armário	ντουλάπι
arriver, *v.*	to arrive	llegar	ankommen	chegar	φτάνω
art, *n. m.*	art	arte	Kunst	arte	τέχνη
artiste, *n.* et *adj.*	artist	artista	Künstler	artista	καλλιτέχνης
asseoir (s'), *v. pron.*	to sit down	sentarse	setzen	sentar-se	κάθομαι
assister, *v.*	to be present	asistir	anwesend sein	assistir	παρακολουθώ
attendre, *v.*	to wait for	esperar	warten	aguardar	περιμένω
au revoir, *n. m.*	goodbye	adiós, hasta luego	Auf Wiedersehen	adeus	αντίο
aujourd'hui, *n. m.* et *adv.*	today	hoy	heute	hoje	σήμερα
aussi, *adv.* et *conj*	also	también	auch	também	επίσης
automne, *n. m.*	autumn	otoño	Herbst	outono	φθινόπωρο
autre, *prép.*	other	otro	andere	outro	άλλο
avant, *prép.* et *adv.*	before	antes	vor	antes	μπροστά
avenue, *n. f.*	avenue	avenida	Straße, Allee	avenida	λεωφόρος
avion, *n. m.*	plane	avión	Flugzeug	avião	αεροπλάνο
avocat, *n. m.*	avocado	aguacate	Avokado	abacate	αβοκάντο
avoir, *v.*	to have	tener	haben	ter	διαθέτω
Baigner (se), *v. pron.*	to bathe	bañarse	baden	banhar (se)	πλένομαι
balcon, *n. m.*	balcony	balcón	Balkon	balcão	μπαλκόνι
ballon, *n. m.*	ball	pelota	Ball	bola	μπαλόνι
banlieue, *n. f.*	suburb	suburbio	Vorort	subúrbio	περίχωρα
banque, *n. f.*	bank	banco	Bank	banco	τράπεζα
bar, *n. m.*	bar	bar	Bar	bar	μπαρ
beau, belle, *adj.*	beautiful	bello, bella	schön	bonito	όμορφος
beaucoup *adv.*	a lot	mucho	viel	muito	πολύ
bébé, *n. m.*	baby	bebé	Baby	bebé	μωρό
besoin (avoir), *loc.*	to need	necesitar	brauchen	necessidade (ter)	έχω ανάγκη
bibliothèque, *n. f.*	library	biblioteca	Bibliothek	biblioteca	βιβλιοθήκη
bicyclette, *n. f.*	bicycle	bicicleta	Fahrrad	bicicleta	ποδήλατο
bien, *adv.* et *adj.*	well	bien	gut	bem	καλά
bien sûr, *adv.*	of course	desde luego	sicherlich	certamente	ασφαλώς
bijou, *n. m.*, bijoux, *plur.*	jewel	joya	Schmuck	jóia	κόσμημα
billet, *n. m.*	ticket	billete	Eintrittskarte	bilhete	εισιτήριο, χαρτονόμιομς
bisou, *n. m.*, bisous, *plur.*	little kiss(es)	besito	Küsschen	beijinho	φιλί
bizarre, *adj.*	strange	raro, extraño	eigentümlich, bizarr	bizarro	παράξενος
blond(e), *adj.*	blond	rubio(a)	blond	louro(a)	ξανθός(ια)
boire, *v.*	to drink	beber	trinken	beber	πίνω
boisson, *n. f.*	drink	bebida	Getränk	bebida	ποτό

boîte, n. f.	tin	caja	Schachtel	caixa	κουτί
bon(ne), adj.	good	bueno(a)	gut	bom (boa)	καλός(η)
bonheur, n. m.	happiness	felicidad	Glück	felicidade	ευτυχία
bonjour, n. m.	hello	buenos días	guten Tag	bom dia	καλημέρα
bonsoir, n. m.	good evening	buenas noches	guten Abend	boa tarde	καλησπέρα
boucherie, n. f.	butcher's	carnicería	Fleischerei	talho	κρεοπωλείο
boulangerie, n. f.	baker's	panadería	Bäckerei	padaria	αρτοποιείο
boulevard, n. m.	boulevard	bulevar	Boulevard	avenida	λεωφόρος
bouteille, n. f.	bottle	botella	Flasche	garrafa	μπουκάλι
bruit, n. m.	noise	ruido	Lärm	ruído	θόρυβος
bruyant(e), adj.	noisy	ruidoso(a)	laut	ruidoso(a)	θορυβώδης
bureau, n. m.	desk	escritorio	Schreibtisch	secretária (móvel)	γραφείο
Cadeau, n. m., cadeaux, plur.	gift(s)	regalo	Geschenk	presente	δώρο
café, n. m.	coffee	café (la bebida)	Kaffee	café (a bebida)	καφές
calendrier, n. m.	calendar	calendario	Kalender	calendário	ημερολόγιο
calme, adj.	calm	tranquilo(a)	ruhig	calmo	ήρεμος
camarade, n.	friend	compañero(a)	Kamerad	camarada	συμμαθητής
campagne, n. f.	country	campo	Land	campo	εξοχή
canapé, n. m.	sofa	sofá	Sofa	canapé	καναπές
capitale, n. f.	capital	capital	Hauptstadt	capital	πρωτεύουσα
caractéristique, n. f.	characteristic	característica	charakteristisch	característica	χαρακτηριστικό
carte postale, n. f.	postcard	postal	Postkarte	postal ilustrado	καρτ ποστάλ
casquette, n. f.	cap	gorra	Mütze	capacete	κασκέτο
casser, v.	to break	romper	zerbrechen	partir	σπάζω
ceinture, n. f.	belt	cinturón	Gürtel	cintura	ζώνη
célèbre, adj.	famous	famoso	berühmt	célebre	διάσημος
célibataire, adj.	single (adj.)	soltero(a)	ledig	celibatário	άγαμος και
centre-ville, n. m.	town centre	centro de la ciudad	Stadtmitte	centro da cidade	κέντρο της πόλης
chaise, n. f.	chair	silla	Stuhl	cadeira	καρέκλα
chambre, n. f.	bedroom	habitación	Zimmer	quarto	δωμάτιο
changer, v.	to change	cambiar	verändern	mudar	αλλάζω
chanson, n. f.	song	canción	Lied	canção	τραγούδι
chanteur, chanteuse, n.	singer	cantante	Sänger	cantor	τραγουδιστής, τραγουδίστρια
chapeau, n. m.	hat	sombrero	Hut	chapéu	καπέλο
chaque, adj. indéf.	each	cada	jeder, jede	cada	κάθε
charcuterie, n. f.	delicatessen	charcutería, embutidos	Metzgerei	charcutaria (loja)	αλλαντοπωλείο
charmant(e), adj.	charming	encantador(a)	reizend	encantador(a)	γοητευτικός(η)
chat(te), n.	cat	gato(a)	Kater	gato(a)	γάτα, γάτος
château, n. m.	castle	castillo	Schloß	castelo	κάστρο
chaud(e), adj.	hot	caliente	warm, heiß	quente	ζεστός(η)
chaussure, n. f.	shoe	zapato	Schuh	calçado	παπούτσι
chemise	shirt	camisa	Hemd	camisa	πουκάμισο
cher, chère, adj.	dear, expensive	querido (a), caro(a)	lieber	caro	αγαπητός
chercher (aller), v.	to fetch	ir a buscar	etwas holen gehen	procurar (ir)	παίρνω
chercher, v.	to look for	buscar	suchen	buscar	ψάχνω
cheveu, n. m., cheveux, plur.	hair (pl.)	cabello	Haar, Haare	cabelo	τρίχα
chien(ne), n.	dog	perro(a)	Hund, Hündin	cão (cadela)	σκύλος
chiffre, n. m.	number	cifra, número	Zahl	algarismo	αριθμός
chocolat, n. m.	chocolate	chocolate	Schokolade	chocolate	σοκολάτα
choisir, v.	to choose	escoger, elegir	wählen	escolher	επιλέγω
choix, n. m.	choice	elección	Wahl	escolha	επιλογή
chose, n. f.	thing	cosa	Sache	coisa	πράγμα
ciel, n. m.	sky	cielo	Himmel	céu	ουρανός
cinéma, n. m.	cinema	cine	Kino	cinema	κινηματογράφος
clair(e), adj.	light	claro(a)	hell	claro(a)	ξεκάθαρος(η)
clé, n. f.	key	llave	Schlüssel	chave	κλειδί
client(e), n.	customer	cliente(a)	Kunde, Kundin	cliente	πελάτης
cœur, n. m.	heart	corazón	Herz	coração	καρδιά
coiffer (se), v. pron.	to do one's hair	peinarse	sich frisieren	pentear (se)	χτενίζομαι
coiffeur, coiffeuse, n.	hairdresser	peluquero(a)	Frisör	cabeleireiro(a)	κομμωτής
col, n. m.	collar	cuello	Kragen	colarinho	γιακάς
colère (être en), loc.	to be angry	estar enfadado	wütend sein	cólera (estar em)	είμαι θυμωμένος
collègue, n.	colleague	colega	Kollege	colega	συνάδερφος
combien, adv.	how many	cuánto	wieviel	quanto	πόσο
commander, v.	to order	pedir, mandar	bestellen	comandar	διοικώ, κυβερνώ
comme, adv.	like	como	wie	como	πόσο
commencer, v.	to begin	comenzar, iniciar	beginnen	começar	ξεκινώ
comment, adv.	how	cómo	wie	como	πως
communiquer, v.	to communicate	comunicar	kommunizieren	comunicar	επικοινωνώ, μεταδίδω
comparer, v.	to compare	comparar	vergleichen	comparar	συγκρίνω
comprendre, v.	to understand	comprender	verstehen	compreender	καταλαβαίνω
compter, v.	to count	contar	zählen	contar	μετρώ
concert, n. m.	concert	concierto	Konzert	concerto	συναυλία
confortable, adj.	comfortable	cómodo	bequem	confortável	άνετος
connaître, v.	to know	conocer	kennen	conhecer	γνωρίζω
content(e), adj.	happy	contento(a)	zufrieden	contente	ευχαριστημένος(η)
continent, n. m.	continent	continente	Kontinent	continente	ήπειρος
continuer, v.	to continue	continuar	fortsetzen	continuar	συνεχίζω
coordonnées, n. f. plur.	contact details	datos personales	Angaben	coordenadas	συντεταγμένες
copain, copine, n.	friend	amigo(a)	Freund	companheiro	φίλος
costume, n. m.	suit	traje	Anzug	trajo	κοστούμε, στολή
coucher (se), v. pron.	to go to bed	acostarse	schlafen gehen	deitar (se)	ξαπλώνω
couleur, n. f.	colour	color	Farbe	cor	χρώμα
couloir, n. m.	corridor	corredor, pasillo	Gang	corredor	διάδρομος, διαδρομή
couper, v.	to cut	cortar	schneiden	cortar	κόβω
couple, n. m.	couple	pareja	Paar	casal	ζευγάρι
courageux, courageuse, adj.	brave	valiente	mutig	corajoso	γενναίος
courir, v.	to run	correr	laufen	correr	τρέχω
cours, n. m.	lesson	clase	Kurs	curso	μαθήματα

courses, n. f.	shopping	compras	Einkäufe	cursos	συναγωνίζομαι
court(e), adj.	short	corto(a)	kurz	curto(a)	κοντός(η)
cousin(e), n.	cousin	primo(a)	Kusine	primo(a)	ξάδερφος(η),
coûter, v.	to cost	costar	kosten	custar	κοστίζω
cravate, n. f.	tie	corbata	Krawatte	gravata	γραβάτα
créatif, créative, adj.	creative	creativo(a)	kreativ	criativo	δημιουργικός
créer, v.	to create	crear	erschaffen	criar	δημιουργώ
crêpe, n. f.	pancake	crep	Crêpe	crepe	κρέπα
crier, v.	to shout	gritar	schreien	gritar	φωνάζω
cuisine, n. f.	kitchen	cocina	Küche	cozinha	κουζίνα
cuisine (faire la), loc.	to cook	cocinar	kochen	cozinha (fazer a)	μαγειρεύω
cuisinier, cuisinière, n.	chef (m.) cook (f.)	cocinero(a)	Koch	cozinheiro	μάγειρας
cuit(e), adj.	cooked	cocido(a)	gekocht	cozido(a)	ψημένος(η)
cultivé(e), adj.	cultured	culto(a)	gebildet	cultivado(a)	καλλιερηημένος(η)
culturel (le), adj.	cultural	cultural	kulturell	cultural	πολιτιστικός(η)
D'abord, adv.	first of all	primero, en primer lugar	zuerst	antes de mais	καταρχήν
d'accord, adv.	alright	de acuerdo	einverstanden	de acordo	σύμφωνοι
dangereux, dangereuse, adj.	dangerous	peligroso(a)	gefährlich	perigoso	επικίνδυνος
dans, prép.	in	en	in	em seguida	μέσα
danse, n. f.	dance	danza, baile	Tanz	dança	χορός
danser, v.	to dance	bailar, danzar	tanzen	dançar	χορεύω
date, n. f.	date	fecha	Datum	data	ημερομηνία
début, n. m.	beginning	comienzo, principio	Beginn	começo	αρχή
décembre, n. m.	December	diciembre	Dezember	dezembro	Δεκέμβριος
décider, v.	to decide	decidir	entscheiden	decidir	αποφασίζω
découvrir, v.	to discover	descubrir	entdecken	descobrir	ανακαλύπτω
déguiser (se), v. pron.	to dress up (as)	disfrazarse	sich verkleiden	disfarçar (se)	μεταμφιέζομαι
déjeuner, v.	to have lunch	almorzar	zu Mittag essen	almoço	γευματίζω
délicieux, délicieuse, adj.	delicious	delicioso(a)	lecker	delicioso	νόστιμος
demain, adv.	tomorrow	mañana	morgen	amanhã	αύριο
demander, v.	to ask (for)	pedir, preguntar	fragen	pedir	ζητώ, ρωτώ
déménager, v.	to move house	mudarse	umziehen	mudar de casa	μετακινούμαι, μετακομίζω
dent, n. f.	tooth	diente	Zahn	dente	δόντι
dentiste, n. m.	dentist	dentista	Zahnarzt	dentista	οδοντίατρος
depuis, prép.	for	desde	seit	depois.	από, από τότ, και
dernier, dernière, adj.	last	último(a)	letzter, letzte	último	τελευταίος
derrière, adv. et prép.	behind	detrás de, tras	hinter	atrás	πίσω, και
désagréable, adj.	unpleasant	desagradable	unangenehm	desagradável	δυσάρεστος, άσχημος
descendre, v.	to go down	bajar	runter steigen	descer	κατεβαίνω
description, n. f.	description	descripción	Beschreibung	descrição	περιγραφή
désolé(e), adj.	sorry	desolado(a)	untröstlich	desolado(a)	λυπημένος(η), απελπισμένος
dessert, n. m.	dessert	postre	Nachtisch	sobremesa	γλυκό
dessin, n. m.	drawing	dibujo, diseño	Zeichnung	desenho	σχέδιο
dessinateur, dessinatrice, n.	designer	dibujante, diseñador(a)	Zeichner, Zeichnerin	desenhador	σχεδιαστής
dessiner, v.	to draw	dibujar, diseñar	zeichnen	desenhar	σχεδιάζω
destinataire, n.	addressee	destinatario(a)	Empfänger	destinatário	παραλήπτης
destination, n. f.	destination	destinación, destino	Ziel	destino	προορισμός
détester, v.	to hate	detestar	haßen	detestar	απεχθάνομαι
deuxième, adj.	second	segundo	zweiter, zweite	segundo	δεύτερος
devant, prép.	in front of	delante de, ante	vor	diante de	μπροστά
deviner, v.	to guess	adivinar	raten	adivinhar	μαντεύω
devoir, v.	to have to	deber	müssen	dever	καθήκον
dictionnaire, n. m.	dictionary	diccionario	Wörterbuch	dicionário	λεξικό
différence, n. f.	difference	diferencia	Unterschied	diferença	διαφορά
différent(e), adj.	different	diferente	unterschiedlich	diferente	διαφορετικός(η)
dimanche, n. m.	Sunday	domingo	Sonntag	domingo	Κυριακή
dîner, v. et n.	evening meal	cenar	Abendessen	jantar	δείπνο, δειπνώ
dire, v.	to say	decir	sagen	dizer	λέω
discothèque, n. f.	discotheque	discoteca	Diskothek	discoteca	ντισκοτέκ
discuter, v.	to discuss	discutir	diskutieren	discutir	συζητώ
disque, n. m.	disc	disco	(Schall)Platte	disco	δίσκος
divorcer, v.	to divorce	divorciar	scheiden	divorciar-se	χωρίζω
document, n. m.	document	documento	Dokument	documento	έγγραφο
donner, v.	to give	dar	geben	dar	δίνω
dormir, v.	to sleep	dormir	schlafen	dormir	κοιμάμαι
douche, n. f.	shower	ducha	Dusche	duche	ντους
doucher (se), v. pron.	to take a shower	ducharse	sich duschen	tomar banho de chuveiro	κάνω ντους
doux, douce, adj.	sweet	agradable	sanft	doce	απαλός
drap, n. m.	sheet	sabana	Bettuck	pano	πανί, σεντόνι
dynamique, adj.	dynamic	dinámico(a)	dinamisch	dinâmico	δυναμικός
Eau, n. f.	water	agua	Wasser	água	νερό
écharpe, n. f.	scarf	bufanda, chal	Schal	faixa	σάρπα, ταινία
école, n. f.	school	escuela	Schule	escola	σχολείο
écouter, v.	to listen	escuchar	zuhören	escutar	ακούω
écrire, v.	to write	escribir	schreiben	escrever	γράφω
écrivain, n. m.	writer	escritor	Schriftsteller	escritor	συγγραφέας
église, n. f.	church	iglesia	Kirche	igreja	εκκλησία
égoïste, adj.	selfish	egoísta	egoistisch	egoísta	εγωιστικός
embrasser, v.	to embrace	abrazar, dar un beso	umarmen	abraçar	αγκαλιάζω, ασπάζομαι
émission, n. f.	programme	emisión	Sendung	emissão	εκπομπή, μετάδοση
emmener, v.	to take away	llevar, llevarse	mitnehmen	conduzir	μεταφέρω
employé(e), n.	employee	empleado(a)	Angestellter, Angestellte	empregado(a)	υπάλληλος
endroit, n. m.	place	sitio, lugar	Ort	local	μέρος, τόπος
enfant, n. m.	child	niño (a), hijo(a)	Kind	criança	παιδί
ennuyeux, ennuyeuse, adj.	boring	aburrido(a)	langweilig	aborrecido	βαρετός, βαρετή
ensemble, adv.	together	juntos (as)	zusammen	conjunto	συνολικώς
ensuite, adv.	next	luego, después	dann	em seguida	ακολούθως, έπειτα
entendre	to listen	oír	hören	compreender	ακούω
entre, prép.	between	entre	zwischen	entre	μέσα

entrée, n. f.	first course	entrada	Vorspeise	entrada	εντράδα
entrée, n. f.	entrance	entrada	Eingang	entrada	είσοδος
envoyer, v.	to send	enviar	schicken	enviar	στέλνω
époux, épouse, n.	spouse	esposo(a)	Ehemann, Ehefrau	esposo	σύζυγος
escalier, n. m.	stair	escalera	Treppe	escada	σκάλα
essayer, v.	to try on	probar, probarse	anprobieren	experimentar	δοκιμάζω
essayer, v.	to attempt	intentar, tratar de	versuchen	experimentar	προσπαθώ
étage, n. m.	floor	piso, repisa	Etage	andar	όροφος, πάτωμα
été, n. m.	summer	verano	Sommer	verão	καλοκαίρι
étranger, étrangère, adj.	foreign	extranjero(a)	fremd	estrangeiro	ξένος
être, v.	to be	ser, v. ser, n.	sein	ser	είμαι
étudiant(e) , n. et adj.	student	estudiante	Student/in	estudante	φοιτητής (τρια)
étudier, v.	to study	estudiar	studieren	estudar	μελετώ, σπουδάζω
évoquer, v.	to evoke	evocar	erwähnen	evocar	ανακαλώ
exact(e), adj.	precise	exacto(a)	exakt	exacto(a)	ακριβής
excellent(e), adj.	excellent	excelente	ausgezeichnet	excelente	άριστος(η)
exceptionel(le), adj.	exceptional	excepcional	aussergewöhnlich	excepcional	εκπληκτικός(η)
excuser (s'), v. pron.	to apologise	disculparse	sich entschuldigen	desculpar (s')	απολογούμαι
expliquer, v.	to explain	explicar	erklären	explicar	εξηγώ
exprimer, v.	to express	expresar	ausdrücken	exprimir	εκφράζω, περιγράφω
extraordinaire, adj.	extraordinary	extraordinario	ausserordentlich	extraordinário	καταπληκτικός
Faire, v.	to make, to do	hacer	machen	fazer	κάνω
famille, n. f.	family	familia	Famillie	família	οικογένεια
fatigué(e), adj.	tired	cansado(a)	müde	fatigado(a)	κουρασμένος(η)
fauteuil, n. m.	armchair	sillón	Sessel	poltrona	πολυθρόνα
faux, fausse, adj.	false	falso(a)	falsch	falso	ψεύτικος
femme, n. f.	woman, wife	mujer	Frau	mulher	γυναίκα
fenêtre, n. f.	window	ventana	Fenster	janela	παράθυρο
fermer, v.	to close	cerrar	schließen	fechar	κλείνω
fête, n. f.	celebration	fiesta	Fest	festa	γιορτή
feu, n. m.	fire	fuego	Feuer	fogo	φλόγα, φωτιά
février, n. m.	February	febrero	Februar	fevereiro	Φεβρουάριος
fidèle, adj.	loyal	fiel	treu	fiel	πιστός
fille, n. f.	girl, daughter	chica, hija	Mädchen	rapariga	κορίτσι
film, n. m.	film	película	Film	filme	φιλμ, ταινία
fils, n. m.	son	hijo	Sohn	filho	αγόρι
fin, n. f.	end	fin	Ende	fim	τέλος
finalement, adv.	finally	finalmente	endlich	finalmente	τελικά, επιτέλους
finir, v.	to finish	terminar	beenden	acabar	τελειώνω
fleur, n. f.	flower	flor	Blume	flor	λουλούδι
fleuriste, n.	florist	florista	Floristin	florista	ανθοπώλης
forêt, n. f.	forest	bosque, selva	Wald	floresta	δάσος
fou, folle, adj.	mad	loco(a)	verrückt	louco	τρελός
frais, fraîche, adj.	fresh	fresco(a)	frisch	fresco	φρέσκος
frère, n. m.	brother	hermano	Bruder	irmão	αδερφός
froid(e), adj.	cold	frío(a)	kalt	frio(a)	κρύος(α)
fumer, v.	to smoke	fumar	rauchen	fumar	καπνίζω
fumeur, fumeuse, n.	smoker	fumador	Raucher	fumador	καπνιστής
Gagner, v.	to win	ganar	gewinnen	ganhar	κερδίζω
gai(e), adj.	cheerful	alegre	fröhlich	alegre	χαρούμενος(η)
gant, n. m.	glove	guante	Handschuh	luva	γάντι
garage, n. m.	garage	garaje	Garage	garagem	γκαράζ
garçon, n. m.	boy, waiter	muchacho, mozo	Junge, Restaurant : Kellner	rapaz	αγόρι, νεαρός, γκαρσόνι
gare, n. f.	station	estación	Bahnhof	gare	σκαθμός
gâteau, n. m., gâteaux, plur.	cake(s)	pastel, torta	Kuchen	bolo, Bolos	γλυκό, Γλυκά
généreux, généreuse, adj.	generous	generoso(a)	großzügig	generoso	γενναιόδωρος
génial(e), adj.	brilliant	genial	genial	genial	μεγαλοφυής
géographie, n. f.	geography	geografía	Geographie	geografia	γεωγραφία
goût, n. m.	taste	gusto, sabor	Geschmack	gosto	γεύση, γούστο
grand(e), adj.	big	grande, alto	groß	grande	μεγάλος(η)
grandir, v.	to grow	crecer	wachsen	crescer	μεγαλώνων
gratuit(e), adj.	free of charge	gratuito	gratis	gratuito(a)	δωρεάν
gris(e), adj.	grey	gris	grau	cinzento(a)	γκρίζος(α)
gros(se), adj.	fat	gordo(a)	dick	grande	χονδρός(η), μεγάλος
guitare, n. f.	guitar	guitarra	Gitarre	guitarra	κιθάρα
gym(nastique), n. f.	gymnastics	gimnasia	Gymnastik	ginástica	γυμναστική
Habiller (s'), v. pron.	to get dressed	vestirse	sich anziehen	vestir (se)	ντύνομαι
habiter, v.	to live	vivir	wohnen	habitar	κατοικώ
habitude, n. f.	habit	hábito, costumbre	Gewohnheit	hábito	συνήθεια
hébergement, n. m.	lodging	alojamiento	Unterbringung	alojamento	κατάλυμα
heure, n. f.	hour, time	hora	Stunde	hora	ώρα
heureusement, adv.	fortunately	felizmente	glücklicherweise	felizmente	ευτυχώς
heureux, heureuse, adj.	happy	feliz	glücklich	feliz	ευτυχισμένος
hier, adv.	yesterday	ayer	gestern	ontem	χθες
histoire, n. f.	story	historia	Geschichte	história (contar)	ιστορία
hiver, n. m.	winter	invierno	Winter	inverno	χειμώνα
homme, n. m.	man	hombre	Mann	homem	άντρας
hôpital, n. m.	hospital	hospital	Krankenhaus	hospital	νοσοκομείο
horaire, n. m.	timetable	horario	Zeitplan, Stundenplan	horário	δρομολόγιο, χρονοδιάγραμμα
horreur de (avoir), loc.	to loathe	horror de	verabschenen	horror de (ter)	απέχθεια, φοβάμαι
hôtel, n. m.	hotel	hotel	Hotel	hotel	ξενοδοχείο
Ici, adv.	here	aquí	hier	aqui	εδώ
idée, n. f.	idea	idea	Idee	ideia	ιδέα
identique, adj.	identical	idéntico	identisch	idêntico	ολόιδιος, ίδιος
île, n. f.	island	isla	Insel	ilha	νησί
imaginer, v.	to imagine	imaginar	sich etwas vorstellen	imaginar	φαντάζομαι
immense, adj.	immense	inmenso(a)	unendlich	imenso	απέραντος, πελώριος
immeuble	block of flats	edificio	Gebäude	imóvel	ακίνητο, κτίριο
imperméable, adj.	waterproof	impermeable	undurchlässig	impermeável	αδιάβροχος

important(e), adj.	important	importante	wichtig	importante	σημαντικός(η)
impossible, adj.	impossible	imposible	unmöglich	impossível	ακατόρθωτος, αδύνατος
indépendant(e), adj.	independent	independiente	unabhängig	independente	ανεξάρτητος(η)
infirmier, infirmière, n.	(male) nurse, nurse	enfermero(a)	Krankenpfleger	enfermeiro	νοσοκόμος
information, n. f.	information	información	Information	informação	πληροφορία
informatique, n. f.	computing	informática	Informatik	informática	πληροφοριακός
informel(le), adj.	informal	informal	informell	informal	ανεπίσημος(η)
informer (s'), v. pron.	to find out	informarse	sich informieren	informar (se)	ενημερώνομαι
ingénieur, n. m.	engineer	ingeniero	Ingenieur	engenheiro	μηχανικός
inoubliable, adj.	unforgettable	inolvidable	unvergesslich	inesquecível	αξέχαστος
inscription, n. f.	registration	inscripción	Einschreibung	inscrição	επιγραφή
inscrire (s'), v. pron.	to enrol	inscribirse	sich einschreiben	inscrever (se)	εγγράφομαι
intelligent(e), adj.	intelligent	inteligente	intelligent	inteligente	έξυπνος(η)
interdit(e), adj.	forbidden	prohibido(a)	verboten	interdito(a)	απαγορευμένος(η)
intéresser (s')	to take an interest	interesarse	sich interessieren	interessar (se)	ενδιαφέρομαι
international(e), adj.	international	internacional	international	internacional	διεθνής
interroger, v.	to question	interrogar, preguntar	befragen	interrogar	ερευνώ, ανακρίνω
invitation, n. f.	invitation	invitación	Einladung	convite	πρόσκληση
invité(e), n.	guest	invitado(a)	Gast	convidado(a)	προσκαλεσμένος(η)
itinéraire, n. m.	itinerary	itinerario	Reiseweg	itinerário	δρομολόγιο
Janvier, n. m.	January	enero	Januar	janeiro	Ιανουάριος
jardin, n. m.	garden	jardín	Garten	jardim	κήπος
jaune, adj.	yellow	amarillo(a)	gelb	amarelo	κίτρινος
jeu, n. m.	game	juego	Spiel	jogo	παιχνίδι
jeudi, n. m.	Thursday	jueves	Donnerstag	quinta-feira	Πέμπτη
jeune, adj.	young	joven	jung	jovem	νέος
joie, n. f.	joy	alegría	Freude	alegria	χαρά
joli(e), adj.	pretty	bonito(a)	hübsch	bonito(a)	όμορφος(η)
jouer, v.	to play	jugar	spielen	jogar	παίζω
jour, n. m.	day	día	Tag	dia	ημέρα
journal, n. m.	newspaper	periódico, diario	Zeitschrift	jornal	εφημερίδα
journaliste, n.	journalist	periodista	Journalist	jornalista	δημοσιογράφος
journée, n. f.	day	día	Tag	dia	ημέρα
juillet, n. m.	July	julio	Juli	julho	Ιούλιος
juin, n. m.	June	junio	Juni	junho	Ιούνιος
jusqu'à, prép.	as far as	hasta	bis nacher	até	μέχρι
juste, adv.	just	justo	gerecht	justo	ακριβώς
Kilogramme, n. m.	kilogram	kilogramo	Kilogramm	quilograma	χιλιόγραμμο
kilomètre, n. m.	kilometre	kilometro	Kilometer	quilómetro	χιλιόμετρο
Là, adv.	there	allí, ahí	da	lá	εκεί
là-bas, adv.	over there	alla, lejos	dort	além	εκεί
laisser, v.	to leave	dejar	lassen	deixar	αφήνω
lampe, n. f.	lamp	lámpara	Lampe	lâmpada	λάμπα
laver (se), v. pron.	to get washed	lavarse	sich waschen	lavar (se)	πλένομαι
leçon, n. f.	lesson	lección	Lektion	lição	μάθημα
lettre, n. f.	letter	letra	Buchstabe	letra	γράμμα
lettre, n. f.	letter	carta	Brief	carta	γράμμα
lever (se), v. pron.	to get up	levantarse	sich erheben, aufstehen	levantar (se)	σηκώνομαι
librairie, n. f.	bookshop	librería	Buchhandlung	livraria	βιβλιοπωλείο
libre, adj.	free	libre	frei	livre	ελεύθερος
lieu, n. m., lieux, plur.	place(s)	lugar	Ort	lugar	τόπος
lire, v.	to read	leer	lesen	ler	διαβάζω
lit, n. m.	bed	cama	Bett	cama	κρεβάτι
littérature, n. f.	literature	literatura	Literatur	literatura	λογοτεχνία
livre, n. m.	book, pound	libro	Buch	livro	βιβλίο
locataire, n.	tenant	inquilino	Mieter	locatário	ενοικιαστής
loin, adv.	far	lejos	weit	longe	μακρυά
longtemps, adv.	a long time	mucho tiempo	lange	muito tempo	για πολύ καιρό
lourd(e), adj.	heavy	pesado(a)	schwer	pesado(a)	βαρύα(ια)
loyer, n. m.	rent	alquiler	Miete	aluguer	ενοίκιο
lumière, n. f.	light	luz	Licht	luz	φως
lundi, n. m.	Monday	lunes	Montag	segunda-feira	Δευτέρα
lunettes, n. f. plur.	glasses	gafas	Brille	óculos	γυαλιά
lycée, n. m.	high school	instituto	Gymnasium	liceu	λύκειο
Magasin, n. m.	shop	tienda	Geschäft	armazém	κατάστημα
magazine, n. m.	magazine	revista	Magazin	revista	περιοδικό
magnifique, adj.	magnificent	magnífico	herrlich	magnífico	καταπληκτικός
mai, n. m.	May	mayo	Mai	maio	Μάιος
main, n. f.	hand	mano	Hand	mão	χέρι
maintenant, adv.	now	ahora	jetzt	agora	τώρα
mairie, n. f.	Town Hall	ayuntamiento	Rathaus	câmara municipal	δημαρχείο
mais, conj.	but	pero	aber	mas	αλλά
maison, n. f.	house	casa	Haus	casa	σπίτι
mal (avoir), loc.	to be in pain	doler	Schmerzen haben	mal (ter)	πονώ
malheureux, malheureuse, adj.	unhappy	infeliz	unglücklich	infeliz	δυστυχισμένος
manger, v.	to eat	comer	essen	comer	τρώω
manteau, n. m.	coat	abrigo	Mantel	capa	παλτό
maquiller (se), v. pron.	to put on makeup	maquillarse	sich schminken	maquilhar (se)	μακιγιάρομαι,
marché, n. m.	market	mercado	Markt	mercado	αγορά
marcher, v.	to walk	andar	gehen	marchar	προχωρώ, περπατώ
mardi, n. m.	Tuesday	martes	Dienstag	terça-feira	Τρίτη
mari, n. m.	husband	marido	Ehemann	marido	σύζυγος
mariage, n. m.	marriage	matrimonio	Hochzeit	casamento	γάμος
marié(e), adj.	groom/bride	casado(a)	verheiratet	casado(a)	παντρεμένος(η)
marier (se), v. pron.	to get married	casarse	heiraten	casar (se)	παντρεύομαι
mars, n. m.	March	marzo	März	março	Μάρτιος
mathématique(s), n. f.	maths	matemáticas	Mathematilk	matemática(s)	μαθηματικά
matin, n. m.	morning	mañana	Morgen	manhã	πρωί

mauvais(e), *adj.*	bad	malo(a)	schlecht	mau(má)	κακός(η)
médecine, *n. f.*	medicine	medicina	Medizin	medicina	φάρμακο, ιατρική
médiathèque, *n. f.*	multimedia library	mediateca	Mediathek	mediático	πολυχώρος οπτικοακουστικών μέσων
médicament, *n. m.*	medication	medicamento	Medikament	medicamento	φάρμακο
même, *adj.*	same	mismo	gleich	mesmo	ίδιος
menu, *n. m.*	menu	carta, menú	Menü	ementa	μενού, κατάλογος
mer, *n. f.*	sea	mar	Meer	mar	θάλασσα
merci, *interj.*	thank you	gracias	danke	obrigado	ευχαριστώ
mercredi, *n. m.*	Wednesday	miércoles	Mittwoch	quarta-feira	Τετάρτη
mère, *n. f.*	mother	madre	Mutter	mãe	μητέρα
merveilleux, merveilleuse, *adj.*	wonderful	maravilloso(a)	wunderbar	maravilhoso, maravilhosa	θαυμάσιος, -σια
message, *n. m.*	message	mensaje	Nachricht	mensagem	μήνυμα
météo, *n. f.*	weather forecast	meteorología	Wettervorhersage	meteorologia	μετεωρολογικό δελτίο (υπηρεσία)
métier, *n. m.*	job	oficio, profesión	Beruf	profissão	επάγγελμα
mètre, *n. m.*	metre	metro	Meter	metro	μέτρο
million, *n. m.*	million	millón	Million	milhão	εκατομμύριο
mince, *adj.*	thin	delgado(a)	dünn	fino,	αδύνατος
minuit, *n. m.*	midnight	medianoche	Mitternacht	meia noite	μεσάνυχτα
minute, *n. f.*	minute	minuto	Minute	minuto	λεπτό
mode, *n. f.*	fashion	moda	Mode	modo	μέθοδος, τρόπος
moderne, *adj.*	modern	moderno(a)	modern	moderno	σύγχρονος, μοντέρνος
moins, *adv.*	less	menos	weniger	menos	λιγότερο, μείον
mois, *n. m.*	month	mes	Monat	mês	μήνας
moment, *n. m.*	moment	momento	Moment	momento	στιγμή, λεπτό
monde, *n. m.*	world	mundo	Welt	mundo	κόσμος
montagne, *n. f.*	mountain	montaña	Berg	montanha	βουνό
monter, *v.*	to go up	subir	steigen	subir	ανεβαίνω
montre, *n. f.*	watch	reloj	Uhr	relógio de pulso	ρολόι
montrer, *v.*	to show	mostrar, enseñar	zeigen	mostrar	δείχνω
monument, *n. m.*	monument	monumento	Denkmal	monumento	μνημείο
morceau, *n. m.*	piece	pedazo, trozo	Stück	pedaço	κομμάτι
mot, *n. m.*	word	palabra	Wort	palavra	λέξη
mouchoir, *n. m.*	handkerchief	pañuelo	Taschentuch	lenço	μαντίλι
mourir, *v.*	to die	morir	sterben	morrer	πεθαίνω
mur, *n. m.*	wall	muro, pared	Wand	parede	τοίχος
mûr(e), *adj.*	ripe	maduro(a)	reif	maduro(a)	ώριμος(η)
musclé(e), *adj.*	muscular	musculoso(a)	muskulös	musculado(a)	μυώδης
musée, *n. m.*	museum	museo	Museum	museu	μουσείο
musicien(ne), *n.*	musician	músico(a)	Musiker/in	músico(a)	μουσικός
musique, *n. f.*	music	música	Musik	música	μουσική
Natation, *n. f.*	swimming	natación	Schwimmen	natação	κολύμβηση
national(e), *adj.*	national	nacional	national	nacional	εθνικός(η)
nationalité, *n. f.*	nationality	nacionalidad	Staatsamgehörigkeit	nacionalidade	εθνικότητα
nécessaire, *adj.*	necessary	necesario	notwendig	necessário	απαραίτητος
négatif, négative, *adj.*	negative	negativo(a)	negativ	negativo	αρνητικός
neige, *n. f.*	snow	nieve	Schnee	neve	χιόνι\
neveu, *n. m.*	nephew	sobrino	Neffe	sobrinho	ανηψιός
nièce, *n. f.*	niece	sobrina	Nichte	sobrinha	ανηψιά
nom, *n. m.*	name	apellido	Name	nome	όνομα
nombre, *n. m.*	number	número	Zahl	número	αριθμός
nouveau, nouvel, nouvelle, *adj.*	new	nuevo(a)	neu	novo	καινούργιος
novembre, *n. m.*	November	noviembre	November	novembro	Νοέμβριος
nuage, *n. m.*	cloud	nube	Wolke	nuvem	σύννεφο
nuit, *n. f.*	night	noche	Nacht	noite	νύχτα
numéro, *n. m.*	number	número	Nummer	número	αριθμός
Objet, *n. m.*	object	objeto	Objekt	objecto	αντικίμενο
octobre, *n. m.*	october	octubre	Oktober	outubro	Οκτώβριος
odeur, *n. f.*	smell	odor	Geruch	odor	άρωμα, μυρωδιά
œil, *n. m.*, yeux, *plur.*	eye(s)	ojo, ojos	Auge(n)	olho	μάτι, μάτια
œuf, *n. m.*	egg	huevo	Ei	ovo	αυγό
offrir, *v.*	to give (a present)	regalar	schenken	oferecer	προσφέρω
oncle, *n. m.*	uncle	tío	Onkel	tio	θείος
opéra, *n. m.*	opera	ópera	Oper	opera	όπερα
optimiste, *adj.*	optimist	optimista	optimistisch	optimista	αισιόδοκος
orage, *n. m.*	storm	tormenta	Gewitter	tempestade	καταιγίδα
orange, *adj. inv.*	orange	naranja	orange	laranja	πορτοκαλί
ordinateur, *n. m.*	computer	computadora	Computer	computador	υπολογιστής
oreille, *n. f.*	ear	oreja	Ohr	orelha	αυτί
original(e), *adj.*	original	original	original	original	πρωτότυπος(η)
oublier, *v.*	to forget	olvidar	vergessen	esquecer	ξεχνώ
ouvert(e), *adj.*	open	abierto(a)	geöffnet	aberto(a)	ανοικτός(η)
ouverture, *n. f.*	opening	abertura, apertura	Öffnung	abertura	άνοιγμα, εισαγωγή, έναρξη
Page, *n. f.*	page	página	Seite	página	σελίδα
pain, *n. m.*	bread	pan	Brot	pão	ψωμί
pantalon, *n. m.*	trousers	pantalón	Hosen	calças	παντελόνι
papier, *n. m.*	paper	papel	Papier	papel	χαρτί
parapluie, *n. m.*	umbrella	paraguas	Regenschirm	guarda chuva	ομπρέλα
parc, *n. m.*	park	parque	Park	parque	πάρκο
parents, *n. m. pl.*	parents	padres	Eltern	pais	γονείς
parfait(e), *adj.*	perfect	perfecto(a)	perfekt	perfeito(a)	τέλειος(ια)
parfum, *n. m.*	perfume	perfume	Parfum	perfume	άρωμα
parler, *v.*	to speak	hablar	sprechen	falar	μιλώ
participer, *v.*	to take part	participar	teilnehmen	participar	συμμετέχω
partir, *v.*	to set off	salir, partir	gehen, verlassen	partir	φεύγω
passeport, *n. m.*	passport	pasaporte	Reisepass	passaporte	διαβατήριο

Lexique

passer (du temps), v.	to spend (time)	pasar (tiempo)	Zeit verbringen	passar (o tempo)	περνώ (καιρό)
passion, n. f.	passion	pasión	Leidenschaft	paixão	πάθος
passionné(e), adj.	enthusiastic	apasionado(a)	leidenschaftlich	apaixonado(a)	παθιασμένος(η)
pâtes, n. f. pl.	pasta	pasta (s)	Teig	massa(s)	ζυμαρικά
patient(e), adj.	patient	paciente	geduldig	paciente	υπομονετικός(η)
pâtisserie, n. f.	cake shop	pastelería	Konditorei	pastelaria (loja)	ζαχαροπλαστείο
payer, v.	to pay	pagar	zahlen	pagar	πληρώνω
pays, n. m.	country	país	Land	país	χώρα
peinture, n. f.	painting	pintura	Gemälde	pintura	ζωγραφική
pendant, prép.	during	durante	während	durante	κατά τη διάρκεια, ενώ
perdre, v.	to lose	perder	verlieren	perder	χάνω
père, n. m.	father	padre	Vater	pai	πατέρας
personnage, n. m.	character	personaje	Figur	personagem	προσωπικότητα, πρόσωπο
personne, n. f.	person	persona	Person	pessoa	πρόσωπο, άτομο
pessimiste, adj.	pessimist	pesimista	pessimistisch	pessimista	απαισιόδοξος
petit(e), adj.	small	pequeño(a)	kleine	pequeno(a)	μικρός(η)
petit-déjeuner, n. m.	breakfast	desayuno	Frühstück	pequeno-almoço	πρωινό
petite annonce, n. f.	small ad	anuncio	Kleinanzeige	pequena declaração	μικρή αγγελία
pharmacie, n. f.	chemists shop	farmacia	Apotheke	farmácia	φαρμακείο
photo, n. f.	photo	foto	Foto	fotografia	φωτογραφία
piano, n. m.	piano	piano	Klavier	piano	πιάνο
pièce, n. f.	room	habitación	Zimmer	divisão (numa casa)	δωμάτιο
pièce d'identité, n. f.	identification	documento de identidad	Ausweis	documento de identificação	ταυτότητα
pièce de théâtre, n. f.	play	obra de teatro	Theaterstück	peça de teatro	θεατρικό έργο
placard, n. m.	cupboard	armario	Wandschrank	placar	ντουλάπι, πόστερ, ράφι
place, n. f.	square	plaza	Platz	praça (na cidade)	μέρος
plage, n. f.	beach	playa	Strand	praia	παραλία
plaire, v.	to please	gustar, agradar	gefallen	agradar	αρέσω
plan, n. m.	plan	plano, plan	Plan	plano	σχέδιο
pluie, n. f.	rain	lluvia	Regen	chuva	βροχή
plus, adv.	more	más	mehr	mais	συν
plusieurs, adj.	several	varios	mehrere	vários	πολλοί
poème, n. m.	poem	poema	Gedicht	poema	ποίημα
politique, n. f.	politics	política	Politik	política	πολιτικός
pollution, n. f.	pollution	contaminación	Umweltverschmutzung	poluição	ρύπανση
pont, n. m.	bridge	puente	Brücke	ponte	γέφυρα
porte, n. f.	door	puerta	Türe	porta	πόρτα
poser, v.	to place	colocar, poner	stellen	colocar	τοποθετώ
positif, positive, adj.	positive	positivo(a)	positiv	positivo, positiva	θετικός, θετική
possible, adj.	possible	posible	möglich	possível	δυνατός
poste, n. f.	post Office	correo	Post	correio	ταχυδρομείο, θέση
pot, n. m.	jar	frasco	Topf	pote	βάζο
pouvoir, v.	to be able	poder	können	poder	μπορώ
préciser, v.	to state	precisar	präzisieren	precisar	καθορίζω
préféré(e), adj.	favourite	favorito(a)	bevorzugt(e)	preferido(a)	ευνοούμενος(η)
préférer, v.	to prefer	preferir	bevorzugen	preferir	προτιμώ
premier, première, adj.	first	primero(a)	erster, erste	primeiro	πρώτος
prendre, v.	to take	tomar, coger	nehmen	tomar	παίρνω
prénom, n. m.	first name	nombre	Vorname	prenome	μικρό όνομα
préparer (se), v. pron.	to get ready	prepararse	sich vorbereiten	preparar (se)	προετοιμάζομαι
près (de), prép.	close to	cerca (de)	in der Nähe von	perto (de)	κοντά (σε)
présenter (se), v. pron.	to introduce oneself	presentarse	sich präsentieren	apresentar (se)	παρουσιάζομαι
présenter, v.	to introduce	presentar	präsentieren	apresentar	παρουσιάζω
presque, adv.	almost	casi	fast	quase	σχεδόν
prêt(e), adj.	ready	listo(a)	bereit	pronto(a)	έτοιμος(η)
principal(e), adj.	main	principal	hauptsächlich	principal	κύριος(α)
prix, n. m.	price	precio	Preis	preço	τιμή
problème, n. m.	problem	problema	Problem	problema	πρόβλημα
prochain(e), adj.	next	próximo(a)	nächster, nächste	próximo(a)	επόμενος(η)
professeur, n. m.	teacher	profesor	Lehrer	professor	καθηγητής
profession, n. f.	profession	profesión	Beruf	profissão	επάγγελμα
promenade, n. f.	walk	paseo	Spaziergang	passeio	πρίπατος
promener (se), v. pron.	to go for a walk	pasearse	spazierengehen	passear (se)	κάνω βόλτα
proposer, v.	to suggest	proponer	vorschlagen	propor	προτείνω
propre, adj.	clean	limpio(a)	sauber	próprio	κατάλληλος
prudent(e), adj.	prudent	prudente	vorsichtig	prudente	προσεκτικός(η), συνετός
public, publique, adj.	public	público(a)	öffentlich	público	δημόσιος
publicité, n. f.	publicity	publicidad	Reklame	publicidade	δημοσιότητα, διαφήμιση
puis, adv.	then	después, luego	danach	depois	έπειτα, κατόπιν
pull, n. m.	jumper	jersey	Pullover	pulo	πουλόβερ
purée, n. f.	mashed potato	puré	Puree	puré	πουρές
pyjama, n. m.	pyjamas	pijama	Schlafanzig	pijama	πιτζάμα
Qualité, n. f.	quality	calidad, cualidad	Qualität	qualidade	ποιότητα
quartier, n. m.	neighbourhood	barrio	Viertel	quarto	τέταρτο, συνοικία
quelqu'un, pron. indéf.	someone	alguien	jemand	alguém	κάποιος
quelque chose, pron. indéf.	something	algo	etwas	qualquer coisa	κάτι
question, n. f.	question	pregunta	Frage	pergunta	ερώτηση
questionnaire, n. m.	questionnaire	cuestionario	Fragebogen	questionário	ερωτηματολόγιο
questionner, v.	to question	cuestionar, preguntar	fragen	questionar	ερωτώ
quitter, v.	to leave	dejar	aufgeben	deixar	εγκαταλείπω, φεύγω, παραιτούμαι
Raconter, v.	to tell (a story)	contar, relatar	erzählen	contar	διηγούμαι
radio, n. f.	radio	radio	Radio	rádio	ραδιόφωνο
randonnée, n. f.	ramble	caminata	Wanderung	caminhada	εκδρομή
ranger, v.	to tidy	ordenar	aufräumen	arrumar	τοποθετώ, κανονίζω, τακτοποιώ
rare, adj.	unusual	raro	rar	raro	σπάνιος
rarement, adv.	rarely	raramente	selten	raramente	σπανίως
raser (se)	to shave	afeitarse	rasieren	barbear (se)	ξυρίζομαι
ravissant(e), adj.	ravishing	encantador(a)	bezaubernd	deslumbrante.	γοητευτικός(η)

rayé(e), *adj.*	striped	rayado(a)	gestreift	riscado(a)	ριγέ
réaction, *n. f.*	reaction	reacción	Reaktion	reacção	αντίδραση
réagir, *v.*	to react	reaccionar	reagieren	reagir	αντιδρώ
réalisateur, réalisatrice, *n.*	producer	realizador(a)	Regisseur	realizador	αυτός που πραγματοποιεί
réceptionniste, *n.*	receptionist	recepcionista	Empfangschef	recepcionista	ρεσεψιονίστ
recevoir, *v.*	to receive	recibir	erhalten	receber	λαβαίνω
refuser, *v.*	to refuse	rechazar	ablehnen	recusar	αρνούμαι
regarder, *v.*	to look at, to watch	mirar	anschauen	olhar	κοιτώ
région, *n. f.*	region	región	Region	região	περιοχή
regretter, *v.*	to regret	lamentar	bedauern	lamentar	μετανιώνω
régulièrement, *adv.*	regularly	regularmente	regelmässig	regularmente	τακτικώς
relation, *n. f.*	relationship	relación	Relation	relação	σχέση
remercier, *v.*	to thank	agradecer	bedanken	agradecer	ευχαριστώ
rencontrer, *v.*	to meet	encontrar, conocerse	treffen	encontrar	συναντώ
rendez-vous, *n. m.*	meeting	cita	Treffen	encontro	συνάντηση
rentrer, *v.*	to return	volver	zurück kommen	reentrar	επιστρέφω
repas, *n. m.*	meal	comida	Mahlzeit	refeição	γεύμα, φαγητό
répéter, *v.*	to repeat	repetir	wiederholen	repetir	επαναλαμβάνω
répondre, *v.*	to reply	responder	antworten	responder	απαντώ
réponse, *n. f.*	reply	respuesta	Antwort	resposta	απάντηση
reportage, *n. m.*	report	reportaje	Reportage	reportagem	ρεπορτάζ
responsable, *adj.*	in charge of	responsable	verantwortlich	responsável	υπεύθνος
ressembler, *v.*	to resemble	parecerse	ähneln	parecer-se	μοιάζω
restaurant, *n. m.*	restaurant	restaurante	Restaurant	restaurante	εστιατόριο
rester, *v.*	to remain	quedar, quedarse	bleiben	ficar	παραμένω
retard, *n. m.*	delay	retraso	Verspätung	atraso	καθυστέρηση
retour, *n. m.*	return	regreso, retorno, vuelta	Ruckkehr	regresso	επιστροφή
réunion, *n. f.*	meeting	reunión	Versammlung	reunião	συγκέντρωση
réunir (se), *v. pron.*	to meet	reunirse	sich wiedervereinen	reunir (se)	συγκέντρωνομαι
rêve, *n. m.*	dream	sueño	Traum	sonho	όνειρο
réveiller (se), *v. pron.*	to wake up	despertarse	aufwachen	despertar (se)	ξυπνώ
réveillon, *n. m.*	Christmas Eve or New Year's Eve	cena de Navidad o de Año Nuevo	Festessen	passagem de ano	ρεβεγιόν
revenir, *v.*	to come back	volver, regresar	wiederkommen	voltar	επιστρέφω
rêver, *v.*	to dream	soñar	träumen	sonhar	οειρεύομαι
riche, *adj.*	rich	rico	reich	rico	πλούσιος
rire, *v.*	to laugh	reir	lachen	rir	γελώ
rivière, *n. f.*	river	río	Fluß	rio	ποταμός
robe, *n. f.*	dress	vestido	Kleid	vestido	φόρεμα
rôle, *n. m.*	role	papel, función	Rolle	papel	ρόλος
romantique, *adj.*	romantic	romántico(a)	romantisch	romântico	ρομαντικός
rond(e), *adj.*	round	redondo(a)	rund	redondo(a)	στρογγυλός(η)
rose, *adj. inv.*	pink	rosa	rosa	rosa	ροζ
rouge, *adj.*	red	rojo(a)	rot	vermelho	κόκκινος
route, *n. f.*	road	ruta	(Land)Straße	estrada	δρόμος, πορεία
rue, *n. f.*	street	calle	Straße	rua	δρόμος, οδός
sac, *n. m.*	bag	bolso, bolsa	Tasche	saco	τσάντα
sac à dos, *n. m.*	rucksack	mochila	Rucksack	mochila	σακίδιο
saison, *n. f.*	season	estación	Jahreszeit	estação do ano	εποχή
sale, *adj.*	dirty	sucio(a)	schmutzig	sujo	βρόμικος
salé(e), *adj.*	salted	salado(a)	gesalzen	salgado(a)	αλμυρός(η)
salle, *n. f.*	room	sala	Saal	sala	αίθουσα, σαλόνι
salle à manger, *n. f.*	dining room	comedor	Esszimmer	sala de jantar	τραπεζαρία
salle de bains, *n. f.*	bathroom	cuarto de baño	Badezimmer	casa de banho	μπάνιο
salon, *n. m.*	lounge	sala de estar	Salon	salão	σαλόνι
saluer (se), *v. pron.*	to greet one another	saludarse	sich begrüßen	cumprimentar (se)	χαιρετώ
samedi, *n. m.*	Saturday	sábado	Samstag	sábado	Σάββατο
savoir, *v.*	to know	saber	wissen	saber	γνωρίζω
sculpture, *n. f.*	sculpture	escultura	Skulptur	escultura	γλυπτό
secrétaire, *n.*	secretary	secretaria	Sekretär/in	secretária	γραμματέας
semaine, *n. f.*	week	semana	Woche	semana	εβδομάδα
sensation, *n. f.*	sensation	sensación	Sensation	sensação	αίσθηση
sensible, *adj.*	sensitive	sensible	empfindlich	sensível	ευαίσθητος
sentiment, *n. m.*	feeling	sentimiento	Gefühl	sentimento	αίσθημα, συναίσθημα
sentir, *v.*	to feel	sentir	fülhen	sentir	αισθάνομαι, νοιώθω
séparation, *n. f.*	separation	separación	Trennung	separação	χωρισμός, διαχωρισμός
septembre, *n. m.*	September	setiembre	September	setembro	Σεπτέμβριος
sérieux, sérieuse, *adj.*	serious	serio(a)	ernst	sério, séria	σοβαρός, σοβαρή
seul(e), *adj.*	alone	solo(a)	allein	só	μόνος(η)
seulement, *adv.*	only	solamente	nur	somente	ακόμη, μόνο
siècle, *n. m.*	century	siglo	Jahrhundert	século	αιώνας
signature, *n. f.*	signature	firma	Unterschrift	assinatura	υπογραφή
silence, *n. m.*	silence	silencio	Stille	silêncio	ησυχία
simple, *adj.*	simple	simple	einfach	simples	απλός
situation, *n. f.*	situation	situación	Situation	situação	κατάσταση
situé(e), *adj.*	situated	situado(a)	gelegen	situado(a)	ευρισκόμενος(η)
ski, *n. m.*	skiing	esquí	Ski	esqui	σκι
sœur, *n. f.*	sister	hermana	Schwester	irmã	αδερφή
soir, *n. m.*	evening	noche	Abend	noite	βράδυ
soirée, *n. f.*	evening (event)	fiesta	Abendgesellschaft	serão	βραδυά
soldes, *n. f. pl.*	sales	rebajas	Ausverkauf	soldos	εκποίηση, εκπτώσεις
soleil, *n. m.*	sun	sol	Sonne	sol	ήλιος
sombre, *adj.*	dark	sombrío(a)	düster	sombra	σκοτεινός
sondage, *n. m.*	survey	sondeo	Umfrage	sondagem	δημοσκόπηση
sortie, *n. f.*	exit	salida	Ausgang	saída	έξοδος
sortie, *n. f.*	outing	salida (paseo)	Ausgang	saída	έξοδος
sortir, *v.*	to go out	salir	ausgehen	sair	βγαίνω
soupe, *n. f.*	soup	sopa	Suppe	sopa	σούπα
sourd(e), *adj.*	deaf	sordo(a)	schwerhörig	surdo(a)	κουφός(η)

sourire, v.	to smile	sonreír	lächeln	sorrir	χαμογελώ
sourire, n. m.	smile	sonrisa	Lächeln	sorriso	χαμόγελο
sous, prép.	under	debajo, bajo	unter	sob	κάτω
sous-sol, n. m.	basement	subsuelo, sótano	Untergeschoss	subsolo	υπόγειο
souvenir, n. m.	souvenir	recuerdo	Erinnerung	lembrança	σουβνείρ, ανάμνηση
souvenir (se), v.	to remember	acordarse	sich erinnern	lembrar (se)	θυμάμαι
souvent, adv.	often	a menudo, muchas veces	oft	frequentemente	συχνά
spécial(e), adj.	special	especial	speziell	especial	ειδικός(η)
spécialité, n. f.	speciality	especialidad	Spezialität	especialidade	ειδικότητα, σπεσιαλιτέ
spectacle, n. m.	performance	espectáculo	Spektakel	espectáculo	θέαμα
sport, n. m.	sport	deporte	Sport	desporto	σπορ
sportif, sportive, adj.	sporty	deportista	sportlich	desportivo	αθλητικός
station, n. f.	(underground) station	estación	Station	estação	σταθμός
statue, n. f.	statue	estatua	Statue	estátua	άγαλμα
sublime, adj.	wonderful	sublime	erhaben	sublime	ανώτερος, απόλυτος
suivant(e), adj.	next	siguiente	folgend(e)	segundo(a)	ακόλουθος(η)
suivre, v.	to follow	seguir	folgen	seguir	ακολουθώ
superbe, adj.	wonderful	espectacular	herrlich	soberbo	θαυμάσιος
superficiel(le), adj.	superficial	superficial(a)	oberflächlich	superficial	επιφανειακός(η)
supermarché, n. m.	supermarket	supermercado	Supermarkt	supermercado	σούπερ μάρκετ
sur, prép.	on	en, encima, sobre	auf	sobre	πάνω
surprise, n. f.	surprise	sorpresa	Überraschung	surpresa	έκπληξη
sympathique, adj.	nice	simpático(a)	sympathisch	simpático	συμπαθητικός
Table, n. f.	table	mesa	Tisch	mesa	τραπέζι
tante, n. f.	aunt	tía	Tante	tia	θεία
tard, adv.	late	tarde	spät	tarde	αργά
tarte, n. f.	tart	tarta	Torte	tarte	τάρτα, τούρτα
taxi, n. m.	taxi	taxi	Taxi	táxi	ταξί
téléphone, n. m.	telephone	teléfono	Telefon	telefone	τηλέφωνο
télévision, n. f.	television	televisión	Fernseher	televisão	τηλόραση
témoignage, n. m.	evidence	testimonio	Aussage	testemunho	μαρτυρία, κατάθεση
tente, n. f.	tent	carpa	Zelt	tenda	σκηνή
terminer, v.	to complete	terminar	beenden	terminar	ολοκληρώνω, λήγω
terrasse, n. f.	terrace	terraza	Terrasse	varanda	βεράντα, ταράτσα, μπαλκόνι
terre, n. f.	earth, world	tierra	Erde	terra	γη
thé, n. m.	tea	té	Tee	chá	τσάι
théâtre, n. m.	theatre	teatro	Theater	teatro	θέατρο
timide, adj.	shy	tímido(a)	schüchtern	tímido	ντροπαλός
tomber, v.	to fall	caer	fallen	cair	πέφτω
tôt, adv.	early	temprano	früh	cedo	νωρίς, σύντομα
toujours, adv.	always	siempre	immer	sempre	πάντα
tour, n. f.	tower, tour	torre	Turm	volta	γύρος, πύργος, στροφή
touriste, n. m.	tourist	turista	Tourist	turista	τουρίστας
tourner, v.	to turn	girar, dar vueltas a	drehen	voltar	γυρνώ, γυρίζω
tout à l'heure, adv.	soon	dentro de poco	später	já	αμέσως
tout droit, adv.	straight on	derecho	geradeaus	sempre em frente	ολόισια
train, n. m.	train	tren	Zug	combóio	τρένο
tranche, n. f.	slice	rebanada	Scheibe	fatia	τομή, φέτα
tranquille, adj.	calm	tranquilo	ruhig	tranquilo	ήρεμος
travail, n.m.	work	trabajo	Arbeit	trabalho	εργασία, δουλειά
travailler, v.	to work	trabajar	arbeiten	trabalhar	εργάζομαι
traverser, v.	to cross	atravesar, cruzar	überqueren	atravessar	διασχίζω
très, adv.	very	muy	sehr	muito	πολύ
triste, adj.	sad	triste	traurig	triste	λυπημένος
tromper (se), v. pron.	to make a mistake	equivocarse	sich irren	enganar (se)	κάνω λάθος
trop, adv.	too much	demasiado	viel	muito	πολύ
trottoir, n. m.	pavement	acera	Gehsteig	passeio	πεζοδρόμιο
trouver (se), v.	to be	encontrarse	sich befinden	encontrar (se)	βρίσκομαι
trouver, v.	to find	encontrar	finden	encontrar	βρίσκω
Université, n. f.	university	universidad	Universität, Hachschule	universidade	πανεπιστήμιο
Vacances, n. f. pl.	holiday	vacaciones	Ferien	férias	διακοπές
valise, n. f.	suitcase	maleta	Koffer	mala	βαλίτσα
vélo, n. m.	bike	bicicleta, bici	Fahrrad	bicicleta	ποδήλατο
vendeur, vendeuse, n.	shop assistant	vendedor(a)	Verkäufer	vendedor	πωλητής
vendre, v.	to sell	vender	verkaufen	vender	πουλώ
vendredi, n. m.	Friday	viernes	Freitag	sexta-feira	Παρασκευή
venir, v.	to come	venir	kommen	vir	έρχομαι
verre, n. m.	glass	vaso	Glas	vidro	ποτήρι, γυαλί
vers, prép.	towards, around	hacia	nach	verso	προς
vert(e), adj.	green	verde	grün	verde	πράσινος(η)
veste, n. f.	jacket	chaqueta	Jacke	casaco	ζακέτα
vêtement, n. m.	garment	traje, ropa	Kleidung	vestuário	ρούχο
vide, adj.	empty	vacío(a)	leer	vazio	άδειος
vie, n. f.	life	vida	Leben	vida	ζωή
village, n. m.	village	pueblo	Dorf	aldeia	χωριό
ville, n. f.	town	ciudad	Stadt	cidade	πόλη
vin, n. m.	wine	vino	Wein	vinho	κρασί
visiter, v.	to examine	visitar	besichtigen	visitar	επισκέπτομαι
vivre, v.	to live	vivir	leben	viver	ζω
voir, v.	to see	ver	sehen	ver	βλέπω
voisin(e), n.	neighbour	vecino(a)	Nachbar/in	vizinho(a)	γείτονας, διπλανός(η)
voiture, n. f.	car	coche	Auto	viatura	αυτοκίνητο
volcan, n. m.	volcano	volcán	Vulkan	vulcão	ηφαίστειο
vouloir, v.	to want	querer	wollen	querer	επιθυμώ, θέλω
voyage, n. m.	journey	viaje	Reise	viagem	ταξίδι
voyager, v.	to travel	viajar	reisen	viajar	ταξιδύω
vrai(e), adj.	real	verdadero(a)	echt	verdadeiro(a)	αληθινός(η)

Imprimé en Italie par Rotolito Lombarda
Dépôt légal 02/2010 - Collection n° 05 - Edition n° 09
15/5420/3